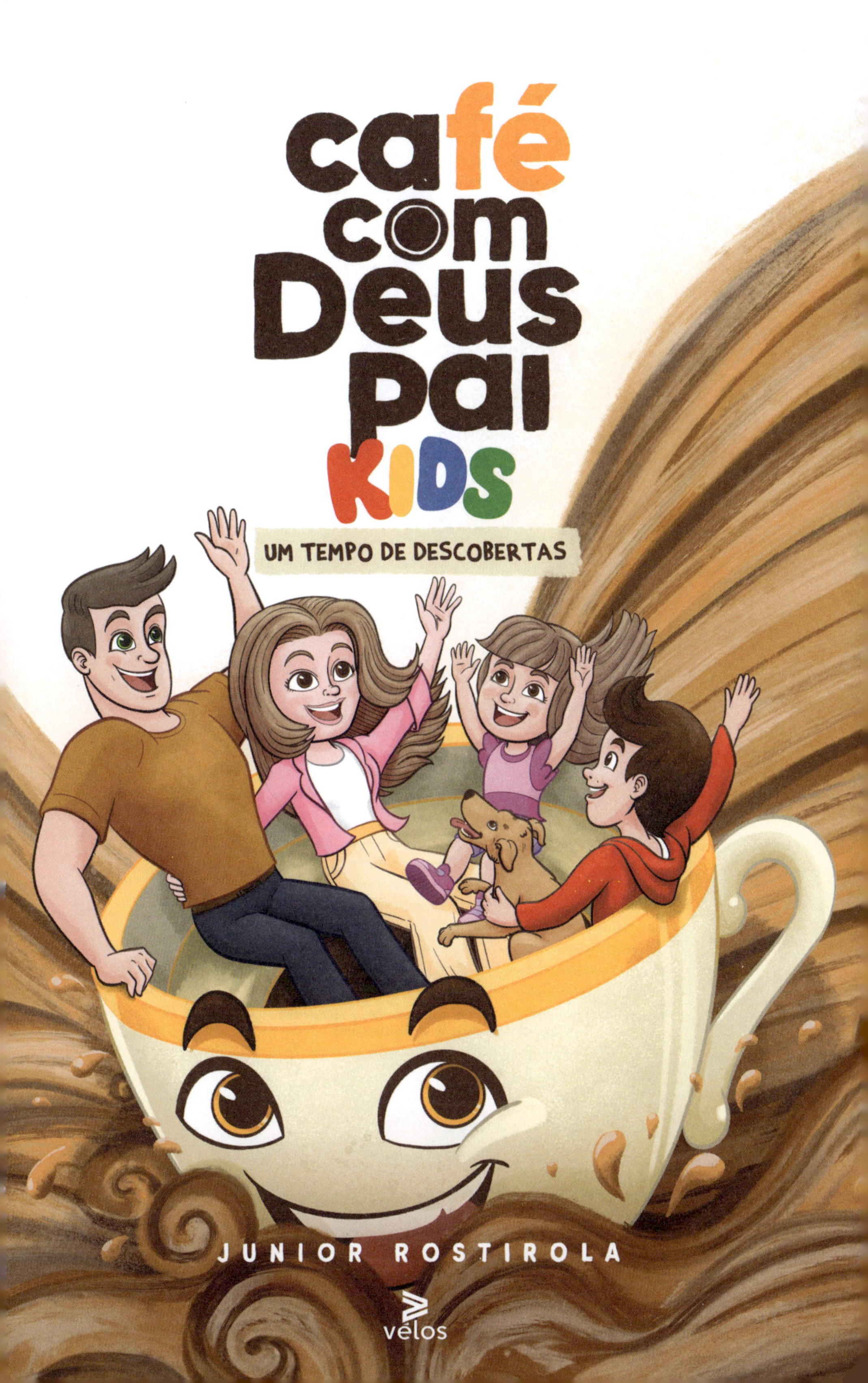
café com Deus pai
KIDS
UM TEMPO DE DESCOBERTAS
JUNIOR ROSTIROLA
vélos

Editora Vélos
Rua Benjamin Franklin Pereira, 458
São João - Itajaí/SC
CEP: 88304-070
Tel.: 47 3083-8555
contato@editoravelos.com.br
www.editoravelos.com.br

Direção geral
Junior Rostirola

Editor responsável
Gisele Romão da Cruz

Edição
Emanuelle Malecka

Copidesque
Salete Dorow
Sônia Lula
Ivonei Rocha
Marcos Ferreira
Joshua dos Santos

Revisão de provas
Aline Lisboa

Colaboração
Jéssica Oliveira

Ilustração
Jonatas Ilustre
Candra Mustika
Dan Queirolo

Diagramação
Melhor Arte Studio

Capa
Jonatas Ilustre

Esta obra foi composta em Basic Sans
e impressa por Geográfica
sobre papel *Offset* 90 g/m²
para Editora Vélos.

Dados Internacionais de Catalogação na Publicação (CIP)
(Câmara Brasileira do Livro, SP, Brasil)

Rostirola, Junior
Café com Deus pai kids : um tempo de descobertas / Junior Rostirola. -- 1. ed. -- Itajaí, SC : Editora Vélos, 2024.

ISBN 978-65-980788-1-2

1. Deus (Cristianismo) 2. Literatura devocional 3. Vida cristã I. Título.

23-164245 CDD-242

Índices para catálogo sistemático:
1. Literatura devocional : Cristianismo 242
Eliane de Freitas Leite - Bibliotecária - CRB 8/8415

CONHEÇA A TURMINHA

JOÃO

significa "Deus é gracioso". João é cheio de compaixão. As outras crianças sempre o procuram quando têm problemas difíceis a resolver.

ISABELLA

tem sentido de "consagrada a Deus". Ela é a mais sábia da turma e logo percebe a intenção real das pessoas.

VITÓRIA

é a filha esperada de pais que não podiam ter filhos. É uma Vitória dos céus. Ela tem problemas de autoestima, medo e insegurança por ser superprotegida.

ENZO

significa “príncipe do lar” e é uma criança que tem permissão para agir conforme deseja. É extrovertido e agitado. Tem Transtorno de Déficit de Atenção e Hiperatividade, opiniões fortes e não gosta de ser contrariado

VALENTINA,

apesar de seu nome indicar “cheia de saúde”, nasceu com um problema de saúde congênito no coração que a impede de participar de atividades físicas.

GABRIEL

tem sentido de “varão de Deus”. Ele tem dificuldade de ter uma relação próxima a Deus Pai porque não conhece seu pai biológico. Mora com os avós enquanto a mãe trabalha em outra cidade. Sua fiel escudeira é a cachorrinha Zilu.

INTRODUÇÃO

EU QUERO CONVIDAR VOCÊ PARA ME ACOMPANHAR EM UMA JORNADA MUITO ESPECIAL! ESTE LIVRO É MUITO IMPORTANTE, SABIA? AQUI, VOCÊ VAI ENCONTRAR HISTÓRIAS PARA TODOS OS DIAS DO ANO! TAMBÉM TERÁ MUITAS ATIVIDADES SOBRE O MAIOR AMOR QUE EXISTE NESTE MUNDO, O AMOR DE DEUS PAI. SÓ DE PENSAR EM DEUS, JÁ FICO MUITO ALEGRE E QUENTINHO.

O QUE VOCÊ ACHA DE APRENDER MAIS SOBRE ESSE AMOR TÃO GRANDE JUNTO COMIGO?

COMECE FAZENDO UM DESENHO DE VOCÊ MESMO, PORQUE VOCÊ TAMBÉM É PARTE DA NOSSA TURMA!

VAMOS LÁ!

DEUS É TRÊS EM UM

TEXTO BÍBLICO: JOÃO 14.15-21,26, 1PEDRO 1.1-12

AMIGO, NOSSO DEUS É MUITO ESPECIAL! ELE É COMO UM TIME INCRÍVEL, COM TRÊS PESSOAS PODEROSAS: O PAI, O FILHO (JESUS CRISTO) E O ESPÍRITO SANTO. MESMO SENDO UM SÓ DEUS, CADA UM DELES É ÚNICO. SÃO TODO MUITO IMPORTANTES, PODEROSOS E GLORIOSOS. JESUS CRISTO É O NOSSO HERÓI.! ELE VEIO NOS SALVAR, MORREU NA CRUZ E RESSUSCITOU. AGORA ESTÁ NO CÉU. QUANDO CONHECEMOS JESUS, CONHECEMOS TAMBÉM DEUS, NOSSO PAI. O ESPÍRITO SANTO É NOSSO AMIGO ESPECIAL! ELE MORA NO NOSSO CORAÇÃO E NOS AJUDA SEMPRE. ELE NOS GUIA E NOS DÁ CONFORTO QUANDO PRECISAMOS. ELES NOS AJUDA A SER BONS, COMO DEUS QUER. LEMBRE-SE DEUS É UM TIME PODEROSO, COM PAI, FILHO E ESPÍRITO SANTO. JUNTOS, SÃO O TRIO MAIS PODEROSO DE TODOS OS TEMPOS!

PARA QUE FIQUE MAIS FÁCIL DE ENTENDER, EU VOU DAR UM EXEMPLO. EXISTE UMA FRUTA CHAMADA TANGERINA, TALVEZ VOCÊ A CONHEÇA POR OUTRO NOME, COMO BERGAMOTA OU MEXERICA. VOCÊ JÁ VIU ESSA FRUTA? POR FORA, PODEMOS VER A CASCA. QUANDO ABRIMOS, ENCONTRAMOS OS GOMOS DA FRUTA, QUE É A PARTE QUE COMEMOS. DENTRO DELES, FICAM AS SEMENTES. ESSA FRUTA TEM PARTES DIFERENTES, MAS CONTINUA SENDO APENAS UMA FRUTA. DEUS TAMBÉM É ASSIM, POIS ELE SE REVELA A NÓS EM TRÊS PESSOAS DIFERENTES, MAS PERMANECE UM SÓ.

A CASCA PROTEGE A FRUTA E A ENVOLVE, AFASTANDO DAS OUTRAS COISAS E NÃO PERMITINDO QUE SEJA CONTAMINADA. ASSIM O DEUS ESPÍRITO SANTO AGE EM NOSSA VIDA, POIS ELE NOS AJUDA, ACONSELHA, CONFORTA; TUDO ISSO É PARA A NOSSA PROTEÇÃO E PARA QUE NÃO SEJAMOS CONTAMINADOS PELO PECADO. O GOMO DA FRUTA É O ALIMENTO, DE ONDE TIRAMOS OS NUTRIENTES, AS VITAMINAS E O SABOR DELICIOSO. DEUS PAI É O QUE NOS ALIMENTA, NUTRE E FORTALECE, POR MEIO DE SUA PALAVRA, DA ORAÇÃO E DA AMIZADE COM ELE. POR ÚLTIMO, A SEMENTE É A FONTE DE VIDA. PARA QUE UM NOVO FRUTO CRESÇA, A SEMENTE DEVE SER COLOCADA NA TERRA BOA E BEM CUIDADA. JESUS É A SEMENTE QUE NOS DEU VIDA, E DEVEMOS CUIDAR DE SEUS ENSINAMENTOS, PARA QUE FAÇAMOS A VONTADE DE DEUS PAI.

ENTÃO, É MUITO IMPORTANTE QUE VOCÊ SE LEMBRE QUE EXISTE UM SÓ DEUS E QUE ELE SE REVELA EM TRÊS: PAI, FILHO E ESPÍRITO SANTO. POR ISSO, DIZEMOS QUE DEUS É TRÊS EM UM. PEÇA A UM ADULTO PARA PEGAR UMA TANGERINA E MOSTRAR-LHE CADA PARTE DESSA FRUTA. VOCÊ CONSEGUE PERCEBER QUE, AINDA QUE A FRUTA TENHA PARTES DIFERENTES, ELA CONTINUA SENDO UMA SÓ?

café
com
Deus
pai
KIDS

JANEIRO

FÉRIAS

Imagine só: Deus é um superpai. Se você pudesse fazer um desenho para entregar a Deus, o que faria?
Solte a imaginação e capriche no desenho.
Vamos lá, mostre o seu amor por Deus de forma criativa!

NOVO ANO, NOVOS SONHOS

COMO O AMOR DE DEUS PAI PODE AJUDAR VOCÊ A REALIZÁ-LOS!

MICHELLE — FILHA, QUE TAL ESCREVERMOS JUNTAS AS COISAS LEGAIS QUE QUEREMOS FAZER ESTE ANO? CHAMAMOS DE METAS, SABE? É COMO OS NOSSOS OBJETIVOS! POR EXEMPLO, O PAPAI E EU QUEREMOS COMPRAR UM CARRO NOVO, VIAJAR BASTANTE E TER NOSSO MOMENTO COM DEUS PAI TODOS OS DIAS DE MANHÃ. VAMOS LÁ, O QUE VOCÊ QUER FAZER?

ISABELLA — ENTÃO, MAMÃE, EU TAMBÉM QUERO! OLHA SÓ O QUE EU QUERO FAZER NESTE ANO NOVO: QUERO PASSAR TODO O ANO APRENDENDO SOBRE A BÍBLIA E SOBRE O AMOR DE DEUS POR MIM. E TAMBÉM QUERO ESTAR COM OS MEUS AMIGOS DA IGREJA, PORQUE JÁ ESTOU COM SAUDADES DELES. QUE LEGAL QUE VAMOS BRINCAR MUITO NAS FÉRIAS!

ORAÇÃO

Ó Deus Pai, cuide de nós e nos ajude a estar sempre perto do Senhor. Amém.

02
Janeiro

TEXTO BÍBLICO: EFÉSIOS 6.1; TITO 3.1; 1JOÃO 5.2,3

OBEDIÊNCIA QUE SALVA O DIA

ENZO — EU ESTOU COM VONTADE DE JOGAR BOLA, MAS A MINHA MÃE DISSE QUE EU TENHO QUE ARRUMAR O QUARTO PRIMEIRO.

JOÃO — SABE POR QUE É IMPORTANTE FAZER O QUE OS NOSSOS PAIS PEDEM? PORQUE ELES NOS AMAM E QUEREM O MELHOR PARA NÓS. ELES NOS ENSINAM A OBEDECER OUTRAS PESSOAS TAMBÉM, COMO OS AVÓS, TIOS E PROFESSORES. E NÃO PODEMOS NOS ESQUECER DE DEUS, QUE NOS AMA MUITO! QUANDO OBEDECEMOS A DEUS, ELE FICA FELIZ, E O NOSSO CORAÇÃO TAMBÉM. EU APRENDI ISSO COM A MINHA MÃE E QUERO SEMPRE AGRADAR A DEUS. QUE TAL SE EU AJUDAR VOCÊ A ARRUMAR O QUARTO, E DEPOIS A GENTE SE DIVERTE JOGANDO BOLA?

ORAÇÃO

Papai, me ensine a obedecer mesmo sem entender e a seguir os seus caminhos. Amém.

Crie um caminho encantador que leve diretamente ao coração de Deus!

TEXTO BÍBLICO: ÊXODO 13.21,22

03
Janeiro

MOISÉS: UM EXEMPLO DE LIDERANÇA E OBEDIÊNCIA

VITÓRIA — CERTO DIA, O MEU PAI ME CONTOU UMA HISTÓRIA MUITO ANTIGA SOBRE O POVO DE ISRAEL. HÁ MUITO TEMPO, ELES ERAM ESCRAVOS NO EGITO E TINHAM QUE OBEDECER A TODAS AS REGRAS DO FARAÓ. MAS OS EGÍPCIOS NÃO SEGUIAM AS COISAS QUE DEUS ORDENAVA; ENTÃO, DEUS ESCOLHEU UM HOMEM CHAMADO MOISÉS PARA AJUDAR SEU POVO. DEUS FALAVA COM MOISÉS E O GUIAVA PARA LIDERAR OS ISRAELITAS PARA A LIBERDADE. MOISÉS ERA MUITO OBEDIENTE A DEUS E, GRAÇAS A ELE, O POVO DE ISRAEL CONSEGUIU SE LIBERTAR DA ESCRAVIDÃO. QUANDO ELES SAÍRAM DO EGITO, DEUS ESTAVA SEMPRE COM ELES, DURANTE O DIA E DURANTE A NOITE.

GABRIEL — UAU, ISSO É INCRÍVEL! EU TAMBÉM QUERO QUE DEUS ME ACOMPANHE EM TUDO O QUE EU FIZER!

ORAÇÃO

Deus Pai, fique comigo de dia e de noite. Em nome de Jesus, amém.

04
Janeiro

TEXTO BÍBLICO: ÊXODO 20

DEZ GRANDES REGRAS

ISABELLA — GABRIEL, DEUS ESTÁ CONOSCO O TEMPO TODO, MAS ELE QUER QUE SEJAMOS OBEDIENTES. POR ISSO, NAQUELA ÉPOCA, ELE CRIOU OS DEZ MANDAMENTOS. NÃO IMPORTA ONDE ESTAMOS OU O QUE FAZEMOS, DEUS ESTÁ SEMPRE PRESENTE. ELE É COMO UM AMIGO FIEL QUE NOS DIRECIONA EM TODOS OS MOMENTOS. E, PARA AJUDAR A NOS ORIENTAR AINDA MAIS, ELE NOS DEU UM CONJUNTO DE REGRAS CHAMADO DEZ MANDAMENTOS. SÃO COMO UM MAPA PARA NOS CONDUZIR NA JORNADA DA VIDA.

VALENTINA — MANDAMENTOS?

ISABELLA — SABE AQUELES CONSELHOS IMPORTANTES QUE OS NOSSOS PAIS NOS DÃO? ENTÃO, OS MANDAMENTOS SÃO COMO REGRAS MUITO IMPORTANTES QUE DEUS DEU PARA AS PESSOAS. ESSES MANDAMENTOS SÃO MUITO VALIOSOS E ATÉ HOJE PODEMOS APRENDER MUITO COM ELES. QUANDO OBEDECEMOS A ESSAS REGRAS, DEUS FICA FELIZ PORQUE NOS AMA E QUER O NOSSO BEM.

ORAÇÃO

Deus Pai, por favor, me ensine o que devo fazer e o que não devo fazer. Amém.

TEXTO BÍBLICO: ÊXODO 20.1-3; DEUTERONÔMIO 6.5

O PRIMEIRO MANDAMENTO

O MANDAMENTO MAIS IMPORTANTE: DEUS EM PRIMEIRO LUGAR!

VALENTINA — GENTE, SABEM O QUE EU DESCOBRI? EU FUI PROCURAR A HISTÓRIA DOS DEZ MANDAMENTOS E VI QUE O PRIMEIRO É SUPERIMPORTANTE! É ASSIM: "NÃO TENHAM OUTROS DEUSES ALÉM DE MIM". PODE PARECER DIFÍCIL ENTENDER, MAS O MEU PAI ME EXPLICOU QUE ISSO SIGNIFICA QUE NÃO PODEMOS ADORAR OUTRAS COISAS OU PESSOAS NO LUGAR DE DEUS. NEM MESMO OS NOSSOS BRINQUEDOS FAVORITOS, HERÓIS OU PRINCESAS PODEM TOMAR O LUGAR DE DEUS NO NOSSO CORAÇÃO. DEUS PAI DEVE SER O MAIS IMPORTANTE NA VIDA, PORQUE ELE MERECE TODO O NOSSO AMOR E ADORAÇÃO.

GABRIEL — EU QUERO APRENDER A AMAR A DEUS DE TODO O CORAÇÃO!

ORAÇÃO

Pai, quero conhecê-lo mais e amá-lo com tudo o que tenho e sou. Amém.

TEXTO BÍBLICO: SALMOS 150

LOUVANDO A DEUS COM OS MEUS TALENTOS

GABRIEL — DESCOBRI QUE AMAR A DEUS PODE SER DIVERTIDO! MEUS AVÓS ME ENSINARAM QUE UMA DAS FORMAS DE MOSTRAR AMOR AO SENHOR É ATRAVÉS DA ADORAÇÃO. EU POSSO CANTAR, DANÇAR, TOCAR INSTRUMENTOS E ATÉ DESENHAR PARA DEUS. O MEU AVÔ ME CONTOU QUE O QUE IMPORTA MESMO É ESTAR COM O CORAÇÃO ABERTO E DISPOSTO A ADORAR A DEUS. E SABE DE UMA COISA? ATÉ OS ANIMAIS PODEM LOUVAR A DEUS, POIS A BÍBLIA DIZ: "TUDO O QUE TEM VIDA LOUVE O SENHOR!".

VITÓRIA — JÁ SEI O QUE PODEMOS FAZER! NÓS PODÍAMOS MONTAR UMA BANDA, PARA CANTAR E TOCAR MÚSICAS DE LOUVOR! VAMOS COMEÇAR A PRATICAR AGORA MESMO!

ORAÇÃO

Paizinho, me ajude a louvar o Senhor a cada dia. Amém.

Vamos louvar a Deus juntos em família? Podemos cantar, dançar, tocar instrumentos e até fazer desenhos ou teatrinho sobre histórias da Bíblia. Vamos usar os nossos talentos para mostrar quanto amamos a Deus.

TEXTO BÍBLICO: SALMOS 122.1,2

O MEU DIA ESPECIAL NA IGREJA

APRENDENDO SOBRE O AMOR DE DEUS

VITÓRIA — ESTOU TÃO FELIZ HOJE! MESMO COM O SONO ME CHAMANDO, PULEI DA CAMA PARA ME ARRUMAR E ESCOLHI A MINHA ROUPA FAVORITA. AMO ESTAR NA CASA DO SENHOR E ESTAR COM OS MEUS AMIGOS DA IGREJA. AQUI APRENDO MAIS SOBRE A PALAVRA DE DEUS E COMO ELE ME AMA. É UM DIA MUITO ESPECIAL PARA MIM.

ISABELLA —ADORO ESTUDAR A BÍBLIA! É A MINHA PARTE PREFERIDA DO CULTO KIDS, POIS SEMPRE APRENDO COISAS NOVAS E INTERESSANTES.

ENZO — EU GOSTO MUITO DAS MÚSICAS! É INCRÍVEL COMO AS CANÇÕES ME FAZEM SENTIR MAIS PRÓXIMO DE DEUS E ME ENCHEM DE ALEGRIA. QUANDO CANTO, SINTO QUE DEUS ESTÁ BEM PERTO DE MIM COMO SE ESTIVESSE ME DANDO UM ABRAÇO APERTADO.

ORAÇÃO

Eu agradeço, Pai, por ser a minha alegria. Quero estar sempre na sua casa. Amém.

TEXTO BÍBLICO: LEVÍTICO 19.18; SALMOS 133.1

AMOR É COMO UM ABRAÇO

QUANDO ABRAÇAMOS OS OUTROS, DEUS TAMBÉM SENTE

ENZO — EU NÃO GOSTO MAIS DO GABRIEL! ELE NUNCA PODE BRINCAR COM A GENTE AQUI NO PARQUINHO. NÃO CHAMO NUNCA MAIS.

JOÃO — ENZO, NÃO FIQUE BRAVO. ÀS VEZES, AS PESSOAS TÊM COISAS PARA FAZER OU PROBLEMAS PARA RESOLVER. SER AMIGO DE VERDADE É AJUDAR E APOIAR, MESMO QUANDO É DIFÍCIL. ENTÃO, EM VEZ DE FICAR TRISTE OU BRAVO, VAMOS TENTAR ENTENDER O QUE ESTÁ ACONTECENDO COM O GABRIEL E VER SE PODEMOS AJUDÁ-LO. QUANDO CUIDAMOS UNS DOS OUTROS, A NOSSA AMIZADE FICA MAIS FORTE E ESPECIAL.

ENZO — VERDADE, VOCÊ ESTÁ CERTO. AMANHÃ, VOU PEDIR PERDÃO PARA O GABRIEL.

ORAÇÃO

Deus Pai, me ensine a amar o próximo como o Senhor me ama. Amém.

PERDOAR É UMA FORMA DE ESPALHAR AMOR COMO DEUS FAZ

NA CASA DOS AVÓS DE GABRIEL...

ENZO — OI GABRIEL, GOSTARIA DE DIZER QUE SINTO MUITO POR TER FICADO BRAVO COM VOCÊ ONTEM. O JOÃO ME AJUDOU A ENTENDER QUE EU DEVO SER GENTIL E TRATAR VOCÊ COM AMOR, PORQUE É ISSO QUE DEUS QUER QUE A GENTE FAÇA. DESCULPE POR TER AGIDO MAL COM VOCÊ, MEU AMIGO.

GABRIEL — OI, AMIGO! DESCULPE SE FIZ VOCÊ FICAR BRAVO COMIGO. É IMPORTANTE PERDOAR LOGO, SABIA? A BÍBLIA ENSINA ISSO E DEUS TAMBÉM NOS PERDOA. ONTEM EU ESTAVA MUITO TRISTE E SENTINDO MUITA SAUDADE DA MINHA MÃE, QUE NÃO VEJO DESDE QUE VIM MORAR COM OS MEUS AVÓS.

JOÃO — VOCÊ É NOSSO AMIGO ESPECIAL, CONTE SEMPRE COM A GENTE!

Complete o versículo:

"SEJAM BONDOSOS E COMPASSIVOS UNS PARA COM OS ____________. PERDOANDO-SE MUTUAMENTE, ASSIM COMO ____________ OS PERDOOU EM CRISTO"

(Efésios 4.32, NVI).

ORAÇÃO

Deus Pai, me ajude a amar e a perdoar como o Senhor faz. Amém.

TEXTO BÍBLICO: PROVÉRBIOS 17.17; FILIPENSES 2.1-4

PEQUENOS GESTOS, GRANDE MUDANÇA

JOÃO — GENTE, EU QUERIA FALAR COM VOCÊS SOBRE O MEU AMIGO GABRIEL. ELE TEM PASSADO POR UM MOMENTO DIFÍCIL ULTIMAMENTE, PORQUE SENTE MUITA FALTA DA MÃE DELE E NUNCA CONHECEU O PAI. EU QUERIA FAZER ALGO PARA AJUDÁ-LO.

JUNIOR — FILHO, EU ENTENDO COMO VOCÊ SE PREOCUPA COM O SEU AMIGO GABRIEL. É MUITO BONITO DA SUA PARTE QUERER AJUDÁ-LO. VOCÊ PODE DEMONSTRAR CARINHO E AFETO POR ELE, OFERECENDO-SE PARA CONVERSAR SEMPRE QUE ELE PRECISAR E MOSTRAR QUE SE IMPORTA COM O QUE TEM A DIZER. ALÉM DISSO, PODEMOS ORAR POR ELE JUNTOS E PEDIR A DEUS QUE O AJUDE A ENCONTRAR PAZ E CONSOLO NO CORAÇÃO. E NÃO SE ESQUEÇA DE LEMBRÁ-LO DE QUE, APESAR DE TODAS AS DIFICULDADES, DEUS SEMPRE ESTÁ CONOSCO, E NUNCA NOS ABANDONA. VAMOS ORAR POR ELE AGORA MESMO?

— PAI, TRAGA CONFORTO AO GABRIEL E QUE ELE SE LEMBRE DE QUE O SENHOR ESTÁ SEMPRE COM ELE. AMÉM.

ORAÇÃO

Pai, me ajude a lembrar daqueles que precisam do seu amor e a orar por eles. Amém.

TEXTO BÍBLICO: GÊNESIS 1.26; SALMOS 139.13-16

11
Janeiro

VOCÊ É PERFEITO DO JEITINHO QUE É

APRENDA A SE AMAR PARA AMAR A DEUS!

ISABELLA — O QUE HOUVE, AMIGA? POR QUE VOCÊ ESTÁ CHORANDO?

VITÓRIA — ONTEM, UMA VIZINHA DISSE COISAS RUINS SOBRE MIM, FALANDO QUE EU SOU FEIA E PEQUENA PARA A MINHA IDADE.

VALENTINA — UMA VEZ, ALGUÉM DISSE QUE EU NÃO ERA BONITA, E EU FIQUEI MUITO TRISTE. MAS A MINHA MÃE ME ABRAÇOU BEM FORTE E DISSE QUE DEUS ME FEZ PERFEITA, DO JEITO QUE EU SOU, À IMAGEM DELE. ELA TAMBÉM ME DISSE QUE TODO MUNDO É DIFERENTE E LINDO DO SEU PRÓPRIO JEITO, PORQUE DEUS NOS FEZ DIFERENTES E COM AMOR. ENTÃO, COMECEI A ME AMAR TAMBÉM, PORQUE SOU ESPECIAL E ÚNICA. E SABE DE UMA COISA? VOCÊ TAMBÉM É LINDA, VITÓRIA, POR DENTRO E POR FORA!

ORAÇÃO

Obrigado, Paizinho, por me amar e por me criar do jeito que sou. Amém.

12
Janeiro

TEXTO BÍBLICO: ÊXODO 20.4-6

A REGRA MAIS IMPORTANTE: AME A DEUS ACIMA DE TUDO!

GABRIEL — EU NÃO ENTENDI NADA DO SEGUNDO MANDAMENTO. POR QUE ESTÁ ESCRITO: "NÃO TENHAM DEUSES ESCULPIDOS"? O QUE É ISSO?

VITÓRIA — ESSE MANDAMENTO SIGNIFICA QUE NÃO DEVEMOS AMAR NADA NEM NINGUÉM MAIS DO QUE AMAMOS A DEUS. ANTIGAMENTE, ALGUMAS PESSOAS FAZIAM BONECOS E ESTÁTUAS E DAVAM MAIS IMPORTÂNCIA A ELES DO QUE A DEUS. IMAGINE QUE NO SEU CORAÇÃO HÁ UM PÓDIO COM VÁRIAS CLASSIFICAÇÕES: PRIMEIRO, SEGUNDO, TERCEIRO ETC. DEUS DEVE ESTAR SEMPRE NO PRIMEIRO LUGAR DO PÓDIO. ELE É O NÚMERO 1 E NADA DEVE OCUPAR O LUGAR QUE PERTENCE SOMENTE A ELE. POR ISSO, DEVEMOS AMAR E DAR TODO O NOSSO AMOR SOMENTE A DEUS, QUE É O CRIADOR, E NÃO PERMITIR QUE OUTRAS COISAS, COMO BRINQUEDOS, SUPER-HERÓIS, OCUPEM O LUGAR QUE É DELE.

GABRIEL — EU NÃO QUERO TER ÍDOLOS. QUERO ADORAR SOMENTE A DEUS!

ORAÇÃO

Pai, enche o meu coração e a minha vida para que eu adore somente o Senhor. Amém.

13
Janeiro

TEXTO BÍBLICO: ÊXODO 32

DEUS É O Nº 1

A IMPORTÂNCIA DE ADORÁ-LO ACIMA DE TUDO

ENZO — MAMÃE, TOMEI UMA DECISÃO: NÃO QUERO MAIS BRINCAR COM MEUS BONECOS DE HERÓIS. A BÍBLIA ENSINA QUE NÃO DEVEMOS TER ÍDOLOS OU DEUSES, E EU QUERO HONRAR SOMENTE A DEUS NA MINHA VIDA.

MÃE DO ENZO — ENZO, QUERIDO, VOCÊ PODE BRINCAR COM SEUS BONECOS DE HERÓIS, MAS VOCÊ SEMPRE DEVE SE LEMBRAR DE QUE DEUS É O MAIS IMPORTANTE NA SUA VIDA. SABE O QUE ACONTECE QUANDO AMAMOS OUTRAS COISAS MAIS DO QUE A DEUS? É COMO SE A GENTE TROCASSE UM SUPER-HERÓI DE VERDADE POR UM BONECO DE BRINQUEDO, QUE NÃO PODE FAZER NADA POR NÓS. POR ISSO, É IMPORTANTE SEMPRE LEMBRAR QUE DEUS É O MELHOR DE TODOS E DEVE ESTAR SEMPRE NO TOPO DO NOSSO CORAÇÃO!

Que tal usar lápis de cor em uma folha para desenhar a história de Êxodo 32.19? Assim você pode desenhar a história da forma que entendeu. E o mais legal é que pode fazer isso junto com sua família. Vamos lá!

ORAÇÃO

Pai querido, me ajude a amá-lo acima de tudo. Amém.

TEXTO BÍBLICO: ÊXODO 32.30-32

MOISÉS, O MENSAGEIRO QUE SALVOU SEU POVO COM A AJUDA DE DEUS!

ENZO — ONTEM, APRENDI UMA HISTÓRIA INCRÍVEL COM A MINHA MÃE! ELA ME CONTOU SOBRE COMO OS ISRAELITAS FIZERAM UM BEZERRO DE OURO E COMEÇARAM A ADORAR OUTROS DEUSES. ISSO DEIXOU O SENHOR MUITO BRAVO. ELE ATÉ QUERIA DESTRUIR O MUNDO TODO! ENTÃO, MOISÉS CONVERSOU COM DEUS E PEDIU QUE ELE PERDOASSE OS PECADOS DOS ISRAELITAS. SABE O QUE MAIS? DEUS OUVIU A ORAÇÃO DE MOISÉS E DECIDIU ATENDER AO PEDIDO DELE! MOISÉS FOI COMO UM MENSAGEIRO QUE FALOU COM DEUS EM FAVOR DOS ISRAELITAS. MUITO LEGAL, NÉ?

ISABELLA — QUE BOM QUE ELES TINHAM ALGUÉM QUE PEDISSE A DEUS POR ELES! EU QUERO SER COMO MOISÉS E PEDIR A DEUS POR TODAS AS PESSOAS DO MEU PAÍS.

ORAÇÃO

Papai, perdoe o nosso país.
Que o Senhor reine aqui.
Em nome de Jesus, amém.

TEXTO BÍBLICO: DANIEL 3

HOMENS VALENTES

JOÃO — GENTE, VOCÊS NÃO VÃO ACREDITAR! ENQUANTO LIA A BÍBLIA HOJE DE MANHÃ, DESCOBRI UMA HISTÓRIA INCRÍVEL! VOCÊS JÁ OUVIRAM FALAR DE UM REI CHAMADO NABUCODONOSOR, QUE CONSTRUIU UMA ESTÁTUA DE OURO GIGANTESCA E ORDENOU QUE TODOS SE AJOELHASSEM DIANTE DELA? MAS TRÊS JOVENS CORAJOSOS DE DEUS — SADRAQUE, MESAQUE E ABEDE-NEGO — SE RECUSARAM A FAZER ISSO, MESMO SABENDO QUE SERIAM JOGADOS NO FOGO SE NÃO OBEDECESSEM AO REI. QUEREM SABER O QUE ACONTECEU COM ELES?

VITÓRIA — QUE REI MAU! E O QUE ACONTECEU?

JOÃO — VOCÊS NÃO VÃO ACREDITAR! DEPOIS QUE FORAM JOGADOS NO FOGO, COM AS MÃOS E OS PÉS AMARRADOS, ELES NÃO SE QUEIMARAM! É SÉRIO! DEUS ESTAVA COM ELES E OS PROTEGEU. ISSO ACONTECEU PORQUE ELES FORAM MUITO CORAJOSOS E DISSERAM QUE NÃO TINHAM MEDO DE MORRER, PORQUE SERVIAM SOMENTE AO DEUS VERDADEIRO. E SABE O QUE MAIS? O REI NABUCODONOSOR FICOU TÃO IMPRESSIONADO COM O PODER DE DEUS QUE RECONHECEU O SENHOR COMO O DEUS VERDADEIRO.

ORAÇÃO

Pai do céu, eu agradeço pelas verdades da sua Palavra. Amém.

16
Janeiro

TEXTO BÍBLICO: DANIEL 3

NÃO VOU ME DOBRAR, VOU SER VALENTE E SEGUIR EM FRENTE!

VALENTINA – EU GOSTO MUITO DE SADRAQUE, MESAQUE E ABEDE-NEGO PORQUE FORAM MUITO VALENTES E NÃO SE CURVARAM DIANTE DE UM REI MALVADO, MESMO SABENDO QUE PODERIAM SER MORTOS POR ISSO. EU TAMBÉM QUERO SER VALENTE COMO ELES E SEMPRE FAZER O QUE É CERTO, MESMO QUE SEJA DIFÍCIL E PERIGOSO.

ISABELLA – ESSES TRÊS AMIGOS AMAVAM MUITO A DEUS E SABIAM QUE DEUS TINHA PODER PARA SALVÁ-LOS; POR ISSO, NÃO DESISTIRAM DE SUA FÉ. FORAM VALENTES E DISSERAM QUE NÃO IRIAM ADORAR OS ÍDOLOS DO REI, MESMO SE DEUS NÃO OS SALVASSE DA MORTE. NÓS TAMBÉM PRECISAMOS SER VALENTES E OBEDECER A DEUS, MESMO QUE SEJA DIFÍCIL E AS PESSOAS TENTEM NOS FAZER MUDAR DE IDEIA E AGIR DE FORMA ERRADA. SÓ DEUS MERECE A NOSSA ADORAÇÃO E O NOSSO CARINHO.

Solte a sua criatividade e crie os seus próprios fantoches da história! Basta recortar figuras e colá-las em palitos de sorvete. Depois, conte a história com as personagens. Divirta-se!

ORAÇÃO

Pai, me ajude a ser fiel como Sadraque, Mesaque e Abede-Nego. Amém.

TEXTO BÍBLICO: SALMOS 62.1,2

NÃO HÁ NINGUÉM COMO DEUS

VITÓRIA — EU AMO APRENDER SOBRE DEUS! DESCOBRI QUE ELE É PERFEITO, VERDADEIRO, FIEL, FORTE, JUSTO, MISERICORDIOSO. ELE É TUDO O QUE PRECISAMOS PARA VIVER E SER FELIZES; POR ISSO, NÃO PRECISAMOS ADORAR OUTRAS COISAS OU PESSOAS. ISSO DEIXA DEUS TRISTE, PORQUE ELE QUER QUE O NOSSO AMOR POR ELE SEJA ESPECIAL. QUANTO MAIS EU CONHEÇO SOBRE DEUS E SOBRE A BÍBLIA, MAIS EU O AMO E QUERO ME PARECER COM ELE.

JOÃO — ISSO É VERDADE, VITÓRIA! DEUS É O ÚNICO QUE MERECE A NOSSA MAIS SINCERA ADORAÇÃO, E NÃO DEVEMOS TROCÁ-LO POR NADA. ELE É ÚNICO, OU SEJA, NÃO HÁ NINGUÉM COMO ELE! VAMOS CONTINUAR APRENDENDO MAIS SOBRE DEUS E SER COMO ELE!

ORAÇÃO

Pai, eu agradeço porque o Senhor é único. Ajude-me a amá-lo e aprender sempre. Amém.

18
Janeiro

TEXTO BÍBLICO: ROMANOS 1.22,23

DEUS É O DONO DO MEU CORAÇÃO

GABRIEL — VOVÓ, APRENDI SOBRE O SEGUNDO MANDAMENTO! É QUANDO OUTRAS COISAS OU PESSOAS TOMAM O LUGAR DE DEUS, O QUE É MUITO ERRADO. OUVI HISTÓRIAS DE PESSOAS QUE DEIXARAM DEUS DE LADO E SE ARREPENDERAM, MAS TAMBÉM DE OUTRAS QUE ESCOLHERAM SEGUIR A DEUS. AGORA EU SEI QUE O SENHOR É ÚNICO E ESPECIAL, E QUE DEVEMOS SEMPRE LOUVÁ-LO E AGRADECER A ELE.

AVÓ DO GABRIEL — FICO FELIZ QUE TENHA APRENDIDO TUDO ISSO! É MUITO IMPORTANTE AMAR A DEUS COM TODO O CORAÇÃO.

GABRIEL — ISSO MESMO! DEUS É O DONO DO NOSSO CORAÇÃO E NÃO DEVEMOS PERMITIR QUE NADA MAIS OCUPE O LUGAR DELE.

TEXTO BÍBLICO: ÊXODO 20.7

O CUIDADO COM O NOME DE DEUS

JOÃO — VOCÊS SABIAM QUE EXISTE UM MANDAMENTO QUE DIZ QUE NÃO PODEMOS USAR O NOME DE DEUS DE MANEIRA ERRADA? NÃO PODEMOS USAR O NOME DELE PARA BRINCAR OU XINGAR. NA IGREJA, APRENDI QUE O NOME DE DEUS É MUITO IMPORTANTE E PRECIOSO. POR ISSO, DEVEMOS FALAR DELE COM RESPEITO. ÀS VEZES, AS PESSOAS DIZEM O NOME DE DEUS SEM PENSAR, MAS NÓS NÃO DEVEMOS FAZER ISSO.

VITÓRIA — DESCOBRI QUE TODOS OS NOMES TÊM UM SIGNIFICADO ESPECIAL! VAMOS IMAGINAR QUE CADA NOME SEJA COMO UM TESOURO ESCONDIDO, CHEIO DE SIGNIFICADO E HISTÓRIA. O MEU NOME É VITÓRIA, PORQUE PARA OS MEUS PAIS, EU FUI A VITÓRIA MAIS IMPORTANTE DA VIDA DELES! E O SEU NOME, QUAL É O SIGNIFICADO DELE? JÁ PENSOU EM DESVENDAR OS SEGREDOS POR TRÁS DO SEU NOME? PODE SER UMA AVENTURA EMOCIONANTE!

VALENTINA — QUAL SERÁ O SIGNIFICADO DO NOME DE DEUS?

ISABELLA — VAMOS PERGUNTAR PARA OS NOSSOS PAIS!

ORAÇÃO

Querido Deus, sou grato por tudo e prometo respeitar o seu nome. Amém.

20
Janeiro

TEXTO BÍBLICO: SALMOS 8

O NOME DO NOSSO DEUS

O MISTÉRIO DO NOME: DESCUBRA O QUE ELE REVELA SOBRE DEUS!

ISABELLA — SABE O QUE SIGNIFICA "DEUS"? É A PALAVRA USADA PARA FALAR DE ALGUÉM QUE É PODEROSO, SUPERPODEROSO, E QUE ESTÁ ACIMA DE TUDO O QUE CONHECEMOS, OU SEJA, É MAIOR DO QUE TUDO O QUE PODEMOS VER E IMAGINAR. DEUS É INFINITO E MUITO DIFERENTE DE TUDO O QUE VEMOS. MAS SÓ PODEMOS CHAMAR UMA PESSOA DE "DEUS", QUE É O NOSSO PAI E CRIADOR DE TODO O UNIVERSO! ELE É O DONO DE TUDO E MERECE TODO O NOSSO RESPEITO. POR ISSO, QUANDO USAMOS O NOME DELE, PRECISAMOS LEMBRAR QUE ELE É ÚNICO E PERFEITO. NÃO PODEMOS FALAR O NOME DELE COMO SE FOSSE ALGO COMUM, PORQUE ELE É MUITO ESPECIAL.

GABRIEL — QUE HISTÓRIA BONITA!

ORAÇÃO

Deus Pai, eu agradeço por se revelar a mim por meio da sua Palavra. Amém.

Que tal explorar um mistério sobre você mesmo? Pergunte a um adulto qual é o significado do seu nome ou pesquisem juntos. Será divertido descobrir algo novo e interessante sobre você! Vamos lá?

SIGNIFICADO DO MEU
NOME

MEU NOME É

____

MEU NOME SIGNIFICA

____

____

DESCOBRINDO POR QUE DEUS É O SENHOR

ENZO — POR QUE NÓS CHAMAMOS DEUS DE SENHOR?

JOÃO — DEUS É TÃO PODEROSO QUE É CHAMADO DE SENHOR! ELE É O SENHOR DE TUDO O QUE EXISTE, INCLUINDO VOCÊ, EU E O MUNDO À NOSSA VOLTA. E SABE O QUE É AINDA MAIS LEGAL? ELE NOS AMA TANTO QUE NOS ESCOLHEU PARA SERMOS SEUS SERVOS! NA BÍBLIA, HÁ UM VERSÍCULO QUE DIZ: "O SENHOR DEUS DIZ: 'ESCUTE, ISRAEL, POIS VOCÊ É O MEU SERVO, O POVO QUE EU ESCOLHI!' " (ISAÍAS 44.1,2, NTLH). SER ESCOLHIDO POR DEUS É UMA GRANDE HONRA! POR ISSO, PRECISAMOS TRATAR O SENHOR COM RESPEITO E AMOR, E SERVIR A ELE COM TODO O CORAÇÃO. VOCÊ TAMBÉM QUER SER UM SERVO DO SENHOR?

ORAÇÃO

**Senhor, agradeço por me escolher.
Eu escolho servi-lo e respeitá-lo. Amém.**

22
Janeiro

TEXTO BÍBLICO: SALMOS 28.6-9; NEEMIAS 8.9-12

É INCRÍVEL FAZER PARTE DA EQUIPE DE DEUS!

ISABELLA — PAPAI, ME CONTA UMA COISA: POR QUE SERVIR AO SENHOR É TÃO LEGAL? MAS SERÁ QUE TAMBÉM É DIFÍCIL?

JUNIOR — SERVIR NÃO É DIFÍCIL QUANDO AMAMOS. EU, POR EXEMPLO, SIRVO À SUA MÃE, À MINHA FAMÍLIA E À IGREJA COM ALEGRIA. SERVIR A DEUS É AINDA MAIS ESPECIAL, PORQUE ELE NOS AMA MUITO, CUIDA DE NÓS O TEMPO TODO, QUER O MELHOR PARA NÓS E SE ALEGRA EM TER UM RELACIONAMENTO CONOSCO. SERVIR A DEUS É MUITO BOM E ME FAZ MUITO FELIZ! NA VERDADE, AMO FAZER PARTE DA EQUIPE DE DEUS, QUE É O GRANDE CHEFE DA MINHA VIDA!

ISABELLA — AGORA ENTENDI TUDO! SERVIR AO SENHOR É INCRÍVEL! EU QUERO FAZER PARTE DA EQUIPE DE DEUS.

ORAÇÃO

Pai, eu agradeço por me deixar fazer parte da sua equipe. Estaremos sempre juntos, amém.

TEXTO BÍBLICO: SALMOS 103.13,14; ISAÍAS 62.12, 64.8

UM PAI PERFEITO, QUE NÃO ABANDONA!

GABRIEL — SABE O QUE ME DEIXA MUITO FELIZ? SABER QUE DEUS É O MEU PAI. ÀS VEZES, FICO TRISTE POR NÃO TER UM PAI AQUI NA TERRA, MAS, ENTÃO, LEMBRO QUE DEUS É O MEU PAPAI QUERIDO, QUE SEMPRE ESTÁ COMIGO E NUNCA ME DEIXA SOZINHO. E É TÃO BOM SER AMADO POR DEUS, É COMO UM ABRAÇO GOSTOSO E CHEIO DE AMOR!

JOÃO — GABRIEL, É VERDADE QUE DEUS É O NOSSO PAI E QUE SEMPRE ESTÁ JUNTO DE NÓS, CUIDANDO E NOS AMANDO MUITO. MESMO QUE VOCÊ SE SINTA TRISTE POR NÃO CONHECER O SEU PAI TERRENO, SAIBA QUE DEUS VAI ESTAR SEMPRE PERTO DE VOCÊ. É MUITO IMPORTANTE TER CERTEZA DE QUE ELE NUNCA VAI ABANDONÁ-LO E SEMPRE ESTARÁ AO SEU LADO; NÃO IMPORTA O QUE ACONTEÇA!

ORAÇÃO

Deus, eu agradeço por ser o meu Pai e por estar sempre comigo e me amar. Amém.

24
Janeiro

TEXTO BÍBLICO: SALMOS 51.1,2; 1JOÃO 1.8-10

BRINCAR COM CUIDADO

UMA LIÇÃO SOBRE O NOME DE DEUS

VITÓRIA — ALGUM TEMPO ATRÁS, FIZ ALGO QUE ME DEIXOU MUITO TRISTE: USEI O NOME DE DEUS EM VÃO E FIZ UMA PROMESSA SEM PENSAR DIREITO. EU SABIA QUE TINHA ERRADO FEIO E SENTI UMA GRANDE TRISTEZA. ENTÃO, FUI PARA O MEU QUARTO, ME AJOELHEI E OREI, PEDINDO PERDÃO A DEUS. NÃO QUERO MAGOAR O CORAÇÃO DO PAI. AGORA, APRENDI QUE NÃO DEVO BRINCAR COM O NOME DELE NEM FAZER PROMESSAS SEM IMPORTÂNCIA. PRECISO TER RESPEITO. MINHA MÃE ME ENSINOU QUE, SEMPRE QUE ERRARMOS, É IMPORTANTE PEDIR PERDÃO E MUDAR DE ATITUDE.

VALENTINA — FICO FELIZ EM SABER QUE VOCÊ PERCEBEU O SEU ERRO E PEDIU PERDÃO A DEUS. REALMENTE, É MUITO IMPORTANTE RESPEITAR O NOME ESPECIAL DE DEUS.

ORAÇÃO

Pai do céu, me ajude a pedir perdão e respeitar o seu nome. Amém.

TEXTO BÍBLICO: PROVÉRBIOS 16.3; 1TIMÓTEO 1.17

VAMOS APRENDER COMO FAZER O QUE É CERTO AOS OLHOS DE DEUS!

ISABELLA — VOCÊ SABIA QUE PODEMOS MOSTRAR QUE SOMOS AMIGOS DE DEUS ATRAVÉS DAS COISAS QUE FAZEMOS? SE DISSERMOS QUE SOMOS AMIGOS DE DEUS, É IMPORTANTE QUE AS COISAS QUE FAZEMOS MOSTREM ISSO. MAS, SE DISSERMOS QUE SOMOS FILHOS DE DEUS E FAZEMOS COISAS QUE NÃO LHE AGRADAM, ESTAMOS FAZENDO ALGO ERRADO E DESRESPEITANDO O NOME DE DEUS. PARA DEIXAR DEUS FELIZ, PRECISAMOS FAZER COISAS BOAS DO JEITO QUE A BÍBLIA ENSINA. QUE TAL SER UM AMIGO DE DEUS E FAZER COISAS BOAS TODOS OS DIAS?

ENZO —EU QUERO SER UMA CRIANÇA BOA E FAZER COISAS QUE HONREM O NOME DE DEUS! SEI QUE, PARA ISSO, PRECISO DEIXAR DE FAZER ALGUMAS COISAS ERRADAS, MAS O MEU DESEJO É SER UM BOM AMIGO DE DEUS E FAZER SOMENTE O QUE O DEIXA FELIZ. JUNTOS, EU E DEUS, VAMOS ESPALHAR O AMOR E A BONDADE PELO MUNDO!

ORAÇÃO

Paizinho, me ajude a honrar o seu nome e fazer o que é correto. Amém.

26
Janeiro

TEXTO BÍBLICO: ÊXODO 20.8-11

O QUARTO MANDAMENTO

ENZO – ONDE É QUE EU VOU GUARDAR O SÁBADO? NÃO FAZ SENTIDO!

JOÃO – VOCÊ ENTENDEU ERRADO, ENZO. GUARDAR O SÁBADO QUER DIZER RESERVAR UM DIA ESPECIAL NA SEMANA PARA DESCANSAR E PARA NOS DEDICAR A DEUS. NESSE DIA, PODEMOS APROVEITAR, RELAXAR, PASSAR TEMPO COM A FAMÍLIA, FAZER COISAS DIVERTIDAS E, O MAIS IMPORTANTE, IR À IGREJA E APRENDER MAIS SOBRE DEUS. É ASSIM QUE GUARDAMOS O SÁBADO, QUANDO DEIXAMOS NOSSAS PREOCUPAÇÕES DE LADO, COMO A ESCOLA. NO CASO DOS ADULTOS, ELES PRECISAM TIRAR UM DIA DE DESCANSO DO TRABALHO. QUANDO DEDICAMOS UM DIA INTEIRO A DEUS, ESTAMOS MOSTRANDO QUE O AMAMOS E QUEREMOS PASSAR TEMPO COM ELE. É UMA FORMA DE AGRADECER POR TUDO O QUE ELE FAZ POR NÓS.

ORAÇÃO

Deus, agradeço por tudo o que o Senhor é, fez e faz por mim. Eu amo a sua presença e quero obedecer ao quarto mandamento. Amém.

TEXTO BÍBLICO: GÊNESIS 2.2,3; ÊXODO 31.12-17

27
Janeiro

O DIA DO DESCANSO

UMA PAUSA PARA SE DIVERTIR E AGRADECER EM FAMÍLIA

VALENTINA — ONTEM, O MEU AMIGÃO JOÃO ME ENSINOU SOBRE UMA REGRA QUE NOS CONVIDA A GUARDAR UM DIA ESPECIAL PARA ESTAR COM O SENHOR: DESCANSAR E ESTAR COM AS PESSOAS QUE AMAMOS. É COMO SE FOSSE UM DIA DE FESTA PARA AGRADECER A DEUS PAI POR TUDO O QUE ELE NOS DÁ!

MÃE DA VALENTINA — JÁ CANSOU DEPOIS DE BRINCAR MUITO? QUANDO DEUS CRIOU O MUNDO, TRABALHOU DURANTE SEIS DIAS E, NO SÉTIMO DIA, DESCANSOU. O SÁBADO ERA O DIA DE DESCANSO PARA O POVO DE ISRAEL NO PASSADO, E HOJE, NÓS, OS CRISTÃOS, ESCOLHEMOS O DOMINGO COMO O DIA PARA CELEBRAR A RESSURREIÇÃO DE JESUS. É IMPORTANTE LEMBRAR QUE TODOS OS DIAS DEVEM SER DEDICADOS A DEUS COM AMOR, GRATIDÃO E ORAÇÃO.

VALENTINA — AH, AGORA EU ENTENDI DIREITO! É MUITO IMPORTANTE LEMBRAR QUE DEVEMOS DEDICAR TODOS OS DIAS A DEUS!

ORAÇÃO

Paizinho, me ajude a separar um tempo especial para dedicar ao Senhor. Amém.

TEXTO BÍBLICO: SALMOS 134

DOMINGO, O MEU DIA PREFERIDO

ISABELLA – EU GOSTO MUITO DE IR À IGREJA NO DOMINGO! É COMO SE EU ESTIVESSE EM UMA FESTA MUITO BONITA, NA QUAL TODO MUNDO COMEMORA A RESSURREIÇÃO DE JESUS CRISTO! EU ME SINTO FELIZ E ABENÇOADA POR ESTAR PERTO DE DEUS E POR PODER MOSTRAR AMOR AOS MEUS AMIGOS E FAMILIARES.

ENZO – VOCÊ SABE QUAL É O MEU DIA PREFERIDO AGORA? É O DOMINGO! EU DESCOBRI QUE É MUITO DIVERTIDO TER UM DIA ESPECIAL PARA AGRADECER A DEUS POR TUDO O QUE ELE FAZ POR NÓS E PARA DIVIDIR AMOR E FELICIDADE COM A NOSSA FAMÍLIA E COM OS NOSSOS AMIGOS. POR ISSO, VOU MARCAR TODOS OS DOMINGOS DO MEU CALENDÁRIO COM A MINHA COR PREFERIDA, O ROXO, PARA NÃO ME ESQUECER DE COMO ESSE DIA É ESPECIAL. ENTÃO, QUE TAL VOCÊ TAMBÉM ESCOLHER UM DIA ESPECIAL PARA DEDICAR AO SENHOR E FAZER DESSE DIA O SEU PREFERIDO?

VITÓRIA – UAU, ENZO, QUE IDEIA LEGAL! ROSA É A MINHA COR PREFERIDA!

ORAÇÃO

Eu agradeço, Pai do céu, por ter criado este dia tão especial!

RECARREGUE AS SUAS ENERGIAS

DESCANSAR É MUITO IMPORTANTE

JOÃO — PAI, HOJE ME SINTO COMO SE TIVESSE CORRIDO UMA MARATONA, MAS SEM SAIR DO LUGAR! AS FÉRIAS FORAM TÃO DIVERTIDAS QUE FICOU DIFÍCIL RETOMAR A ROTINA DA ESCOLA. TIVE UM DIA REPLETO DE ATIVIDADES, DESDE BRINCAR E APRENDER COISAS NOVAS, ATÉ CONHECER PESSOAS INCRÍVEIS. QUANDO FINALMENTE VOLTEI PARA CASA, AINDA TIVE QUE ENCARAR MAIS DESAFIOS: FAZER A LIÇÃO DE CASA, ARRUMAR O QUARTO E BRINCAR COM A ISABELLA. AGORA SÓ CONSIGO PENSAR EM ME JOGAR NA CAMA E DORMIR, PARA RECARREGAR A BATERIA E ESTAR PRONTO PARA NOVAS AVENTURAS AMANHÃ.

JUNIOR — NOTEI QUE VOCÊ ESTÁ SE SENTINDO CANSADO. MAS NÃO SE PREOCUPE, É NORMAL SE SENTIR ASSIM DE VEZ EM QUANDO. QUANDO ESTAMOS CANSADOS, SEMPRE PODEMOS CONVERSAR COM DEUS. ELE PODE NOS AJUDAR A ALIVIAR O CANSAÇO, FÍSICO E MENTAL. DESCANSAR É MUITO IMPORTANTE E É ALGO QUE DEUS QUER PARA NÓS. AGORA, VOCÊ PODE DORMIR TRANQUILO E DESCANSAR BEM, POIS DEUS CUIDARÁ DE VOCÊ ENQUANTO DORME PROFUNDAMENTE.

ORAÇÃO

Pai, me cubra com o seu amor e permita que eu descanse nos seus braços. Amém.

30
Janeiro

TEXTO BÍBLICO: DEUTERONÔMIO 6.6-9; PROVÉRBIOS 17.6; 1TIMÓTEO 5.8

JUNTOS É MAIS DIVERTIDO

ISABELLA — TENHO PENSADO QUE POSSO SER UMA CRIANÇA MELHOR NO MEU DIA A DIA, DANDO VALOR AO TEMPO COM A MINHA FAMÍLIA. ALÉM DO DESCANSO E DE IR A IGREJA, É MUITO GOSTOSO PASSAR UM TEMPO JUNTOS, NÉ?

MICHELLE — SABE, MINHA FILHA, A FAMÍLIA É UM PROJETO ESPECIAL QUE DEUS FEZ, E ELE GOSTA QUANDO TODOS SE DÃO BEM E SE AMAM. É MUITO IMPORTANTE QUE DEUS SEJA O MAIS IMPORTANTE PARA A NOSSA FAMÍLIA. ELE É COMO O CHEFE DA NOSSA CASA.

JOÃO — PODEMOS PENSAR EM COISAS LEGAIS PARA FAZER JUNTOS, COMO BRINCAR DE ESCONDE-ESCONDE, PREPARAR UM LANCHE GOSTOSO, CONSTRUIR UMA CABANA NO MEIO DA SALA E, É CLARO, COMER AQUELAS GULOSEIMAS DELICIOSAS QUE TANTO AMAMOS.

ISABELLA — HAHAHA! ÓTIMA IDEIA!

ORAÇÃO

Deus Pai, eu agradeço pela minha família. Peço ao Senhor que nos abençoe e proteja. Amém.

Que tal pintar a imagem desta página e, depois, soltar a imaginação e desenhar a sua família também? Divirta-se!

TEXTO BÍBLICO: 1CORÍNTIOS 6.19,20

CUIDE-SE, AME-SE

UM CONVITE PARA UM TEMPO SÓ SEU

VALENTINA — NA BÍBLIA, APRENDI QUE O MEU CORPO É COMO UMA CASA ONDE MORA O ESPÍRITO SANTO, QUE É UM TIPO DE AMIGO INVISÍVEL QUE CUIDA DE MIM. PARA DEIXAR ESSE AMIGO FELIZ, DEVO CUIDAR DA MINHA SAÚDE, DO MEU CORAÇÃO E DA MINHA MENTE. ONTEM, FIZ UM DIA DE BELEZA EM MIM MESMA, CUIDEI DOS MEUS CACHINHOS E RESERVEI TEMPO PARA BRINCAR, LER E FAZER O QUE EU GOSTO. MESMO QUE EU FIQUE DOENTE E NÃO POSSA CUIDAR DOS MEUS CACHINHOS, O MAIS IMPORTANTE É CUIDAR DA MINHA SAÚDE PARA PODER BRINCAR E ME DIVERTIR SEMPRE.

VITÓRIA — UAU! QUE LEGAL QUE VOCÊ TEVE UM TEMPINHO SÓ PARA VOCÊ! ISSO MOSTRA QUANTO VOCÊ SE AMA E SE VALORIZA! VOU ME INSPIRAR EM VOCÊ E SEGUIR O SEU EXEMPLO, CUIDANDO DA MINHA SAÚDE, DO MEU CORPO, DA MINHA MENTE E DO MEU CORAÇÃO. VAMOS NOS AMAR E NOS VALORIZAR, PORQUE SOMOS MUITO ESPECIAIS!

ORAÇÃO

Ó Jesus, me ajude a cuidar de mim e deixar você feliz por me cuidar. Amém.

café
com
Deus
pai
KIDS

FEVEREIRO
VOLTA ÀS AULAS

DIVERSÃO EM FAMÍLIA

Vamos brincar de ligar os pontos e descobrir quem mora no seu coração! Depois, você pode pintar o desenho com giz de cera, lápis de cor, tinta ou canetinha.

TEXTO BÍBLICO: DEUTERONÔMIO 4.29-31; JEREMIAS 29.13; MATEUS 6.6

TEMPO PARA O QUE IMPORTA

GABRIEL – DEPOIS DE UMA EXPERIÊNCIA MUITO LEGAL, APRENDI ALGO IMPORTANTE: É MUITO BOM TER TEMPO PARA ESTAR COM DEUS, CUIDAR DA MINHA FAMÍLIA E DESCANSAR UM POUCO TAMBÉM! FICO MUITO FELIZ POR PODER APROVEITAR ESSES MOMENTOS INCRÍVEIS AO MÁXIMO.

JOÃO – VOCÊ SABIA QUE É NECESSÁRIO DEDICAR ALGUM TEMPO DO SEU DIA PARA LER A BÍBLIA E CONVERSAR COM DEUS? ASSIM, FICAMOS MAIS PERTO DELE E CONHECEMOS MAIS SOBRE SUA HISTÓRIA E SEUS ENSINAMENTOS. EU, POR EXEMPLO, SEMPRE COMEÇO O MEU DIA CONVERSANDO COM O SENHOR E LENDO UM POUCO DA BÍBLIA. FICO MUITO FELIZ EM APRENDER MAIS SOBRE ELE E COMO POSSO SER UMA CRIANÇA MELHOR TODOS OS DIAS.

ORAÇÃO

Pai do céu, quero conhecê-lo mais. Eu agradeço por me ensinar. Amém.

02 Fevereiro

TEXTO BÍBLICO: ÊXODO 20.12; EFÉSIOS 6.1-3

O SEGREDO DA VIDA LONGA

ISABELLA — O QUINTO MANDAMENTO DIZ QUE OS FILHOS DEVEM HONRAR OS PAIS PARA QUE VIVAM MUITO TEMPO. OS PAIS E OS CUIDADORES SÃO PESSOAS MUITO IMPORTANTES NA NOSSA VIDA, PORQUE NOS AMAM, CUIDAM DE NÓS E NOS ENSINAM A FAZER O QUE É CERTO. OUTRA COISA INTERESSANTE É QUE ESSE MANDAMENTO VEM COM UMA PROMESSA. O SENHOR DIZ QUE, SE HONRARMOS OS NOSSOS PAIS, TEREMOS UMA VIDA LONGA NA TERRA. ISSO MOSTRA COMO DEUS VALORIZA A FAMÍLIA E QUER QUE TENHAMOS AMOR E RESPEITO UNS PELOS OUTROS. AO SEGUIR ESSE MANDAMENTO, ESTAMOS AGRADANDO A DEUS E PODEMOS TER UMA VIDA LONGA.

JOÃO — EU QUERO SER UM FILHO BOM E OBEDIENTE PARA OS MEUS PAIS. VOU SEGUIR OS MANDAMENTOS DE DEUS E MOSTRAR RESPEITO E GRATIDÃO POR TUDO O QUE ELES FAZEM POR MIM, CUIDANDO E ME ENSINANDO O QUE É CERTO.

ORAÇÃO

Paizinho querido, me ajude a honrar os meus pais como o Senhor quer. Amém.

DICAS PARA AMAR E RESPEITAR OS PAIS

VITÓRIA — O QUE POSSO FAZER PARA HONRAR OS MEUS PAIS?

JOÃO — HONRAR O PAI E A MÃE DA GENTE É MUITO IMPORTANTE! PARA ISSO, DEVEMOS AMÁ-LOS, RESPEITÁ-LOS E OBEDECER A ELES. AFINAL, ELES NOS AMAM, CUIDAM DE NÓS E NOS ENSINAM O QUE É CERTO. MESMO QUE ÀS VEZES NÃO GOSTEMOS DO QUE ELES PEDEM, DEVEMOS CONFIAR QUE É PARA O NOSSO BEM. A BÍBLIA NOS ENSINA QUE DEVEMOS OBEDECER E GUARDAR NO CORAÇÃO TUDO O QUE OS NOSSOS PAIS NOS ENSINAM.

GABRIEL — MAS EU NÃO MORO COM A MINHA MÃE E NÃO CONHEÇO O MEU PAI!

ISABELLA — VOCÊ PODE RESPEITAR OS SEUS AVÓS DA MESMA FORMA QUE RESPEITARIA OS SEUS PAIS, AFINAL, ELES CUIDAM DE VOCÊ.

ORAÇÃO

Pai, me ajude a obedecer aos meus pais e às pessoas que cuidam de mim. Amém.

TEXTO BÍBLICO: JOÃO 14.15; 1JOÃO 5.3

OBEDECER É PROVA DE AMOR

SEGUIR AS REGRAS EM CASA É UMA FORMA DE MOSTRAR AMOR

ENZO – ESTOU BRAVO COM A MINHA MÃE... ELA ME PÔS DE CASTIGO SÓ PORQUE NÃO GUARDEI OS BRINQUEDOS DEPOIS DE BRINCAR, E ELES FICARAM ESPALHADOS PELA CASA.

JOÃO – ENZO, EU ENTENDO QUE VOCÊ ESTEJA BRAVO, MAS A SUA MÃE ESTÁ CERTA. QUANDO OBEDECEMOS AOS NOSSOS PAIS, ESTAMOS MOSTRANDO QUE OS RESPEITAMOS E SEGUIMOS AS REGRAS DA CASA, QUE SÃO IMPORTANTES PARA QUE TODOS VIVAM BEM JUNTOS. QUANDO DESOBEDECEMOS, NÃO ESTAMOS FAZENDO O QUE É CERTO E PODEMOS ACABAR EM UMA SITUAÇÃO RUIM. É NORMAL QUE A SUA MÃE TENHA PRECISADO CORRIGIR VOCÊ PORQUE SE PREOCUPA E QUER AJUDÁ-LO A APRENDER O QUE É CERTO E ERRADO. PEÇA DESCULPAS E TENTE FAZER O QUE A SUA MÃE PEDIR; MOSTRE QUE A AMA E QUER FAZER O QUE É CERTO.

ORAÇÃO

Ó Espírito Santo, me ajude a obedecer e a seguir o caminho certo. Amém.

TEXTO BÍBLICO: 1SAMUEL 1

A FAMÍLIA É UM PRESENTE DO SENHOR

VITÓRIA — MAMÃE, EU LI UMA HISTÓRIA NA BÍBLIA SOBRE UMA MULHER CHAMADA ANA QUE QUERIA MUITO TER UM BEBÊ, ASSIM COMO VOCÊ QUANDO QUERIA ENGRAVIDAR. ELA CHORAVA MUITO PORQUE NÃO CONSEGUIA TER UM FILHO, MAS, UM DIA, FOI AO TEMPLO E PEDIU A DEUS PARA AJUDÁ-LA. DEUS OUVIU A ORAÇÃO DE ANA, E ELA CONSEGUIU TER UM FILHO, CHAMADO SAMUEL.

MÃE DA VITÓRIA — ESSA HISTÓRIA É MUITO BONITA, NÃO É? É VERDADE QUE A MAMÃE E O PAPAI PEDIRAM A DEUS POR MUITOS ANOS ATÉ QUE ELE NOS DESSE VOCÊ DE PRESENTE. VOCÊ É MUITO IMPORTANTE PARA DEUS E PARA A NOSSA FAMÍLIA, E NÓS NOS SENTIMOS MUITO ABENÇOADOS POR TER VOCÊ NA NOSSA VIDA. CADA CRIANÇA É UM PRESENTE ESPECIAL PARA DEUS, E A NOSSA FAMÍLIA É UM PRESENTE QUE ELE NOS DEU!

ORAÇÃO

Deus Pai, eu agradeço pela minha família. Abençoe-nos sempre! Amém.

06
Fevereiro

TEXTO BÍBLICO: GÁLATAS 6.9; HEBREUS 13.16

HORA DE BRINCAR DE CASINHA

TORNANDO AS TAREFAS UMA DIVERSÃO EM FAMÍLIA

ENZO — MAMÃE, ESTIVE PENSANDO E PERCEBI QUE FIZ ALGUMAS COISAS ERRADAS. FIZ BAGUNÇA, DESOBEDECI E FIQUEI BEM BRAVO, MAS JÁ PENSEI BASTANTE E QUERO MUDAR. VOU SER O SEU AJUDANTE NÚMERO 1, VOU ARRUMAR O QUARTO, GUARDAR OS BRINQUEDOS E FAZER AS MINHAS TAREFAS DA ESCOLA. SERÁ QUE VOCÊ PODE ME DAR UM ABRAÇO BEM APERTADO E ME PERDOAR?

MÃE DO ENZO — FILHO, FICO FELIZ QUE VOCÊ ENTENDEU O QUE ACONTECEU. VOCÊ É UM MENINO MUITO ESPECIAL E EU AMO VOCÊ. MAS, ÀS VEZES, FICO CANSADA E PRECISO DE AJUDA PARA MANTER A CASA EM ORDEM. POR ISSO, É IMPORTANTE QUE VOCÊ ME AJUDE A GUARDAR OS BRINQUEDOS, ARRUMAR O SEU QUARTO E FAZER AS SUAS TAREFAS, ASSIM, A MAMÃE FICA FELIZ E DESCANSA MAIS. AH, E LEMBRE SEMPRE DE FALAR COM A MAMÃE COM EDUCAÇÃO, MESMO QUANDO NÃO CONCORDAR, OK? O AMOR É A COISA MAIS IMPORTANTE ENTRE NÓS.

ORAÇÃO

Pai do céu, me ajude a ser um bom filho e a fazer o melhor que eu puder em tudo. Amém.

TEXTO BÍBLICO: PROVÉRBIOS 19.20; PROVÉRBIOS 3.34

PEDIR AJUDA FAZ BEM

ISABELLA — MÃE, PODE ME AJUDAR COM O MEU DEVER DE CASA? TENTEI FAZER SOZINHA, MAS ESTÁ DIFÍCIL.

MICHELLE — É MUITO IMPORTANTE SABER PEDIR AJUDA QUANDO VOCÊ NÃO CONSEGUE FAZER ALGO SOZINHA. ISSO MOSTRA QUE VOCÊ SABE QUE NEM SEMPRE PODE FAZER TUDO SOZINHA E QUE PODE CONTAR COM AS OUTRAS PESSOAS. O SEU PAI E EU SEMPRE VAMOS AJUDÁ-LA QUANDO VOCÊ PRECISAR DE NÓS. EM UMA FAMÍLIA, TODOS PRECISAM AJUDAR, APOIAR E FORTALECER UNS AOS OUTROS. E DEUS FICA FELIZ QUANDO SOMOS AMIGOS E NOS AJUDAMOS.

ORAÇÃO

Pai, quero saber pedir ajuda porque não posso fazer tudo sozinho. Amém.

08
Fevereiro

TEXTO BÍBLICO: GÁLATAS 5.13-15

EU AMO A MINHA FAMÍLIA

GABRIEL — DEPOIS DE TUDO O QUE APRENDI, PERCEBI QUE NASCI EM UMA ÓTIMA FAMÍLIA. TENHO AVÓS QUE ME AMAM MUITO E CUIDAM DE MIM, E, MESMO LONGE, A MINHA MÃE ME AMA TAMBÉM. ELA TRABALHA MUITO PARA EU PODER TER UMA VIDA FELIZ. ALÉM DISSO, TENHO AMIGOS ÓTIMOS, QUE SÃO COMO A MINHA FAMÍLIA, E A ZILU, MINHA AMIGA FIEL SEMPRE PRESENTE!

VALENTINA — É VERDADE, TENHO APRENDIDO MUITO. SOU MUITO AMADA PELOS MEUS PAIS E SINTO QUE FOI UMA BÊNÇÃO DE DEUS TER NASCIDO NESTA FAMÍLIA. ADORO FAZER PARTE DE UMA FAMÍLIA TÃO BOA, UNIDA E QUE SEGUE OS CAMINHOS DE DEUS! QUERO ME ESFORÇAR PARA SER UMA PESSOA CADA VEZ MELHOR E HONRAR OS MEUS PAIS, SEGUINDO O QUE DEUS ENSINA.

ORAÇÃO

Deus Pai, eu agradeço pela minha família. Cuide e mostre sua bondade para conosco. Amém.

TEXTO BÍBLICO: ÊXODO 20.13

UMA REGRA MUITO IMPORTANTE QUE DEUS ENSINA: O SEXTO MANDAMENTO

Gabriel, tinha lido a Bíblia e encontrou uma parte que dizia: "Não matarás". Ele ficou pensando o que isso significava... "Seria certo matar alguém?" Gabriel então perguntou:

GABRIEL – PASTOR JUNIOR, VOCÊ SABE ME DIZER QUE REGRA É ESSA? O QUE QUER DIZER?

JUNIOR – CLARO QUE POSSO! É SOBRE SER BONDOSO COM AS OUTRAS PESSOAS E NÃO FAZER O MAL A NINGUÉM. NÃO PODEMOS BATER, BRIGAR, FERIR OU FAZER NADA QUE MACHUQUE AS OUTRAS PESSOAS NEM OS ANIMAIS, PORQUE ISSO NÃO AGRADA A DEUS. ASSIM, ESSA REGRA NOS PROÍBE ODIAR.

JOÃO – ENTÃO QUER DIZER QUE BATER TAMBÉM É ERRADO?

JUNIOR – SIM, BATER É ERRADO! DEUS QUER QUE SEJAMOS AMOROSOS E BONDOSOS COM OS OUTROS, PORQUE FAZEMOS PARTE DA FAMÍLIA DE DEUS!

ORAÇÃO

Pai, me ajude a tratar as pessoas com amor, não quero fazer mal a ninguém. Amém.

10
Fevereiro

TEXTO BÍBLICO: GÊNESIS 4.1-12

BRIGA ENTRE IRMÃOS

ISABELLA — EU LI NA BÍBLIA QUE ADÃO E EVA TIVERAM DOIS FILHOS, CAIM E ABEL. CAIM CUIDAVA DA TERRA, E ABEL DOS ANIMAIS. UM DIA, ELES DECIDIRAM DAR UM PRESENTE A DEUS. ABEL OFERECEU UM PRESENTE MELHOR, E DEUS GOSTOU, MAS CAIM OFERECEU UM PRESENTE DO QUAL DEUS NÃO GOSTOU. COM INVEJA, CAIM BRIGOU COM ABEL E O MACHUCOU. DEUS FICOU TRISTE PORQUE CAIM AGIU MAL E FEZ ALGO ERRADO; POR ISSO, ELE RECEBEU UM CASTIGO. ISSO NOS ENSINA QUE NÃO DEVEMOS AGIR COM RAIVA E QUE TUDO O QUE FAZEMOS TEM CONSEQUÊNCIAS. É MUITO IMPORTANTE SER GENTIL E TER UM CORAÇÃO BONDOSO.

ORAÇÃO

Paizinho querido, me ensine a ser bonzinho e não ficar com raiva. Amém.

Que tal exercitarmos o coração bondoso e separar o que não precisamos para ajudar quem precisa?

A VIDA É PRECIOSA

A VIDA É MUITO ESPECIAL

VITÓRIA — HÁ UM VERSÍCULO NA BÍBLIA QUE DIZ: "ENTÃO DISSE DEUS: 'FAÇAMOS O HOMEM À NOSSA IMAGEM, CONFORME A NOSSA SEMELHANÇA' " (GÊNESIS 1.26). SABE O QUE ISSO QUER DIZER? QUE VOCÊ, EU E TODAS AS PESSOAS FOMOS CRIADOS PARA SER UMA CÓPIA DE DEUS.

JOÃO — É VERDADE, VITÓRIA. SOMOS TODOS AMADOS E ESPECIAIS, PORQUE FOMOS CRIADOS POR DEUS. ELE NOS FEZ DO JEITINHO QUE SOMOS, COM CARINHO E CUIDADO. TUDO O QUE DEUS FAZ É BOM E BONITO, POR ISSO A VIDA É TÃO IMPORTANTE. LEMBRE-SE SEMPRE QUE VOCÊ NÃO NASCEU POR ACASO! VOCÊ É MUITO ESPECIAL E FOI FEITA COM AMOR POR DEUS! VOCÊ É PARECIDA COM O PRÓPRIO DEUS!

ORAÇÃO

Eu agradeço, Papai, porque o Senhor me ama e me fez do jeitinho que sou.

Nunca deixe ninguém diminuir você nem acredite que você não é especial. Na verdade, você é uma bênção, porque Deus fez você como ele é! Cuide bem das pessoas que você ama.

12
Fevereiro

TEXTO BÍBLICO: LEVÍTICO 19.18; ROMANOS 12.17-19

A VINGANÇA NÃO AGRADA A DEUS

DEUS NÃO GOSTA QUANDO FAZEMOS MAL AOS OUTROS

ENZO — EU LEVEI BRONCA NA ESCOLA PORQUE UM MENINO ME EMPURROU E EU O EMPURREI DE VOLTA. AGORA, VOU FICAR DE CASTIGO, PORQUE NÃO É LEGAL BATER NAS PESSOAS, MESMO QUE ELAS NOS EMPURREM PRIMEIRO. É IMPORTANTE APRENDER A FICAR CALMO QUANDO ESSAS SITUAÇÕES ACONTECEM.

GABRIEL — LEMBRA DA HISTÓRIA DE CAIM E ABEL, ENZO? CAIM AGIU MAL E FOI CASTIGADO. AGIRAM MAL COM VOCÊ NA ESCOLA E VOCÊ TAMBÉM, MAS ISSO NÃO É BOM. A BÍBLIA, EM ROMANOS 12.17, DIZ QUE NÃO DEVEMOS RETRIBUIR NENHUM MAL ÀS PESSOAS. SEU COLEGA NÃO AGIU CERTO EM EMPURRAR VOCÊ, MAS TALVEZ VOCÊ CONSIGA SE ACALMAR SE TENTAR ENCONTRAR ALGO BOM NELE.

Paizinho, me ajude a amar mesmo quando não gostam de mim. Amém.

TEXTO BÍBLICO: ROMANOS 12.20,21; 1PEDRO 3.8-18

O MAL COM O BEM

ESCOLHENDO O BEM MESMO QUANDO O OUTRO ESCOLHE O MAL

VALENTINA — HOJE, UMA AMIGUINHA DO CONDOMÍNIO ME DISSE QUE EU SOU FEIA E CHATA. ISSO ME DEIXOU MUITO TRISTE E BRAVA. EU QUASE DISSE COISAS RUINS DE VOLTA PARA ELA, MAS PENSEI MELHOR E ESCOLHI SER GENTIL E CONTINUAR BRINCANDO COM ELA. É IMPORTANTE TRATAR TODOS COM BONDADE, MESMO QUANDO ELES NÃO SÃO GENTIS COM A GENTE. EU ESCOLHI AGIR ASSIM, PORQUE DEUS QUER QUE A GENTE SEJA AMOROSO COM OS OUTROS. DEPOIS, ELA PEDIU DESCULPAS, EU PERDOEI DE CORAÇÃO E CONTINUAMOS SENDO AMIGAS.

MÃE DE VALENTINA — VALENTINA, VOCÊ FEZ A COISA CERTA! QUANDO AMAMOS AS PESSOAS, ESTAMOS MOSTRANDO QUE JESUS ESTÁ NO NOSSO CORAÇÃO.

ORAÇÃO

**Paizinho, o seu amor vence o mal.
Ajude-me a fazer sempre o bem. Amém.**

TEXTO BÍBLICO: MATEUS 5.21,22

AS INCRÍVEIS HISTÓRIAS DE JESUS

APRENDENDO LIÇÕES MARAVILHOSAS!

JOÃO — MÃE, FALAR PALAVRAS FEIAS PARA AS PESSOAS NÃO É LEGAL, NÉ?

MICHELLE — É VERDADE, QUERIDO, QUANDO FALAMOS COISAS FEIAS PARA AS PESSOAS, NÃO ESTAMOS SENDO BONDOSOS. JESUS ENSINOU QUE NÃO PODEMOS FALAR MAL DOS OUTROS, PORQUE ISSO NÃO É CERTO. TEMOS QUE USAR PALAVRAS AGRADÁVEIS QUE MOSTRAM QUE SOMOS DELE. QUANDO FICAMOS BRAVOS OU TRISTES, PRECISAMOS TENTAR CONTROLAR OS NOSSOS SENTIMENTOS PARA NÃO FALAR COISAS FEIAS. ÀS VEZES, É DIFÍCIL, MAS PODEMOS APRENDER A FAZER ISSO. VAMOS TENTAR?

ORAÇÃO

Papai do céu, me ajude a falar coisas boas e controlar meus sentimentos. Amém.

DESCOBRINDO COMO A ORAÇÃO PODE ME AJUDAR!

ISABELLA – SABE, JESUS ENSINA COISAS MUITO IMPORTANTES! EU APRENDI QUE NÃO PODEMOS MACHUCAR NINGUÉM E QUE FALAR COISAS RUINS PARA AS PESSOAS É MUITO FEIO. A VIDA DE TODO MUNDO É IMPORTANTE PARA DEUS. POR ISSO, EU TENHO QUE SER CARINHOSA, GENTIL E BONDOSA, PARA MOSTRAR QUE JESUS ESTÁ NO MEU CORAÇÃO. QUANDO EU FICO BRAVA OU TRISTE COM ALGUÉM, EU ORO POR ESSA PESSOA E PEÇO PARA DEUS ABENÇOÁ-LA. EU TAMBÉM POSSO ORAR PARA QUE DEUS TIRE OS SENTIMENTOS RUINS DO MEU CORAÇÃO. É ISSO, A ORAÇÃO É A RESPOSTA.

JOÃO – É MESMO! DEUS PODE NOS AJUDAR QUANDO ESTAMOS TRISTES E BRAVOS.

Você sabia que é legal conversar com Deus Pai o tempo todo? Podemos orar por nós mesmos e pelas outras pessoas também. Vamos pedir a um adulto que nos ajude a fazer uma lista de oração para esta semana? *Bora* fazer a lista!

ORAÇÃO

**Pai, eu agradeço por me ouvir.
Quero estar pertinho do seu coração sempre. Amém.**

16
Fevereiro

TEXTO BÍBLICO: ÊXODO 20.14

TODA FAMÍLIA PRECISA DE CONFIANÇA

A HISTÓRIA DO SÉTIMO MANDAMENTO

VALENTINA – "NÃO ADULTERARÁS." ISSO PARECE DIFÍCIL, MAS O QUE SIGNIFICA?

ISABELLA – SIGNIFICA QUE NÃO DEVEMOS ENGANAR OU TRAIR OUTRAS PESSOAS, PRINCIPALMENTE ENTRE OS CASADOS. O MARIDO E A MULHER DEVEM SE AMAR E RESPEITAR UM AO OUTRO. QUANDO OBEDECEMOS A ESSA REGRA, ESTAMOS CUIDANDO DO NOSSO RELACIONAMENTO E DAS OUTRAS PESSOAS. PRECISAMOS SER FIÉIS ÀS PESSOAS DA NOSSA VIDA E, ACIMA DE TUDO, A DEUS.

VALENTINA – AGORA ENTENDI! ISSO SE CHAMA FIDELIDADE, NÃO É? EU QUERO SER FIEL A DEUS E À MINHA FAMÍLIA!

ORAÇÃO

Paizinho querido, me ajude a ser fiel e bondoso. Eu agradeço por tudo. Amém.

O TESOURO DA FIDELIDADE

GABRIEL — A MINHA AVÓ ME CONTOU QUE A FIDELIDADE É MUITO IMPORTANTE. ISSO SIGNIFICA QUE DEVEMOS SER VERDADEIROS COM AS OUTRAS PESSOAS E RESPEITÁ-LAS SEMPRE. TAMBÉM PRECISAMOS MANTER A CONFIANÇA QUE AS PESSOAS TÊM EM NÓS. SE MENTIMOS, ENGANAMOS OU FAZEMOS ALGO QUE DESFAÇA ESSA CONFIANÇA, ESTAMOS SENDO INFIÉIS.

JOÃO — É ISSO AÍ! A CONFIANÇA É MUITO IMPORTANTE. DEVEMOS FAZER COISAS BOAS PARA CONFIRMAR A CONFIANÇA QUE OS OUTROS TÊM EM NÓS. TAMBÉM PRECISAMOS CONFIAR EM DEUS E SER CONFIÁVEIS.

ORAÇÃO

Paizinho querido, me ajude a ser fiel aos meus amigos. Amém.

Em Salmos 86.11, a Bíblia diz que devemos pedir a Deus para nos ensinar o caminho dele e assim andar na verdade. Também devemos pedir um coração fiel e honrar o nome de Deus. Na igreja, aprendemos muito sobre ser fiel. Que tal conversar com um adulto e perguntar se ele conhece alguma música sobre ser fiel ou sobre a fidelidade de Deus? Assim, vocês podem cantar juntos! Se ninguém conhecer, também podem procurar na Internet e chamar toda a família para adorar!

18
Fevereiro

TEXTO BÍBLICO: DANIEL 6.1-10

O INCRÍVEL DANIEL E SUA LEALDADE

UMA HISTÓRIA PARA SER FIEL COMO ELE!

JOÃO – VOU CONTAR UMA HISTÓRIA LEGAL SOBRE UM MOÇO CHAMADO DANIEL. ELE ERA ESPERTO E TRABALHAVA NO PALÁCIO DO REI DARIO; DANIEL TINHA TRÊS BONS AMIGOS. MAS ALGUNS HOMENS TINHAM INVEJA DELE E INVENTARAM UMA LEI MALVADA, DIZENDO QUE NINGUÉM PODERIA ORAR PARA OUTRO DEUS OU PESSOA; SÓ PARA O REI. DANIEL NÃO OBEDECEU E CONTINUOU ORANDO AO DEUS ETERNO. POR CAUSA DISSO, O REI MANDOU JOGÁ-LO NA COVA DOS LEÕES, MAS DEUS O PROTEGEU, E ELE SAIU DA COVA DOS LEÕES SEM NENHUM ARRANHÃO. O REI FICOU FELIZ E ELIMINOU ESSA LEI TERRÍVEL. ESTA HISTÓRIA ENSINA QUE É IMPORTANTE SER FIEL A DEUS.

ORAÇÃO

Paizinho querido, quero ser fiel como Daniel e provar o meu amor pelo Senhor. Amém.

TEXTO BÍBLICO: DANIEL 6.11-28

O HERÓI QUE NUNCA DESISTIU

A INCRÍVEL HISTÓRIA DE DANIEL

VITÓRIA — PAPAI! PAPAI! LI UMA HISTÓRIA INCRÍVEL SOBRE DANIEL. ELE ERA FIEL A DEUS, SABIA? MAS OS HOMENS MAUS FIZERAM UMA LEI QUE NINGUÉM PODERIA ORAR PARA OUTRO DEUS; SÓ PARA O REI. DANIEL CONTINUOU ORANDO, MESMO SABENDO QUE SERIA JOGADO NA COVA DOS LEÕES. O REI FICOU MUITO TRISTE PORQUE GOSTAVA DE DANIEL, MAS A LEI PRECISAVA SER CUMPRIDA. ENTÃO, O REI DISSE PARA DANIEL QUE O DEUS DELE O SALVARIA. NO DIA SEGUINTE, O REI FOI VISITAR DANIEL, E IMAGINA SÓ? DEUS MANDOU UM ANJO PARA FECHAR A BOCA DOS LEÕES, E DANIEL ESTAVA VIVO! ISSO MOSTRA QUE, SE SOMOS FIÉIS A DEUS, ELE É FIEL A NÓS TAMBÉM!

ORAÇÃO

Pai, agradeço pelo seu cuidado. Me ajude a ser fiel como Daniel. Amém.

20 Fevereiro

TEXTO BÍBLICO: DANIEL 6.4,5

A INCRÍVEL JORNADA PARA SER UMA CRIANÇA CONFIÁVEL!

ISABELLA – MANO, SABE DO QUE EU GOSTO NA HISTÓRIA DE DANIEL? ELE ERA TÃO CONFIÁVEL QUE AQUELES HOMENS QUE QUERIAM PREJUDICÁ-LO NÃO CONSEGUIRAM ACHAR NADA DE ERRADO NAS COISAS QUE ELE FAZIA. A BÍBLIA DIZ QUE ELE ERA EXEMPLAR E TOTALMENTE CONFIÁVEL.

JOÃO – É VERDADE! DANIEL SEGUIA O CAMINHO DE DEUS E ERA TÃO OBEDIENTE QUE NINGUÉM PODIA DIZER QUE ELE ESTAVA FAZENDO ALGO ERRADO. NÓS TAMBÉM PRECISAMOS SER COMO ELE: JUSTOS, CORRETOS, LEAIS, CONFIÁVEIS E UM EXEMPLO PARA OS OUTROS. TENHO CERTEZA QUE DEUS FICAVA MUITO FELIZ COM DANIEL E FICARÁ FELIZ COM A GENTE SE FORMOS COMO ELE.

ORAÇÃO

Paizinho, me ajude a ser uma criança boa, que faça e fale o que é correto. Amém.

TEXTO BÍBLICO: PROVÉRBIOS 20.6, 27.5,6

UM AMIGO VERDADEIRO

VOCÊ TEM UM?

ENZO — MAMÃE, EU SOU MUITO GRATO A DEUS POR TER MEU AMIGO JOÃO. ELE ME AJUDA QUANDO EU FICO BRAVO OU TRISTE E ME MOSTRA COMO POSSO MELHORAR. É UM AMIGO MUITO ESPECIAL PARA MIM E FICO FELIZ QUANDO ESTÁ POR PERTO. MAS, ÀS VEZES, NÃO GOSTO QUANDO ELE NÃO CONCORDA COMIGO.

MÃE DO ENZO— POR QUE VOCÊ NÃO GOSTA?

ENZO —PORQUE EU SEMPRE QUERO ESTAR CERTO, MAS DEPOIS PERCEBO QUE ELE QUER ME AJUDAR A SER UMA CRIANÇA MELHOR. O JOÃO É DEZ!

MÃE DE ENZO — SIM, MEU AMOR. ISSO É SER UM VERDADEIRO AMIGO. ELE QUER O MELHOR PARA VOCÊ. E É IMPORTANTE TER AMIGOS ASSIM NA VIDA. E COMO SÃO OS OUTROS AMIGOS?

ENZO — AH, ELES SÃO LEGAIS. A GENTE BRINCA MUITO JUNTO!

ORAÇÃO

**Paizinho, eu agradeço pelos amigos.
Me ajude a ser leal e fiel. Amém.**

22
Fevereiro

TEXTO BÍBLICO: PROVÉRBIOS 20.7; EFÉSIOS 5.21-33

JUNTOS E UNIDOS

A IMPORTÂNCIA DE SER FIEL À NOSSA FAMÍLIA

VALENTINA — MAMÃE, VOCÊ E O PAPAI SÃO SEMPRE AMIGOS E SE AMAM, CERTO?

MÃE DA VALENTINA — SIM, QUERIDA! SOMOS AMIGOS E AMAMOS UM AO OUTRO. E TAMBÉM NOS ESFORÇAMOS PARA AGRADAR A DEUS E CUIDAR BEM DA NOSSA FAMÍLIA. QUANDO NOS CASAMOS, PROMETEMOS QUE SERÍAMOS AMIGOS PARA SEMPRE E QUE NUNCA DEIXARÍAMOS O OUTRO. QUANDO SEGUIMOS JESUS, PROMETEMOS SER FIÉIS A ELE E OBEDECER A SEUS ENSINAMENTOS. ALÉM DISSO, QUANDO SOUBEMOS QUE VOCÊ IA NASCER, PROMETEMOS CUIDAR MUITO BEM DA NOSSA FILHA E SER UMA FAMÍLIA UNIDA PARA SEMPRE!

VALENTINA — EU QUERO SER AMIGA DE DEUS, DA MINHA FAMÍLIA E DOS MEUS AMIGOS PARA SEMPRE!

ORAÇÃO

Pai querido, me ajude a ser fiel e agradeço pelos seus ensinamentos. Amém.

TEXTO BÍBLICO: ÊXODO 20.15

O OITAVO MANDAMENTO

ISABELLA – O OITAVO MANDAMENTO É SOBRE O NOSSO AMOR E RESPEITO AO PRÓXIMO. DEUS QUER QUE RESPEITEMOS AS COISAS QUE PERTENCEM AOS OUTROS E NÃO AS TIREMOS SEM PERMISSÃO. NÃO PODEMOS, POR EXEMPLO, PEGAR BRINQUEDOS, ROUPAS, DINHEIRO OU QUALQUER OUTRA COISA QUE NÃO SEJA NOSSA. SE QUEREMOS ALGO QUE É DE OUTRA PESSOA, DEVEMOS PEDIR PERMISSÃO ANTES DE PEGAR OU USAR. ROUBAR TAMBÉM PODE ACONTECER DE OUTRAS FORMAS, COMO MENTIR OU ENGANAR PARA CONSEGUIR COISAS QUE QUEREMOS. ISSO DESAGRADA A DEUS, POIS ELE QUER QUE SEJAMOS HONESTOS E JUSTOS E QUE TRATEMOS OS OUTROS DA FORMA CORRETA.

VITÓRIA – EU SEMPRE PEÇO PERMISSÃO ANTES DE BRINCAR COM A BONECA DA VALENTINA!

ORAÇÃO

Deus, eu agradeço por tantas coisas que o Senhor tem me ensinado. Quero ser justo e honesto. Amém.

24
Fevereiro

TEXTO BÍBLICO: PROVÉRBIOS 10.2; 2CORÍNTIOS 8.21; 2TIMÓTEO 2.14-16

O QUE É HONESTIDADE?

GABRIEL — VOVÔ, O QUE É HONESTIDADE?

AVÔ DE GABRIEL — HONESTIDADE É UMA QUALIDADE DAS PESSOAS QUE NÃO MENTEM, NÃO ROUBAM E NÃO ENGANAM. AS PESSOAS HONESTAS FALAM A VERDADE, SÃO JUSTAS E AGEM DA MANEIRA CORRETA. O QUE FAZEMOS E FALAMOS DIZ AO MUNDO QUEM NÓS SOMOS. POR ISSO, NÃO PODEMOS PEGAR AS COISAS QUE NÃO SÃO NOSSAS, DEVEMOS SEMPRE DEVOLVER O QUE NOS EMPRESTAM E CUIDAR DO QUE É DOS OUTROS. ESSA É UMA CARACTERÍSTICA MUITO IMPORTANTE DOS FILHOS DE DEUS.

GABRIEL — EU QUERO SER HONESTO, PORQUE TENHO CERTEZA DE QUE DEUS QUER ISSO DE MIM!

É hora de ver se as suas ações revelam quem você é! Vamos brincar de mímica? Nessa brincadeira, uma pessoa deve fazer gestos e ações, sem dizer nenhuma palavra, para os outros acertarem. Chame a sua família e os seus amigos para brincarem. Vocês podem escolher categorias, como personagens, objetos ou animais.

ORAÇÃO

Paizinho, me ajude a louvar o Senhor a cada dia. Amém.

TEXTO BÍBLICO: SALMOS 15

COMO POSSO SER HONESTO?

25
Fevereiro

JOÃO — PAPAI, ME DESCULPE. EU QUEBREI A XÍCARA QUE VOCÊ ME EMPRESTOU. NÃO ERA A MINHA INTENÇÃO. SEI QUE VOCÊ GOSTA MUITO DA SUA XÍCARA. POR ISSO, PEGUEI TODO O DINHEIRO DO MEU COFRINHO E VOU PROCURAR UMA IGUALZINHA À QUE QUEBREI.

JUNIOR — VOCÊ FEZ A COISA CERTA EM ME CONTAR, JOÃO. ACIDENTES ACONTECEM. O IMPORTANTE É QUE VOCÊ NÃO SE MACHUCOU E VEIO ME DIZER A VERDADE. A SUA ATITUDE DEMONSTRA QUE VOCÊ É UMA PESSOA MUITO HONESTA, PORQUE NÃO ESCONDEU A VERDADE. DEUS SE AGRADA QUANDO SOMOS HONESTOS, E EU FICO MUITO FELIZ POR VOCÊ TER FEITO A COISA CERTA.

ORAÇÃO

Senhor, eu agradeço por este dia e por estar comigo em todo tempo. Agradeço por aprender mais sobre a Palavra e como devo agir. Amém.

26
Fevereiro

TEXTO BÍBLICO: ÊXODO 22.7,14; LEVÍTICO 19.11

EU NÃO PEGO O QUE NÃO É MEU

GABRIEL — OLHA O QUE A ZILU TROUXE, QUE LEGAL! É UM BONECO DE SUPER-HERÓI. ELA PEGOU NAQUELE JARDIM DA CASA DA FRENTE.

JOÃO — É MUITO LEGAL. UMA PENA QUE NÃO POSSAMOS FICAR COM ELE. ESSE BONECO NÃO É NOSSO; É DA CRIANÇA QUE MORA NA CASA DA FRENTE. A COISA CERTA A FAZER É COLOCAR DE VOLTA ONDE ESTAVA. ACHO QUE PODEMOS TENTAR PENSAR EM UM JEITO DE GUARDAR DINHEIRO E COMPRAR UM IGUAL A ESSE, NÃO É? VAMOS PEGAR UM COFRINHO E COMEÇAR A ECONOMIZAR PARA ISSO. MAS, ANTES, TEMOS QUE DEVOLVER O BONECO DO VIZINHO.

ORAÇÃO

Espírito Santo, me ajude a respeitar as coisas dos outros e a entender qual é a maneira certa de agir. Amém.

TEXTO BÍBLICO: DEUTERONÔMIO 6.18; PROVÉRBIOS 21.3; FILIPENSES 4.8,9

EU FAÇO O QUE É CORRETO

VALENTINA – HOJE DE MANHÃ, UMA MOÇA DEIXOU A CARTEIRA CAIR NA RUA, E EU ESTAVA LOGO ATRÁS. ELA NÃO VIU E IA EMBORA SEM A CARTEIRA! ENTÃO, ME APRESSEI PARA PEGAR E DEVOLVER PARA ELA. A MOÇA FICOU MUITO FELIZ E ALIVIADA E DISSE QUE A MINHA ATITUDE A DEIXOU MUITO ALEGRE, PORQUE FIZ O QUE É CORRETO. AÍ, EU DISSE PARA ELA QUE FIZ O QUE DEUS ME ENSINOU A FAZER!

PAI DE VALENTINA – MUITO BEM, MINHA FILHA! VOCÊ REALMENTE FEZ O QUE É CORRETO E, POR MEIO DA SUA ATITUDE, REVELOU O AMOR E A OBEDIÊNCIA A DEUS. TENHO CERTEZA DE QUE ELA FOI ABENÇOADA NAQUELE MOMENTO.

ORAÇÃO

Meu Jesus, eu agradeço porque o Senhor é tão bom. Quero seguir o seu exemplo e fazer sempre o que é certo. Amém.

28
Fevereiro

TEXTO BÍBLICO: ROMANOS 13.8-10

A HONESTIDADE É PROVA DE AMOR

ISABELLA — EU APRENDI QUE OBEDECER AO MANDAMENTO DE NÃO ROUBAR E QUE SER HONESTO TEM A VER COM O AMOR AO PRÓXIMO. JESUS NOS ENSINOU A AMAR O PRÓXIMO ASSIM COMO A NÓS MESMOS. ISSO SIGNIFICA QUE, QUANDO AMAMOS, NOS ESFORÇAMOS PARA CUIDAR, RESPEITAR, HONRAR, ENSINAR E PERDOAR O OUTRO. TUDO ISSO DEIXA O SENHOR MUITO FELIZ.

JOÃO — É VERDADE. QUANDO AMAMOS AS PESSOAS, FAZEMOS DE TUDO PARA NÃO AS PREJUDICAR. EU ME PREOCUPO COM QUEM ESTÁ AO MEU REDOR E FAÇO O QUE POSSO PARA NÃO MAGOAR NINGUÉM.

ORAÇÃO

Meu bom Deus, eu agradeço por me amar e por me ensinar a amar o próximo. Ajude-me a amá-lo como o Senhor merece. Amém.

TEXTO BÍBLICO: LUCAS 19.1-10

O SENHOR RESTAURA

29
Fevereiro

VITÓRIA — MAMÃE, EU PRECISO CONFESSAR ALGO. HÁ ALGUM TEMPO, VI QUE A MINHA COLEGUINHA TINHA UM BATOM ROSA MUITO BONITO, E ELA ESQUECEU AQUI EM CASA. EU SABIA QUE ELA TINHA DEIXADO AQUI E NÃO DEVOLVI. ESTOU ME SENTINDO MUITO MAL POR TER FEITO ISSO.

MÃE DA VITÓRIA — O QUE VOCÊ FEZ NÃO É CERTO, MAS PODEMOS RESOLVER. VOCÊ PRECISA PEDIR PERDÃO PARA DEUS E PARA A SUA AMIGUINHA, E NÓS VAMOS COMPRAR UM BATOM NOVO PARA ELA. QUANDO NOS ARREPENDEMOS COM SINCERIDADE, O SENHOR NOS RESTAURA E MUDA O NOSSO CORAÇÃO.

VITÓRIA — EU QUERO RESOLVER ISSO E SER RESTAURADA!

ORAÇÃO

Senhor Deus, peço que me restaure e transforme o meu coração, para que eu seja melhor a cada dia. Em nome de Jesus, amém.

café
com
Deus
pai
KIDS

MARÇO
PÁSCOA

DIVERSÃO EM FAMÍLIA

Jogo dos sete erros. A turminha está brincando. Você pode me ajudar a encontrar os sete erros?

TEXTO BÍBLICO: ÊXODO 20.16

O NONO MANDAMENTO

JOÃO — O NONO MANDAMENTO TAMBÉM FALA SOBRE O AMOR AO PRÓXIMO. DEUS QUER QUE SEJAMOS HONESTOS E SINCEROS EM NOSSAS PALAVRAS. NÃO PODEMOS MENTIR OU PREJUDICAR OUTRAS PESSOAS. O SENHOR QUER QUE SEJAMOS JUSTOS E VERDADEIROS EM TUDO O QUE FAZEMOS, PENSAMOS E FALAMOS. É IMPORTANTE LEMBRAR QUE AS PALAVRAS PODEM AFETAR OS OUTROS DE MUITAS MANEIRAS DIFERENTES, E QUE PRECISAMOS SEMPRE PENSAR CUIDADOSAMENTE ANTES DE FALAR. DA NOSSA BOCA, DEVEM SAIR PALAVRAS DE AMOR, ENCORAJAMENTO E SABEDORIA.

ISABELLA — É VERDADE. PRECISAMOS MOSTRAR NOSSO AMOR PELAS PESSOAS POR MEIO DAS NOSSAS PALAVRAS TAMBÉM.

ORAÇÃO

Deus Santo, eu agradeço por estar tão perto de mim e por me ensinar mais sobre a Bíblia. Quero usar as minhas palavras para o bem, não para o mal. Amém.

TEXTO BÍBLICO: MATEUS 12.34-37

A BOCA FALA DO QUE O CORAÇÃO ESTÁ CHEIO

VALENTINA — ESSES DIAS, EU ESTAVA COM A MAMÃE NO SHOPPING E OUVIMOS UM MOÇO XINGAR. PERGUNTEI PARA ELA POR QUE ELE FALOU AQUELAS COISAS, E A MINHA MÃE ME DISSE QUE A BOCA FALA DO QUE O CORAÇÃO ESTÁ CHEIO. ELA EXPLICOU QUE O CORAÇÃO É O QUE DÁ SIGNIFICADO ÀS PALAVRAS, COMO ESTÁ ESCRITO NA BÍBLIA, E QUE AS COISAS QUE FALAMOS REVELAM COMO É O NOSSO CORAÇÃO. POR ISSO, PRECISAMOS FALAR COM AMOR E BONDADE, PARA DEMONSTRAR QUE TEMOS UM CORAÇÃO AMOROSO E BOM!

VITÓRIA — TODAS AS VEZES QUE USAMOS AS NOSSAS PALAVRAS, PRECISAMOS TER CUIDADO, PORQUE ELAS PODEM MAGOAR OU ALEGRAR A OUTRA PESSOA.

ORAÇÃO

Espírito Santo, me ajude a dizer somente palavras boas. Quero ter um coração bom e amoroso. Amém.

Vamos brincar em família? Chame todo mundo para fazer a brincadeira "O mestre mandou". Para brincar, vocês devem escolher uma pessoa para ser o mestre. Então, ele dirá: "O mestre mandou"; vocês responderão: "Fazer o quê?". Em seguida, o mestre dirá o que vocês precisam fazer para cumprir a tarefa.

TEXTO BÍBLICO: JOÃO 14.6; EFÉSIOS 4.25; COLOSSENSES 3.9-11

NÃO DEVO MENTIR

03
Março

GABRIEL — EU APRENDI QUE A MENTIRA É MUITO FEIA. VOCÊS SABIAM QUE O PAI DA MENTIRA É O DIABO? POR ISSO, COMO FILHOS DE DEUS, PRECISAMOS NOS AFASTAR DE TUDO O QUE NÃO VEM DE DEUS. O SENHOR QUER QUE FALEMOS A VERDADE, QUE USEMOS PALAVRAS BOAS E ABENÇOADORAS. DEVEMOS FALAR A VERDADE PORQUE JESUS É A VERDADE, E ELE NOS LIBERTOU DO PESO DO PECADO.

ENZO — EU PRECISO MELHORAR MUITO. AINDA TENHO MUITO A APRENDER, MAS TENHO CERTEZA DE QUE DEUS VAI ME AJUDAR A SER MELHOR A CADA DIA E A NÃO MENTIR PARA NINGUÉM, PORQUE ESTOU DISPOSTO A SER TRANSFORMADO.

ORAÇÃO

Deus amado, eu estou disposto a ser mudado pelo Senhor. Por favor, transforme o meu coração e a minha mente, para que eu me afaste do pecado e me aproxime do seu coração. Amém.

04
Março

TEXTO BÍBLICO: ÊXODO 23.7; PROVÉRBIOS 19.5

NÃO DEVO PREJUDICAR OS OUTROS

ENZO — PAPAI, HOJE ACONTECEU UMA SITUAÇÃO NA ESCOLA, E VI O QUANTO DEUS TEM ME ENSINADO. A PROFESSORA PERGUNTOU QUEM HAVIA DERRUBADO OS LÁPIS DE COR NO CHÃO, PORQUE A PESSOA QUE DERRUBOU DEVERIA RECOLHER. NA HORA, SENTI VONTADE DE DIZER QUE FOI O MEU COLEGA, MAS ISSO SERIA MENTIRA. ENTÃO, CONFESSEI QUE EU DERRUBEI OS LÁPIS E GUARDEI TUDO IMEDIATAMENTE.

PAI DE ENZO — VOCÊ FEZ A COISA CERTA AO NÃO MENTIR E AO PERCEBER QUE NÃO DEVERIA PREJUDICAR O SEU COLEGA. NÓS PRECISAMOS ASSUMIR AS CONSEQUÊNCIAS DE NOSSAS AÇÕES. A VERDADE É SEMPRE O MELHOR CAMINHO!

ORAÇÃO

Pai, me ajude a escolher sempre o caminho da verdade. Não quero prejudicar as pessoas em nenhum momento. Amém.

TEXTO BÍBLICO: PROVÉRBIOS 22.11; ZACARIAS 8.14-17; ROMANOS 12.9

PRECISO SER SINCERO

05
Março

ISABELLA — JOÃO, PRECISO SER SINCERA COM VOCÊ. EU NÃO GOSTEI DA BRINCADEIRA QUE VOCÊ FEZ COMIGO HOJE À TARDE. FIQUEI MUITO CHATEADA E SENTI QUE PRECISAVA FALAR A VERDADE.

JOÃO — ME DESCULPE, ISABELLA. NÃO ERA A MINHA INTENÇÃO DEIXÁ-LA CHATEADA. VOU TOMAR MUITO CUIDADO PARA NÃO FAZER NENHUMA BRINCADEIRA DESSE TIPO. MUITO OBRIGADO POR SER SINCERA COMIGO E ME MOSTRAR ONDE ERREI. A SINCERIDADE É MUITO IMPORTANTE PARA PRESERVAR O AMOR E O RESPEITO. VOCÊ É MINHA IRMÃ, E EU QUERO SEMPRE FAZER O MELHOR PELO NOSSO RELACIONAMENTO!

ORAÇÃO

Deus Eterno, me capacite para ser sincero em tudo o que eu fizer e falar. Trabalhe no meu coração, para que as palavras que saírem da minha boca sejam abençoadoras. Amém.

06
Março

TEXTO BÍBLICO: EFÉSIOS 4.1-3; 1TESSALONICENSES 5.13-15

PRECISO FALAR A VERDADE COM AMOR

GABRIEL — EU TENHO UM AMIGO, O JOÃO, QUE SEMPRE ME ACONSELHA. ELE AJUDA TODO MUNDO DA NOSSA TURMINHA. UM DIA, EU FALEI ALGO QUE DEIXOU A NOSSA AMIGA VITÓRIA MUITO TRISTE, E ELE VEIO ATÉ MIM, EXPLICOU POR QUE EU NÃO PODERIA DIZER AQUILO E ME ENCORAJOU A PEDIR PERDÃO PARA ELA. EU QUERO SER ASSIM COM OS MEUS AMIGOS TAMBÉM. QUERO SER PACIENTE E AMOROSO AO ENSINAR. DESEJO FALAR A VERDADE COM AMOR. A ISABELLA TAMBÉM É MUITO INTELIGENTE E SABE MUITAS COISAS SOBRE A BÍBLIA. A VALENTINA É DOCE E AMIGÁVEL. A VITÓRIA É QUIETINHA, MAS SEMPRE ESTÁ DISPOSTA A AJUDAR. O ENZO É MEIO BRAVO, MAS TEM UM CORAÇÃO MUITO DISPOSTO A SER CADA DIA MELHOR E A SER MAIS PARECIDO COM JESUS. MEUS AMIGOS ME ENSINAM MUITO.

ORAÇÃO

Querido Jesus, eu agradeço por colocar pessoas na minha vida que me ensinam tanto. Mostre-me como falar a verdade com amor, da forma que o Senhor faz. Amém.

TEXTO BÍBLICO: PROVÉRBIOS 12.8; 1PEDRO 2.13-17

07
Março

PRECISO HONRAR O PRÓXIMO

ISABELLA — MAMÃE E PAPAI, EU TENHO UM PRESENTE PARA VOCÊS! FIZ UMA CARTINHA DIZENDO O QUANTO AMO E SOU GRATA POR TÊ-LOS. VOCÊS SÃO UM PRESENTE LINDO DE DEUS PARA MIM. EU QUERO SEMPRE LEMBRÁ-LOS DO QUANTO SÃO IMPORTANTES NA MINHA VIDA. APRENDI QUE PRECISO AMAR, RESPEITAR E HONRAR AS PESSOAS. A FORMA QUE ENCONTREI PARA HONRÁ-LOS HOJE FOI COM ESSAS CARTINHAS. EU TAMBÉM FIZ UM DESENHO MEU E DO MEU IRMÃO, JOÃO. ELE FICOU MUITO FELIZ QUANDO ENTREGUEI.

MICHELLE — MUITO OBRIGADA, ISABELLA! VOCÊ É MUITO AMOROSA.

JUNIOR — MINHA FILHA, ME ALEGRO POR TÊ-LA. OBRIGADO POR NOS HONRAR E POR HONRAR O SEU IRMÃO.

Quantas lições importantes! Aprendemos que não devemos usar as palavras para mentir e para prejudicar outras pessoas, mas que devemos ser sinceros, honestos e amorosos. Também vimos que precisamos honrar aqueles a quem amamos. Podemos fazer isso por meio de elogios, presentes, abraços e até mesmo ajudando nas tarefas. Como você pode honrar alguém hoje?

ORAÇÃO

Deus, me ensine a honrar o Senhor e as pessoas ao meu redor. Agradeço por tudo o que tenho aprendido até aqui e pelo que sei que ainda irei aprender. Em nome de Jesus, amém.

08
Março

TEXTO BÍBLICO: ÊXODO 20.17

O DÉCIMO MANDAMENTO

VITÓRIA — UAU! JÁ ESTAMOS NO ÚLTIMO MANDAMENTO. COMO É MARAVILHOSO APRENDER SOBRE A PALAVRA! O DÉCIMO MANDAMENTO ME ENSINA QUE DEUS NÃO QUER QUE TENHAMOS INVEJA OU QUE DESEJEMOS TER AS COISAS QUE OUTRAS PESSOAS TÊM. ELE QUER QUE SEJAMOS GRATOS PELO QUE TEMOS E QUE RESPEITEMOS AS COISAS DOS OUTROS. QUANDO ESTAMOS CONTENTES COM O QUE JÁ TEMOS E COM O QUE DEUS FAZ POR NÓS, NÃO SENTIMOS INVEJA DOS OUTROS.

VALENTINA — EU SOU MUITO GRATA A DEUS POR TUDO! ELE É MARAVILHOSO COMIGO.

ORAÇÃO

O Senhor é tão bondoso comigo, e sou imensamente grato por tudo o que tem feito. Afasta-me da inveja e da insatisfação. Em nome de Jesus, amém.

TEXTO BÍBLICO: MARCOS 7.20-23; COLOSSENSES 3.1,2

09
Março

É PRECISO CUIDAR DOS PENSAMENTOS

VALENTINA — QUANDO EU ESTAVA NO HOSPITAL, ESTAVA MUITO TRISTE, PORQUE QUERIA BRINCAR, PARTICIPAR DAS AULAS DE EDUCAÇÃO FÍSICA, FICAR COM OS MEUS AMIGOS. EU VIA AS OUTRAS CRIANÇAS SAINDO DO HOSPITAL E PENSAVA NO QUANTO QUERIA ESTAR NO LUGAR DELAS. COMECEI A SENTIR INVEJA. ENTÃO, A MINHA MÃE ME DISSE QUE PRECISO CUIDAR DOS MEUS PENSAMENTOS. NÓS ORAMOS JUNTAS E PEDIMOS PARA DEUS TIRAR A INVEJA DO MEU CORAÇÃO, E TAMBÉM PARA QUE EU SAÍSSE DO HOSPITAL. E, UM TEMPO DEPOIS, EU MELHOREI E VOLTEI PARA CASA!

ISABELLA — QUE TESTEMUNHO LINDO! DEUS FAZ COISAS MARAVILHOSAS NA NOSSA VIDA, E PRECISAMOS PRESTAR ATENÇÃO NELAS PARA NÃO SENTIR INVEJA DOS OUTROS.

ORAÇÃO

Meu Jesus, eu agradeço pelas maravilhas da sua presença. Peço ao Espírito de Deus que cuide dos meus pensamentos. Amém.

O que acha de chamar sua família e seus amigos para um jogo? Para isso, cada participante precisa pensar em um animal, e os outros precisam acertar. Vocês podem fazer quantas rodadas quiserem!

10
Março

TEXTO BÍBLICO: SALMOS 118.26-29; 1TESSALONICENSES 5.16-18

SOU GRATO POR TUDO O QUE TENHO

ENZO — SABE, HÁ UM TEMPO, EU FIQUEI MUITO BRAVO COM OS MEUS PAIS, PORQUE ELES NÃO QUISERAM COMPRAR UM BRINQUEDO NOVO PARA MIM. ACHEI QUE ELES ESTAVAM SENDO INJUSTOS COMIGO. MAS, ONTEM À NOITE, OLHEI AO REDOR E VI MEU QUARTO CHEIO DE BRINQUEDOS, GRANDES E PEQUENOS. COMECEI A ME SENTIR GRATO, NÃO SÓ PELOS MEUS BRINQUEDOS, MAS POR TUDO O QUE EU TENHO. TENHO UMA FAMÍLIA QUE ME AMA E CUIDA DE MIM, UMA CASA CONFORTÁVEL, AMIGOS QUE ME AJUDAM E, ACIMA DE TUDO, O AMOR DE DEUS. EU DECIDI DOAR ALGUNS BRINQUEDOS PARA OUTRAS CRIANÇAS, PORQUE JÁ TENHO MUITOS.

JOÃO — NOSSA, ENZO! FICO TÃO FELIZ POR SABER QUE O SENHOR TEM MOSTRADO TANTAS COISAS NOVAS PARA VOCÊ!

ORAÇÃO

Meu Deus, hoje eu quero somente agradecer por tudo o que o Senhor é e faz por mim. Agradeço por me amar, cuidar de mim e me ensinar. Amém.

TEXTO BÍBLICO: JOÃO 15.9-11; FILIPENSES 4.4-7

ESTOU CONTENTE

GABRIEL — QUANDO PENSO EM TUDO O QUE JÁ APRENDI DA BÍBLIA E EM TUDO O QUE AINDA VOU APRENDER, FICO TÃO CONTENTE. CONHECER A DEUS ME AJUDOU A ENTENDER MAIS SOBRE O QUE É O AMOR, A OBEDIÊNCIA, A ALEGRIA. MESMO QUANDO ESTOU TRISTE, COM SAUDADE DA MINHA MÃE OU DESANIMADO, TENHO A CERTEZA DE QUE TUDO VAI FICAR BEM, PORQUE O SENHOR ESTÁ COMIGO E JAMAIS SAIRÁ DO MEU LADO. EU AMO PODER CONTAR COM DEUS EM TODO O TEMPO. SOU MUITO AGRADECIDO POR TUDO O QUE EU TENHO E POR TUDO O QUE SOU EM JESUS.

AVÔ DO GABRIEL — GRAÇAS A DEUS PELA SUA VIDA, GABRIEL. VOCÊ TEM SIDO BÊNÇÃO PARA TODOS AO SEU REDOR.

ORAÇÃO

Pai santo, eu agradeço por me dar a alegria de ser seu filho. Sou grato por contar com a sua presença em todo instante. Ajude-me a ser bênção na vida de outras pessoas, para que elas também conheçam a alegria de caminhar com o Senhor. Amém.

12
Março

TEXTO BÍBLICO: SALMOS 145.14-21; 2CORÍNTIOS 9.8-10

DEUS CUIDA DE MIM

VALENTINA — HOJE, ME PERGUNTARAM NA ESCOLA COMO EU CONSIGO FICAR TRANQUILA, MESMO COM UMA DOENÇA SÉRIA. PERGUNTARAM SE EU QUERIA SER COMO AS OUTRAS CRIANÇAS. EU RESPONDI QUE SEI QUE DEUS CUIDA DE MIM. DESDE O MOMENTO EM QUE ACORDO, ATÉ QUANDO ME DEITO, TENHO CERTEZA DE QUE ELE ESTÁ COMIGO. TAMBÉM NÃO TENHO VONTADE DE SER COMO AS OUTRAS CRIANÇAS, PORQUE LI NA BÍBLIA QUE ELE ME CRIOU À IMAGEM E SEMELHANÇA DELE E QUE ELE ESTÁ ATENTO A TODOS QUE PEDEM AJUDA. A MINHA ALEGRIA VEM DA CERTEZA DE QUE DEUS ESTÁ COMIGO.

PAI DE VALENTINA — É, VALENTINA, VOCÊ ESTÁ CERTA. DEUS ESTÁ COM VOCÊ E A AMA MUITO. ELE TEM O MELHOR PARA A SUA VIDA. QUANDO SABEMOS QUE O SENHOR CUIDA DE NÓS, SENTIMOS PAZ E NÃO TEMOS INVEJA DOS OUTROS.

ORAÇÃO

Deus, eu sei que o Senhor está comigo e que cuida de mim. Peço que me lembre disso sempre que eu estiver triste. Amém.

TEXTO BÍBLICO: MATEUS 6.27-34

EU POSSO DESCANSAR NO SENHOR

JOÃO — PAI, É VERDADE QUE DEUS NÃO QUER QUE FIQUEMOS PREOCUPADOS COM O FUTURO?

JUNIOR — SIM, JOÃO. SE SABEMOS QUE DEUS CUIDA DE NÓS, NÃO TEMOS MOTIVOS PARA NOS PREOCUPAR, PORQUE ELE ENTRARÁ COM PROVISÃO. ELE SABE O QUE É O MELHOR PARA NÓS. ÀS VEZES, FICAMOS TRISTES PORQUE QUEREMOS MUITO TER ALGO, MAS DEUS NOS CONHECE E ENTENDE COISAS QUE NÃO ENTENDEMOS. O IMPORTANTE É QUE TENHAMOS A CERTEZA DE QUE NOSSO SENHOR CUIDA DE NÓS E PROVERÁ TUDO DE QUE PRECISARMOS. PODEMOS DESCANSAR EM DEUS E ENCONTRAR PAZ NOS BRAÇOS DELE.

ORAÇÃO

Meu Senhor, me ajude a descansar nos seus braços de amor. Nem sempre entendo o que é o melhor para mim, mas o Senhor entende. Amém.

14
Março

TEXTO BÍBLICO: SALMOS 40

EU SÓ PRECISO DE DEUS

VITÓRIA — VALENTINA, EU APRENDI QUE SÓ PRECISO DE DEUS, SABIA? NÃO PRECISO ME PREOCUPAR, NÃO PRECISO DESEJAR AS COISAS QUE OS OUTROS TÊM, NÃO PRECISO FICAR INSATISFEITA COM O QUE EU TENHO. O SENHOR É TUDO DE QUE PRECISO. MAS ACONTECE QUE ELE ME DÁ MUITO MAIS. ELE ME DEU O AMOR DELE, A BONDADE E A FIDELIDADE. ELE ME DEU A MINHA FAMÍLIA, OS MEUS AMIGOS, A MINHA CASA. DEUS ME CONHECE DESDE ANTES DE EU NASCER, E ELE TEM CUIDADO DE MIM EM TODO O TEMPO. ENTÃO, SEI QUE SÓ PRECISO DELE, PORQUE ELE SABE O QUE É MELHOR PARA MIM.

VALENTINA — QUE LINDO, VITÓRIA! DEUS É MESMO MARAVILHOSO COM A GENTE. ELE FAZ MUITO MAIS DO QUE PODEMOS IMAGINAR.

ORAÇÃO

Deus, sou grata porque o Senhor é bom e me dá muito mais do que eu preciso. Quero que a sua presença encha o meu coração e me transborde de alegria. Em nome de Jesus, amém.

DESCOBRINDO A BÍBLIA

COMO DEUS PODE NOS ENSINAR A VIVER MELHOR

ISABELLA — APRENDI QUE DEUS NOS AMA MUITO E DESEJA O MELHOR PARA NÓS. PARA PODERMOS TER UMA VIDA BOA E FELIZ, ELE NOS ENSINA A OBEDECÊ-LO E AMÁ-LO MAIS QUE QUALQUER OUTRA COISA. ELE TAMBÉM NOS AJUDA A ENTENDER QUE NÃO DEVEMOS DAR IMPORTÂNCIA A OUTRAS COISAS QUE POSSAM ATRAPALHAR A NOSSA AMIZADE COM ELE. DEUS É NOSSO AMIGO E QUER QUE SEJAMOS AMIGOS DELE TAMBÉM. ELE NOS MOSTRA COMO SER BONS AMIGOS, RESPEITAR AS PESSOAS AO NOSSO REDOR E AMAR OS NOSSOS FAMILIARES. SER HONESTO E FIEL É UM VALOR MUITO IMPORTANTE PARA DEUS. QUANDO SEGUIMOS ESSES ENSINAMENTOS, A NOSSA VIDA FICA MAIS FELIZ E CHEIA DE AMOR!

JOÃO — A BÍBLIA É UM LIVRO MUITO ESPECIAL QUE NOS ENSINA COISAS MUITO IMPORTANTES! ELA NOS AJUDA A CONHECER MELHOR A DEUS COMO AMIGO E A ENTENDER COMO ELE GOSTA DE SER NOSSO AMIGO, NOS TRATANDO COMO SEUS FILHOS QUERIDOS.

ORAÇÃO

Deus Pai, eu agradeço por me ensinar a sua Palavra. Ajude-me a obedecê-la. Amém.

16
Março

TEXTO BÍBLICO: LEVÍTICO 26.3-13

DESCOBRINDO AS REGRAS ESPECIAIS DE DEUS: OS MANDAMENTOS!

ISABELLA — OUÇAM O POEMA QUE ESCREVI COM A AJUDA DOS MEUS PAIS, PARA NÃO ME ESQUECER DOS DEZ MANDAMENTOS:

"DEZ MANDAMENTOS PARA UMA VIDA FELIZ, POIS DEVEMOS FAZER O QUE A DEUS BENDIZ.
DEZ MANDAMENTOS PARA UMA VIDA FELIZ, SÃO REGRAS DE AMOR QUE DEUS NOS DIZ.

O PRIMEIRO MANDAMENTO É IMPORTANTE LEMBRAR:
DEUS É ÚNICO E DEVEMOS SÓ A ELE ADORAR.
O SEGUNDO MANDAMENTO É SOBRE IMAGENS E ÍDOLOS:
NÃO FAÇA NEM ADORE, NEM SE CURVE A SÍMBOLOS.

O TERCEIRO MANDAMENTO É SOBRE O NOME DE DEUS:
NÃO USE DE MANEIRA ERRADA; É SAGRADO E MUITO IMPORTANTE, ADEUS.
O QUARTO MANDAMENTO É SOBRE DEDICAR-NOS AO SENHOR:
DEVEMOS SEPARAR TODOS OS DIAS PARA ELE COM AMOR.

O QUINTO MANDAMENTO É SOBRE OS PAIS:
RESPEITAR E HONRAR É IMPORTANTE DEMAIS.
O SEXTO MANDAMENTO É SOBRE A VIDA:
NÃO MATE NEM FAÇA MAL, É PRECISO LEMBRAR, NÃO HÁ OUTRA SAÍDA.

O SÉTIMO MANDAMENTO É SOBRE PUREZA:
NÃO FAÇA ADULTÉRIO, É UMA QUESTÃO DE BELEZA.
O OITAVO MANDAMENTO É SOBRE A HONESTIDADE:
NÃO ROUBE NEM ENGANE, É PRECISO TER BONDADE.

O NONO MANDAMENTO É SOBRE FALAR A VERDADE:
NÃO MINTA, NEM FAÇA FALSO TESTEMUNHO, É UMA NECESSIDADE.
O DÉCIMO MANDAMENTO É SOBRE COBIÇA:
NÃO DESEJE O QUE NÃO É SEU, É UMA INJUSTIÇA.

DEZ MANDAMENTOS DEUS NOS ENTREGOU:
SEGUI-LOS COM AMOR É O QUE ELE ENSINOU.
ESSES SÃO OS DEZ MANDAMENTOS QUE DEUS NOS DEU,
PARA SEGUIRMOS COM AMOR, É MUITO IMPORTANTE, FILHO MEU".
ESSAS SÃO AS REGRAS QUE DEUS NOS ENSINOU,
VAMOS SEGUI-LAS E VIVER UMA VIDA DE AMOR.

ORAÇÃO

Deus Pai, me ajude a lembrar dos seus mandamentos e a obedecer a cada um deles. Amém.

TEXTO BÍBLICO: ISAÍAS 40.3-5; JOÃO 1.23-28

UM GRITO NO DESERTO

17
Março

JOÃO — VOCÊS JÁ OUVIRAM FALAR DE JOÃO BATISTA? ELE CONVIDAVA AS PESSOAS PARA ENTRAREM NA ÁGUA E SEREM "BATIZADAS". ERA COMO UM MERGULHO CHEIO DE SIGNIFICADO! AO SEREM BATIZADAS, AS PESSOAS SE SENTIAM LIMPAS POR DENTRO E TINHAM UM NOVO COMEÇO. ERA UMA MANEIRA ESPECIAL DE SE PREPARAR PARA RECEBER JESUS.

VITÓRIA — UAU! JOÃO BATISTA FOI MUITO IMPORTANTE.

JOÃO — FOI. MAS ELE TAMBÉM ERA HUMILDE E RECONHECIA QUE SOMENTE JESUS DEVERIA SER ELOGIADO.

Pai, eu agradeço por ter uma nova chance a cada dia. O Senhor é bom. Amém.

18
Março

TEXTO BÍBLICO: MATEUS 3.13-17

O BATISMO DE JESUS

QUANDO ALGO INCRÍVEL ACONTECEU!

GABRIEL — LI QUE JESUS FOI ATÉ O RIO JORDÃO E PEDIU A JOÃO PARA BATIZÁ-LO NA ÁGUA. JOÃO FICOU MUITO SURPRESO PORQUE SABIA QUE JESUS ERA O FILHO ESPECIAL DE DEUS, QUE VEIO AO MUNDO PARA NOS AJUDAR E NOS SALVAR. JOÃO OBEDECEU E BATIZOU JESUS NA ÁGUA. ENTÃO ACONTECEU ALGO INCRÍVEL! ASSIM QUE JESUS SAIU DA ÁGUA, O CÉU SE ABRIU, E UMA VOZ DISSE: “ESTE É O MEU FILHO AMADO, ESCOLHIDO POR MIM, QUE ME TRAZ MUITA ALEGRIA”. UAU! ISSO ME DEIXA EMOCIONADO SÓ DE PENSAR! DEUS É MARAVILHOSO MESMO!

ORAÇÃO

Pai, eu agradeço porque o Senhor me ama e perdoa. Desejo que esteja feliz comigo. Amém.

TEXTO BÍBLICO: MARCOS 1.16-20, 3.13-19

OS AJUDANTES DE JESUS

ENZO — NA BÍBLIA, APRENDI QUE JESUS TINHA 12 AMIGOS ESPECIAIS CHAMADOS DISCÍPULOS. ELES FORAM ESCOLHIDOS PARA AJUDAR JESUS A ENSINAR AS PESSOAS SOBRE DEUS. OS PRIMEIROS DISCÍPULOS FORAM SIMÃO PEDRO E ANDRÉ, QUE ERAM IRMÃOS E PESCADORES. JESUS OS VIU PESCANDO NO MAR DA GALILEIA E OS CONVIDOU PARA SEREM PESCADORES DE PESSOAS, EM VEZ DE PEIXES. ELES ACEITARAM O CONVITE IMEDIATAMENTE. JESUS TAMBÉM NOS CONVIDA A SER PESCADORES DE PESSOAS. ISSO SIGNIFICA QUE DEVEMOS CONVIDAR OUTRAS PESSOAS A SE ARREPENDEREM E TEREM UMA NOVA VIDA COM DEUS.

Pinte os peixinhos com as letras que faltam na frase de Jesus a Simão Pedro e André: "Sigam-me, e eu os farei ____________ de homens" (Mateus 4.19, NVI).

ORAÇÃO

Pai, eu aceito o convite para falar de você e de como o seu amor nos salva. Amém.

TEXTO BÍBLICO: MATEUS 5.1,2; MARCOS 1.21,22; JOÃO 13.12-17

JESUS

NOSSO INCRÍVEL MESTRE

ISABELLA — UMA COISA MUITO LEGAL SOBRE JESUS É QUE ELE GOSTAVA DE ENSINAR AS PESSOAS. JESUS É O NOSSO MESTRE, E O QUE ELE ENSINOU ANTIGAMENTE AINDA É IMPORTANTE PARA NÓS HOJE EM DIA. ALÉM DE FALAR, ELE AGIA COMO DEVEMOS AGIR. JESUS É O MELHOR EXEMPLO DE AMOR, BONDADE, LEALDADE E HONESTIDADE, PORQUE SEMPRE FAZIA O QUE É CERTO. NA BÍBLIA, APRENDEMOS COMO TRATAR AS PESSOAS E COMO SER AMIGOS DE DEUS. EU ADORO TER JESUS COMO MEU PROFESSOR, PORQUE ELE ME ENSINA TODOS OS DIAS.

ORAÇÃO

Mestre, eu agradeço por me ensinar. Ajude-me a viver como o Senhor deseja. Amém.

TEXTO BÍBLICO: MATEUS 5.17-20

JESUS

O HERÓI DAS PROMESSAS DE DEUS

VITÓRIA — SABE O QUE É LEGAL? A VIDA DE JESUS TEM A VER COM O QUE DEUS ENSINOU NO PASSADO, OS CHAMADOS DEZ MANDAMENTOS. ALGUMAS PESSOAS ACHAVAM QUE JESUS NÃO GOSTAVA DESSAS REGRAS, MAS ISSO NÃO ERA VERDADE. ELE VEIO PARA CUMPRI-LAS E NOS AJUDAR A ENTENDER COMO VIVER DE ACORDO COM O QUE DEUS QUER. JESUS DISSE: "LEVEM OS MANDAMENTOS A SÉRIO, MOSTREM O CAMINHO AOS OUTROS E VOCÊS SERÃO MUITO IMPORTANTES NO REINO DE DEUS". JESUS QUER QUE TODOS OBEDEÇAM A ESSES MANDAMENTOS E VIVAM DO JEITO CERTO.

ORAÇÃO

Espírito Santo, me ajude a seguir os mandamentos de Deus e a amar como Jesus. Amém.

ISABELLA — É VERDADE! JESUS SEMPRE OBEDECEU A DEUS EM TUDO. ELE NOS ENSINOU COMO VIVER DA MANEIRA CERTA TODOS OS DIAS.

22
Março

TEXTO BÍBLICO: JOÃO 14.1-14

DESCUBRA EM JESUS A CHAVE PARA A VIDA ETERNA

VALENTINA — A BÍBLIA NOS ENSINA QUE JESUS É O CAMINHO PARA CHEGARMOS ATÉ A DEUS PAI. QUANDO CONHECEMOS JESUS, TAMBÉM CONHECEMOS O PAI. JESUS NOS CONVIDA PARA ANDAR COM ELE E FAZER O QUE DEUS QUER. ELE NOS PROMETE QUE, NO CÉU, HÁ MUITAS CASAS ESPERANDO POR NÓS. CADA PESSOA TEM UM LUGAR ESPECIAL RESERVADO POR DEUS, PORQUE ELE QUER QUE O MUNDO TODO ACEITE O CONVITE DE VIVER COM JESUS E NOS DEU A ESPERANÇA DE VIVER PARA SEMPRE COM SEU FILHO.

GABRIEL — ISSO É TÃO INCRÍVEL. MEU MAIOR DESEJO É VIVER COM JESUS TODOS OS DIAS!

ORAÇÃO

Jesus, o Senhor é o meu salvador, a minha força e o caminho até o Pai. Quero andar ao seu lado. Amém.

TEXTO BÍBLICO: JOÃO 10.11-18

JESUS, O BOM PASTOR QUE CUIDA DAS SUAS OVELHAS!

ISABELLA — PAPAI, POR QUE JESUS MORREU POR NÓS NA CRUZ?

JUNIOR — JESUS NOS AMOU MUITO E POR ISSO DEU SUA VIDA NA CRUZ PARA NOS SALVAR. ELE NOS DISSE QUE É COMO UM PASTOR QUE CUIDA DAS OVELHAS. NÓS SOMOS COMO AS OVELHINHAS DE JESUS, E ELE NOS CONHECE E AMA MUITO. ELE SE SACRIFICOU POR NÓS PARA QUE PUDÉSSEMOS SER PERDOADOS.

ORAÇÃO

Deus Pai, que grande amor o Senhor tem por nós! Eu agradeço por ser sua ovelha. Amém.

Junte a família para brincar de "Encontrando o tesouro". Uma pessoa fica vendada, e as outras dão dicas para encontrar um objeto escondido. Divirtam-se explorando e se divertindo juntos!

24
Março

TEXTO BÍBLICO: ZACARIAS 9.9; MARCOS 11.1-11

JESUS CHEGA A JERUSALÉM

UMA ENTRADA ESPECIAL

JOÃO — HOJE É DOMINGO DE RAMOS, SABIAM?

ENZO — O QUE É ISSO?

JOÃO — HOJE É UM DIA MUITO ESPECIAL, POIS CELEBRAMOS A CHEGADA DE JESUS A JERUSALÉM ANTES DE MORRER POR NÓS E RESSUSCITAR. ELE CHEGOU MONTADO EM UM JUMENTINHO, E AS PESSOAS ESPALHARAM RAMOS NO CHÃO, QUE SÃO GALHOS VERDES DAS ÁRVORES, PARA QUE ELE PUDESSE PASSAR. ELES TAMBÉM GRITAVAM: "ALELUIA! BENDITO É AQUELE QUE VEM EM NOME DE DEUS!". O NOSSO QUERIDO AMIGO JESUS, MESMO SENDO O REI DOS REIS, ESCOLHEU VIR MONTADO EM UM PEQUENO JUMENTO, MOSTRANDO SUA SIMPLICIDADE E HUMILDADE.

ORAÇÃO

Amado Rei Jesus, me ajude a ser simples como o Senhor. Amém.

TEXTO BÍBLICO: JOÃO 8.12, 12.30-36

A LUZ BRILHANTE DE JESUS ILUMINA O NOSSO CAMINHO!

VITÓRIA — MAMÃE, EU ME MACHUQUEI! O MEU QUARTO ESTAVA ESCURO, E EU TROPECEI E RALEI O JOELHO.

MÃE DE VITÓRIA — AH, MINHA FILHA, QUE PENA! VAI MELHORAR RAPIDINHO. VAMOS COMPRAR UM ABAJUR PARA O SEU QUARTO. DESSA FORMA, VOCÊ NÃO PRECISARÁ MAIS ANDAR NO ESCURO. SABIA QUE A NOSSA VIDA COM CRISTO TAMBÉM DEVE SER ASSIM? SEM JESUS, TUDO É ESCURO, NÃO SABEMOS PARA ONDE IR, NÃO CONSEGUIMOS FAZER NADA E NOS MACHUCAMOS. MAS, QUANDO ENCONTRAMOS JESUS, ELE NOS AJUDA A FAZER TUDO, NOS DIRECIONA E NOS CURA. JESUS É A LUZ QUE PRECISAMOS.

VITÓRIA — EU QUERO QUE JESUS SEJA A LUZ DA MINHA VIDA.

ORAÇÃO

Deus Pai, me abençoe e me guarde. Que a luz de Jesus revele o seu amor a cada dia. Amém.

26
Março

TEXTO BÍBLICO: MARCOS 10.46-48; JOÃO 13.1-17

JESUS

O EXEMPLO INCRÍVEL DE SERVIR E AMAR

GABRIEL — O JEITO ESPECIAL E AMOROSO DE JESUS CRISTO ME FAZ QUERER SER COMO ELE. NA BÍBLIA, LI QUE ELE LAVOU OS PÉS DOS SEUS DISCÍPULOS. MESMO SENDO O MAIS IMPORTANTE, ELE QUIS AJUDAR E SERVIR. MESMO TRISTE, JESUS TEVE ESSA ATITUDE GENTIL COM OS SEUS AMIGOS. EU TAMBÉM QUERO SER ASSIM E AJUDAR SEM ESPERAR NADA EM TROCA; TER TANTO AMOR NO CORAÇÃO QUE ME FAÇA QUERER CUIDAR E AJUDAR AS PESSOAS.

AVÓ DE GABRIEL — JESUS É O NOSSO MAIOR EXEMPLO. SEMPRE QUE LEMOS UMA HISTÓRIA OU CONVERSAMOS COM DEUS EM ORAÇÃO, DESCOBRIMOS MAIS SOBRE COMO JESUS É INCRÍVEL. ELE É MARAVILHOSO!

ORAÇÃO

Jesus, você é o meu exemplo. Ajude-me a ser parecido com o Senhor. Amém.

TEXTO BÍBLICO: JOÃO 18.1-18

JESUS

A FESTA QUE NUNCA ACABA!

ENZO — FICO MUITO TRISTE AO VER QUE AS PESSOAS NÃO QUISERAM SER AMIGAS DE JESUS. ELE ERA MUITO ESPECIAL E MERECIA SER AMADO E ELOGIADO, MAS MUITOS NÃO ENTENDERAM ISSO. ALGUNS ATÉ TENTARAM FAZER COISAS RUINS A JESUS, DIZENDO O QUE NÃO ERA VERDADE SOBRE ELE, MAS ELE SEMPRE FOI BOM E PURO. ATÉ UM DOS DOZE DISCÍPULOS, CHAMADO JUDAS, O TRAIU EM TROCA DE DINHEIRO.

JOÃO — INFELIZMENTE, AINDA EXISTEM PESSOAS QUE NÃO SÃO LEAIS A JESUS. QUANDO ALGUÉM NÃO ACREDITA NELE OU CONSIDERA OUTRAS COISAS MAIS IMPORTANTES QUE ELE TAMBÉM O ESTÁ TRAINDO. JESUS FOI PRESO SEM MOTIVO, MAS SE MANTEVE CALMO, HUMILDE E BONDOSO. ELE SE ENTREGOU POR AMOR A NÓS, MESMO SEM MERECER.

ORAÇÃO

Jesus, peço perdão pelos meus erros. Lembre-me sempre que o Senhor é perfeito. Amém.

28
Março

TEXTO BÍBLICO: JOÃO 19.1-15

JESUS ENFRENTA O JULGAMENTO COM CORAGEM

ISABELLA — OS JUDEUS NÃO ACREDITAVAM QUE JESUS ERA O FILHO DE DEUS, POR ISSO QUERIAM FAZER COISAS RUINS A ELE. ENTÃO, LEVARAM JESUS PRESO PARA FALAR COM O CHEFE ROMANO CHAMADO PILATOS. PILATOS MANDOU BATER EM JESUS E OS SOLDADOS COLOCARAM EM SUA CABEÇA UMA COROA DE ESPINHOS. ISSO O FEZ SENTIR MUITA DOR. PILATOS SABIA QUE JESUS NÃO TINHA FEITO NADA DE ERRADO, MAS AS PESSOAS INSISTIRAM PARA QUE ELE FOSSE PREGADO EM UMA CRUZ, OU SEJA, CRUCIFICADO. PILATOS ACABOU CONCORDANDO COM O QUE ELAS QUERIAM.

ORAÇÃO

Amado Jesus, sei que o Senhor sofreu muito por mim e desejo ser mudado pelo seu amor. Amém.

VITÓRIA — FICO TRISTE AO PENSAR COMO JESUS SOFREU. EU QUERIA PODER ABRAÇÁ-LO BEM APERTADO PARA CONSOLÁ-LO.

TEXTO BÍBLICO: JOÃO 19.16-30

JESUS DÁ TUDO POR NÓS

MÃE DE VALENTINA — POR QUE VOCÊ ESTÁ CHORANDO, VALENTINA?

VALENTINA — ESTOU MUITO EMOCIONADA, MAMÃE. O AMOR DE JESUS POR MIM ME DEIXA EMOCIONADA. ELE ME AMOU TANTO E FEZ ALGO MUITO ESPECIAL POR MIM. FOI PRESO, MACHUCADO E PREGADO EM UMA CRUZ. JESUS FEZ ISSO PARA NOS AJUDAR COM OS NOSSOS ERROS E FICAR PERTO DE DEUS. É INCRÍVEL COMO O AMOR DELE É TÃO GRANDE!

MÃE DE VALENTINA — O AMOR DE JESUS NOS DEIXA MUITO EMOCIONADOS E SURPRESOS. QUANDO LEMOS SOBRE O QUE ELE FEZ POR NÓS, QUEREMOS VIVER PARA ELE E POR ELE. JESUS MORREU POR MIM, POR VOCÊ, PELO VOVÔ, PELA VOVÓ, PELO TITIO E TITIA E POR TODAS AS PESSOAS DO MUNDO. ELE NOS LIBERTOU DO PECADO E NOS ATRAIU COM O SEU AMOR TÃO GRANDE.

Deus Pai, eu agradeço pelo seu Filho Jesus e por seu amor pelo mundo inteiro e por mim. Amém.

30
Março

TEXTO BÍBLICO: JOÃO 19.31-42

JESUS DERROTOU A MORTE!

ENZO — FICO MUITO TRISTE QUANDO LEIO SOBRE O SOFRIMENTO DE JESUS, MAS FICO FELIZ PORQUE SEI O QUE ACONTECEU DEPOIS. APÓS DE SER PREGADO NA CRUZ, O CORPO DE JESUS FOI COLOCADO EM UM LUGAR ESPECIAL CHAMADO SEPULCRO, QUE ERA COMO UM TÚMULO EM UM JARDIM. EMBORA A HISTÓRIA COMECE TRISTE, ELA SE TORNA FELIZ PORQUE, AO TERCEIRO DIA, JESUS RESSUSCITOU. ELE ESTÁ VIVO!

GABRIEL — É VERDADE. FICAMOS TRISTES QUANDO SABEMOS QUE JESUS SOFREU MUITO, MAS FICAMOS FELIZES QUANDO LEMBRAMOS QUE ELE VOLTOU À VIDA. FICAMOS ALEGRES PELA VIDA DE JESUS PORQUE ELE VENCEU A MORTE.

ORAÇÃO

Jesus Cristo, quero honrar e festejar a sua vitória durante toda a minha vida. Amém.

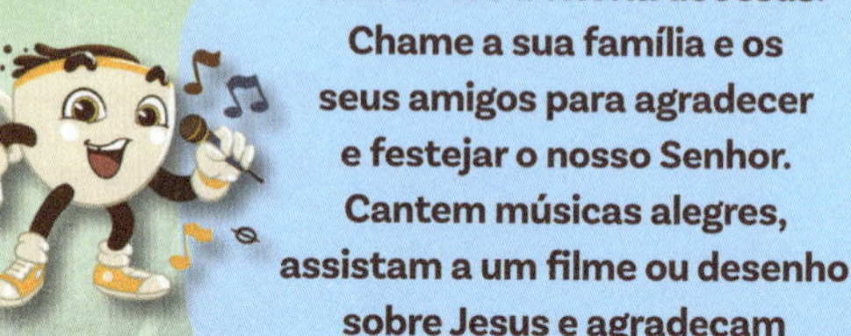

Comemore a vitória de Jesus! Chame a sua família e os seus amigos para agradecer e festejar o nosso Senhor. Cantem músicas alegres, assistam a um filme ou desenho sobre Jesus e agradeçam pelo seu incrível amor.

TEXTO BÍBLICO: LUCAS 24

31
Março

JESUS É A RAZÃO DA NOSSA FESTA

ISABELLA — QUE ALEGRIA! JESUS ESTÁ VIVO. MEU CORAÇÃO ESTÁ TÃO FELIZ QUE SÓ QUERO PASSAR O DIA CANTANDO, PULANDO E AGRADECENDO A DEUS. HOJE É DIA DE FESTA!

JOÃO — JESUS VIVE! DEPOIS DE TRÊS DIAS, AS MULHERES FORAM AO LUGAR ONDE JESUS ESTAVA ENTERRADO, MAS ELE NÃO ESTAVA LÁ. O LUGAR ESTAVA VAZIO, PORQUE JESUS VOLTOU À VIDA! A BÍBLIA DIZ: “POR QUE VOCÊS ESTÃO PROCURANDO ENTRE OS MORTOS AQUELE QUE VIVE? ELE NÃO ESTÁ AQUI! RESSUSCITOU!” (LUCAS 24.5, NVI). ISSO É O QUE TORNA O AMOR DE JESUS AINDA MAIS INCRÍVEL. É UM MILAGRE MARAVILHOSO!

Deus Pai, eu agradeço pelo seu amor, pela salvação em Jesus e porque ele ressuscitou. Amém.

café
com
Deus
pai
KIDS

ABRIL

PIQUENIQUE

DIVERSÃO EM FAMÍLIA

Complete as frases abaixo com as palavras que você encontrar no diagrama.

1. Os soldados colocaram uma coroa de ______________________ em Jesus.
2. O povo pediu que Jesus fosse ______________________.
3. ______________________ cedeu ao pedido do povo e entregou ______________________ para ser crucificado.

E	P	S	D	Q	F	N
T	H	I	C	U	U	U
I	A	T	R	I	S	N
A	S	A	U	S	C	C
M	E	M	C	Q	E	V
C	L	E	I	U	A	E
O	E	T	F	E	C	J
N	S	T	I	T	C	E
V	P	R	C	R	U	U
P	I	L	A	T	O	S
L	N	S	D	S	S	U
L	H	T	O	T	A	S
I	O	I	F	I	N	L
T	S	Q	R	Q	E	E

TEXTO BÍBLICO: ROMANOS 8.1,2; JOÃO 8.36; GÁLATAS 5.1-3

01
Abril

JESUS, O LIBERTADOR

DESCUBRA A ALEGRIA DA LIBERDADE

ISABELLA — PAPAI, O QUE SIGNIFICA DIZER QUE NÃO SOMOS MAIS ESCRAVOS DO PECADO?

JUNIOR — QUANDO O PECADO ENTROU NO MUNDO, FICAMOS LONGE DE DEUS E NOS TORNAMOS ESCRAVOS DO PECADO. NÓS COMETEMOS ERROS, O QUE SIGNIFICA QUE É DIFÍCIL NÃO FAZER COISAS ERRADAS. MAS JESUS VEIO E MORREU POR NÓS NA CRUZ, E ALGO MUITO IMPORTANTE ACONTECEU: ELE NOS SALVOU E NOS LIBERTOU DO PECADO. AGORA, NÃO SOMOS MAIS ESCRAVOS DO PECADO PORQUE JESUS NOS LIBERTOU. ELE NOS AJUDA A FICAR PERTO DE DEUS E A NÃO FAZER COISAS ERRADAS. JESUS FEZ TUDO ISSO PORQUE NOS AMA E QUER NOS AJUDAR.

ORAÇÃO

Deus, eu agradeço pela liberdade em Jesus. Espírito Santo, me guie. Amém.

TEXTO BÍBLICO: GÁLATAS 5.4-6,13-15

DESCOBRINDO A VERDADEIRA LIBERDADE

ENZO — DESCOBRI ALGO MUITO IMPORTANTE: SER REALMENTE LIVRE NÃO É FAZER TUDO O QUE A GENTE QUER, PORQUE ISSO PODE NOS TRAZER PROBLEMAS. DEUS QUER QUE A GENTE TENHA A AJUDA DE UM AMIGO MUITO ESPECIAL, CHAMADO ESPÍRITO SANTO. ELE ESTÁ SEMPRE DENTRO DE NÓS E, SE PEDIRMOS, ELE NOS MOSTRA COMO FAZER AS COISAS CERTAS. NÃO OBEDECEMOS A DEUS PORQUE SOMOS FORÇADOS, MAS PORQUE O AMAMOS DE VERDADE.

PAI DE ENZO — MUITO BEM, MEU FILHO! QUANDO ESCOLHEMOS TER DEUS NA NOSSA VIDA, ENCONTRAMOS A VERDADEIRA LIBERDADE. ESSA LIBERDADE NOS MOSTRA COMO AMAR E SERVIR AO SENHOR E AS PESSOAS. É COMO SE DESCOBRÍSSEMOS UM SUPERPODER DE ESPALHAR ALEGRIA E BONDADE POR ONDE PASSAMOS!

ORAÇÃO

Espírito Santo, me ajude a viver livre com Jesus. Guie-me sempre. Amém.

TEXTO BÍBLICO: JOÃO 14.23-27

03
Abril

VIVENDO COM UM AMIGO ESPECIAL

JOÃO — O ESPÍRITO SANTO É UM PRESENTE ESPECIAL QUE RECEBEMOS. JESUS DISSE: "O AMIGO, O ESPÍRITO SANTO QUE DEUS VAI ENVIAR QUANDO EU PEDIR, VAI EXPLICAR TUDO PARA VOCÊS. [...] EU VOU EMBORA, MAS VOCÊS NÃO FICARÃO SOZINHOS, POIS TERÃO AJUDA TOTAL". ELE É NOSSO AMIGO. QUANDO TEMOS O ESPÍRITO DE DEUS NA NOSSA VIDA, LEMBRAMOS DAS COISAS QUE JESUS ENSINOU E DO AMOR QUE DEUS TEM POR NÓS. ELE NOS DÁ CONSELHOS, ORIENTAÇÕES E CONFORTO QUANDO PASSAMOS POR MOMENTOS DIFÍCEIS. MESMO ASSIM, TEMOS A RESPONSABILIDADE DE FAZER O QUE É CERTO, OBEDECER, AMAR E SERVIR.

ISABELLA — O ESPÍRITO SANTO É COMO UM GUIA QUE NOS AJUDA A FAZER AS ESCOLHAS CERTAS. ELE ESTÁ SEMPRE CONOSCO, MAS NÓS TAMBÉM TEMOS O PODER DE DECIDIR. EU ESCOLHO SER AMIGO DE DEUS E VIVER COM O ESPÍRITO SANTO, QUE É COMO AMIGO PARA MIM!

ORAÇÃO

Deus Pai, eu agradeço pelo Espírito Santo, meu amigo sempre presente. Amém.

04
Abril

TEXTO BÍBLICO: GÁLATAS 5.16-18

O PODER DO AMOR

DERROTANDO O EGOÍSMO!

VITÓRIA — VIVER COM O ESPÍRITO É SER LIVRE, MAS SER LIVRE NÃO SIGNIFICA FAZER SEMPRE O QUE QUEREMOS E ACHAMOS CERTO. ISSO É EGOÍSMO. O EGOÍSMO FAZ AS PESSOAS VIVEREM SEM OBEDECER, SEM AMAR E SEM RESPEITAR. ALGUMAS PESSOAS DÃO MAIS VALOR AO QUE PODEM COMPRAR COM DINHEIRO, MAS O CORAÇÃO EGOÍSTA NUNCA ENCONTRA A VERDADEIRA FELICIDADE, PORQUE A VERDADEIRA FELICIDADE SÓ PODE SER ENCONTRADA NO AMOR DE JESUS. O APÓSTOLO PAULO DISSE QUE, SE USARMOS A NOSSA LIBERDADE DE FORMA EGOÍSTA, NÃO ENTRAREMOS NO REINO DE DEUS.

Como podemos derrotar o egoísmo e encher o mundo de amor? Solte a criatividade e desenhe uma história incrível na qual o amor tem superpoderes e derrota o egoísmo!

ORAÇÃO

Deus Pai, quero ser generoso e alegre no seu amor. Amém.

TEXTO BÍBLICO: ROMANOS 8.6-8, GÁLATAS 5.19-21

ALEGRIA NO CORAÇÃO

VIVER COM O ESPÍRITO SANTO

GABRIEL — A VIDA SEM O ESPÍRITO SANTO É MUITO TRISTE. QUANDO NÃO DEIXAMOS DEUS ENTRAR NO NOSSO CORAÇÃO, NOS SENTIMOS MUITO TRISTES E TAMBÉM DEIXAMOS OS OUTROS TRISTES. AS PESSOAS QUE VIVEM ASSIM NÃO TÊM AMOR POR SI MESMAS, NEM PELOS OUTROS, NEM POR DEUS. O AMOR NOS TORNA PESSOAS MELHORES. SE QUISERMOS AGRADAR A DEUS DE VERDADE, NÃO PODEREMOS TER TUDO O QUE QUEREMOS. O QUE DESEJAMOS NEM SEMPRE É O MELHOR PARA NÓS. POR ISSO, É IMPORTANTE ESTAR FIRME EM DEUS E NA BÍBLIA, COM O CORAÇÃO E A MENTE.

ORAÇÃO

Espírito de Deus, me guie para fazer o que é certo e para agradar-lhe. Amém.

06
Abril

TEXTO BÍBLICO: JOÃO 17.20-23

ESPALHANDO O AMOR DE DEUS

NOSSO JEITO ESPECIAL DE VIVER!

ISABELLA — NÓS SOMOS COMO FILHOS ESPECIAIS DE DEUS E TEMOS UMA MISSÃO MUITO IMPORTANTE: MOSTRAR ÀS OUTRAS PESSOAS QUEM É O NOSSO PAI DO CÉU. ASSIM COMO JESUS MOSTRAVA A TODOS QUE ERA FILHO DE DEUS, NÓS TAMBÉM PRECISAMOS MOSTRAR QUEM SOMOS PARA AQUELES QUE AINDA NÃO CONHECEM O AMOR DE DEUS. PARA FAZER ISSO, PRECISAMOS FICAR PERTO DE JESUS E DEIXAR QUE ELE VIVA DENTRO DE NÓS.

Que tal fazer um presente especial? Crie um coração grande em um papel bonito e desenhe Jesus no centro. Recorte um coração e o dê de presente a alguém especial para mostrar o amor de Deus.

ORAÇÃO

Deus Pai, como filho seu, quero mostrar ao mundo o seu grande amor. Amém.

TEXTO BÍBLICO: GÁLATAS 5.22-26

VIVENDO O FRUTO DO ESPÍRITO DE DEUS

JOÃO — A BÍBLIA DIZ QUE O ESPÍRITO DE DEUS NOS FAZ TER QUALIDADES ESPECIAIS. ESSAS QUALIDADES SÃO O FRUTO DO ESPÍRITO SANTO: AMOR, ALEGRIA, PAZ, PACIÊNCIA, SER AMÁVEL, SER BOM, SER FIEL, SER GENTIL E TER CONTROLE SOBRE NÓS MESMOS. QUANDO TEMOS TODAS ESSAS QUALIDADES, ESTAMOS MOSTRANDO QUE SOMOS FILHOS DE DEUS E VIVEMOS COMO ELE QUER.

ENZO — ENTÃO, NÃO BASTA TER APENAS UMA QUALIDADE? PRECISAMOS FAZER O POSSÍVEL PARA TER E MOSTRAR TODAS ELAS?

VALENTINA — ISSO MESMO, ENZO.

ORAÇÃO

Deus Pai, ensina-me a viver o Fruto do Espírito. Amém.

08 Abril

TEXTO BÍBLICO: 1CORÍNTIOS 13.1-7

ESPALHANDO AMOR

A BELEZA DE AMAR COMO JESUS

VITÓRIA — O AMOR É MUITO IMPORTANTE PARA NÓS, QUE SOMOS FILHOS DE DEUS. QUANDO AMAMOS, MOSTRAMOS QUEM REALMENTE SOMOS, POIS DEUS É AMOR E NOS ENSINOU A AMAR OS OUTROS. AMAR SIGNIFICA PERDOAR, ENTENDER, SER GENTIL, NÃO DESISTIR E SER BOM COM AS PESSOAS. EU PRECISO AMAR A DEUS EM PRIMEIRO LUGAR, MAS TAMBÉM A MIM MESMA, MEUS PAIS, MINHA FAMÍLIA, MEUS AMIGOS E TODAS AS OUTRAS PESSOAS.

MÃE DA VITÓRIA — É VERDADE, MINHA FILHA. A BÍBLIA NOS ENSINA QUE O AMOR É MUITO IMPORTANTE. SEM AMOR, NÃO SOMOS NADA. O AMOR NÃO DESISTE, NÃO É EGOÍSTA E NÃO GUARDA RAIVA OU MÁGOAS. É ASSIM QUE DEUS NOS AMA E QUER QUE AMEMOS TAMBÉM.

ORAÇÃO

Pai, me ensina a amar de coração para que as pessoas conheçam o seu amor. Amém.

TEXTO BÍBLICO: 1JOÃO 4.7-21

NÓS AMAMOS PORQUE ELE NOS AMOU PRIMEIRO

VALENTINA — A BÍBLIA NOS ENSINA QUE DEUS É MUITO BOM E QUE TODO O AMOR VEM DELE. QUANDO A GENTE AMA, ISSO MOSTRA QUE SOMOS FILHOS DE DEUS E QUE SOMOS AMIGOS DELE. DEUS MOSTROU QUE NOS AMA MUITO QUANDO MANDOU SEU FILHO PARA NOS AJUDAR. JESUS MORREU POR NÓS E NOS TROUXE PARA A FAMÍLIA DE DEUS. SE DEUS NOS AMOU TANTO ASSIM, TAMBÉM DEVEMOS AMAR AS OUTRAS PESSOAS DO MESMO JEITO. A GENTE AMA PORQUE DEUS NOS AMOU PRIMEIRO E NOS DEIXOU SENTIR ESSE AMOR.

ISABELLA — ISSO É MUITO BONITO! QUANDO A GENTE GOSTA E AJUDA AS OUTRAS PESSOAS, ESTAMOS MOSTRANDO QUE AMAMOS DEUS TAMBÉM.

Vamos fazer algo bem divertido juntos! Pegue papel e lápis de cor. Agora, pense em algo que faz você sentir o amor de Deus. Pode ser um momento feliz, um abraço apertado ou até mesmo um lindo pôr do sol. Vamos lá!

ORAÇÃO

Paizinho, eu agradeço por me amar e deixar que eu faça parte da sua família. Amém.

10
Abril

TEXTO BÍBLICO: LUCAS 10.25-37

O AMOR AJUDA E CUIDA DOS OUTROS

ENZO — NA MINHA SALA TEM UM MENINO QUE SEMPRE FICA IMPLICANDO COMIGO. HOJE ELE ESTAVA MUITO TRISTE PORQUE A MÃE DELE ESTÁ DOENTE. EU DECIDI SER LEGAL E AJUDÁ-LO. SENTEI AO LADO DELE, DEI UM ABRAÇO E PERGUNTEI SE EU PODERIA ORAR PARA JESUS CURAR A MÃE DELE. MESMO QUE ELE NÃO ME TRATE BEM, ESCOLHI SER BOM E MOSTRAR QUE JESUS MORA NO MEU CORAÇÃO.

JOÃO — VOCÊ AGIU MUITO BEM, ENZO! JESUS NOS ENSINOU A AJUDAR E SER GENTIL COM TODAS AS PESSOAS PARA MOSTRAR QUE AS AMAMOS. QUANDO VOCÊ AJUDOU ESSE MENINO, MOSTROU TAMBÉM O AMOR DE DEUS!

ORAÇÃO

Deus Pai, me ajude a ser bom e a amar todas as pessoas. Amém.

O AMOR DE JESUS

O SUPERPODER CONTRA O MEDO

ISABELLA — SABE, NA BÍBLIA TEM UMA PARTE MUITO INTERESSANTE QUE DIZ QUE O AMOR VENCE O MEDO. EM GERAL, O MEDO NOS AJUDA A NOS PROTEGER, MAS EXISTE OUTRO TIPO DE MEDO. É QUANDO A GENTE SE SENTE INSEGURO, COM MEDO DO ESCURO OU DE FICAR SOZINHO, POR EXEMPLO. MAS, QUANDO AMAMOS COMO JESUS NOS ENSINOU, ESSE MEDO VAI EMBORA. JESUS NOS PROTEGE, CUIDA DE NÓS E ESTÁ SEMPRE COM A GENTE, NÃO IMPORTA O QUE ACONTEÇA. É POR ISSO QUE DEVEMOS AMAR AS OUTRAS PESSOAS TAMBÉM E PROCURAR DAR CORAGEM. ENTÃO, VAMOS AMAR MUITO E ESPANTAR O MEDO, PORQUE JESUS ESTÁ SEMPRE COM A GENTE!

Vamos vencer o medo de uma vez por todas? Pegue um papel e desenhe o que deixa você com medo. Depois, vamos orar e pedir ajuda do Senhor para nos proteger do medo e nos sentirmos seguros com Jesus. Sejam valentes!

ORAÇÃO

Espírito Santo, ajude-me a lembrar do amor que acaba com o medo. Amém.

12
Abril

TEXTO BÍBLICO: SALMOS 136

O AMOR SEM FIM

DEUS SEMPRE NOS AMA

GABRIEL — VOVÔ, ESTOU TRISTE! HOJE CONTEI UMA MENTIRINHA PARA A MINHA PROFESSORA, E ISSO NÃO FOI CERTO. NÃO QUERO DEIXAR DEUS TRISTE; QUERO QUE ELE CONTINUE ME AMANDO.

AVÔ DE GABRIEL — VOCÊ NUNCA PRECISA TER MEDO DISSO. DEUS SEMPRE NOS AMA, MESMO QUANDO ERRAMOS. ELE NOS AMA MUITO, NÃO POR CAUSA DO QUE FAZEMOS, MAS PORQUE O AMOR É PARTE DE QUEM ELE É. FOI ERRADO TER MENTIDO, MAS VOCÊ JÁ ADMITIU E PEDIU DESCULPAS. DEUS CONTINUA AMANDO VOCÊ. O AMOR DELE NUNCA ACABA. E NÓS TAMBÉM DEVEMOS AMAR AS PESSOAS SEM DESISTIR DELAS.

ORAÇÃO

Deus Pai, eu agradeço porque o seu amor jamais acaba. Ajude-me a amar sempre as pessoas. Amém.

O AMOR QUE NÃO NOS SEPARA

JOÃO — O AMOR DE DEUS É PARA SEMPRE! NADA PODE NOS SEPARAR DESSE AMOR INCRÍVEL. JESUS NOS MOSTROU QUANTO ELE NOS AMOU AO DAR SUA VIDA POR NÓS. ESSE AMOR É SUPERPODEROSO E NÃO TEM FIM! MESMO QUANDO FAZEMOS COISAS ERRADAS, JESUS NUNCA PARA DE NOS AMAR. AGORA, FAZEMOS PARTE DA FAMÍLIA DE DEUS E TEMOS QUE AMAR AS PESSOAS COM TODO O NOSSO CORAÇÃO.

AMOR
CARINHO
ABRAÇO
AMOR

Vamos fazer uma brincadeira especial? Junte sua família, sentem-se em círculo e escolham o participante que vai iniciar. Na primeira rodada, o participante vai dizer a palavra "amor"; em seguida, cada participante vai dizer um sinônimo da última palavra. O objetivo é retornar à primeira palavra usada, ou seja, "amor". Aproveitem muito a brincadeira!

ORAÇÃO

Paizinho, eu agradeço pelo seu amor sem fim. Nada nos separa. Amém.

14
Abril

TEXTO BÍBLICO: 1JOÃO 3

A MAIS LINDA HISTÓRIA DE AMOR

VITÓRIA — VOCÊ SABIA QUE PODEMOS DAR PRESENTES ESPECIAIS PARA DEUS? UM DESSES PRESENTES É MOSTRAR ÀS PESSOAS O AMOR QUE JESUS TEM POR ELAS. PARA ISSO, PRECISAMOS APRENDER A AMAR COMO JESUS AMA. ELE NOS MOSTROU ESSE AMOR QUANDO SACRIFICOU SUA VIDA NA CRUZ. ASSIM COMO ELE, PODEMOS FAZER COISAS ESPECIAIS PELOS OUTROS. PODEMOS AJUDAR, CUIDAR, ORAR, ENSINAR E OUVIR. QUANDO AMAMOS DE VERDADE, MOSTRAMOS QUE VIVEMOS PARA DEUS. É COMO DAR UM PRESENTE PRECIOSO A ELE.

ISABELLA — EU TAMBÉM TENHO PENSADO NISSO! VOU TENTAR AMAR AS PESSOAS DE VERDADE TODOS OS DIAS. TENHO CERTEZA DE QUE, SE EU PEDIR EM ORAÇÃO, O ESPÍRITO SANTO VAI ME AJUDAR!

ORAÇÃO

Espírito de Deus, me ajude a ser bom e a amar como Jesus. Amém.

TEXTO BÍBLICO: PROVÉRBIOS 15.15, ISAÍAS 61.10,11, HABACUQUE 3.17-19

15
Abril

A ALEGRIA QUE SE ESPALHA

O AMOR DE DEUS NOS DEIXA FELIZES

ISABELLA — HÁ POUCO TEMPO ME PERGUNTARAM POR QUE ESTOU SEMPRE SORRINDO. EU RESPONDI QUE TENHO JESUS NO CORAÇÃO, E ISSO ME DEIXA MUITO FELIZ. NÃO SIGNIFICA QUE ESTOU SEMPRE ALEGRE OU QUE NUNCA CHORO NEM FICO TRISTE. MAS O AMOR DE DEUS ME ENCHE DE ALEGRIA, E EU QUERO MOSTRAR ESSA FELICIDADE PARA TODOS. MESMO NOS MOMENTOS DIFÍCEIS, SEI QUE DEUS ESTÁ COMIGO E CUIDA DE MIM. POR ISSO, O MEU CORAÇÃO SE ALEGRA NO AMOR DO PAI.

MICHELLE — É TÃO BOM MOSTRAR AOS OUTROS POR QUE VOCÊ É TÃO FELIZ! QUANDO ESTAMOS PERTO DE DEUS, O NOSSO CORAÇÃO FICA CHEIO DE ALEGRIA. VAMOS ORAR PARA QUE TODOS POSSAM TER ESSE MESMO SENTIMENTO.

ORAÇÃO

Deus Pai, quero ser feliz. Dê-me coragem, alegria e fé. Amém.

16
Abril

TEXTO BÍBLICO: NEEMIAS 8.10; SALMOS 19.7-9

A ALEGRIA QUE NOS TORNA CORAJOSOS

GABRIEL — ZILU, ONTEM À NOITE, EU ESTAVA MUITO TRISTE PORQUE SINTO SAUDADES DA MINHA MÃE, QUE ESTÁ LONGE. O MEU AVÔ ME DEU UM ABRAÇO FORTE E DISSE QUE ESTÁ TUDO BEM, QUE EU POSSO FICAR TRISTE E CHORAR, MAS NÃO POSSO ME ESQUECER QUE A ALEGRIA DE DEUS ME DÁ CORAGEM. A ALEGRIA DE DEUS TAMBÉM NOS DEIXA FELIZES E ELE NOS DÁ ESPERANÇA PARA CONTINUAR. EU SOU FELIZ PORQUE TENHO O AMOR DE DEUS E SEI QUE ELE CUIDA DE MIM, DOS MEUS AVÓS, DA MINHA MÃE E DE VOCÊ.

ORAÇÃO

Pai, quando fico triste, a sua alegria volta. Ajude-me a lembrar disso. Amém.

TEXTO BÍBLICO: JOÃO 16.16-33

UMA ALEGRIA QUE NINGUÉM PODE TIRAR

JOÃO — PAPAI, ESTOU MUITO FELIZ! TENHO NO MEU CORAÇÃO A ALEGRIA DE SER FILHO DE DEUS, E ISSO NINGUÉM PODE TIRAR DE MIM. MESMO QUANDO PASSO POR COISAS DIFÍCEIS OU FICO CHATEADO, CONSIGO ENCONTRAR ALEGRIA NO AMOR DE JESUS. JESUS UMA VEZ DISSE AOS SEUS AMIGOS QUE A NOSSA ALEGRIA SERIA COMO UM RIO CHEIO, OU SEJA, ELA NUNCA ACABA QUANDO ESTAMOS COM O SENHOR. ELE TAMBÉM DISSE QUE TEREMOS PROBLEMAS, MAS PRECISAMOS SER FORTES, PORQUE ELE JÁ VENCEU TUDO. ISSO ME DEIXA MUITO FELIZ!

JUNIOR — QUE BOM QUE VOCÊ ENTENDE QUE NINGUÉM PODE TIRAR A NOSSA ALEGRIA, JOÃO! NOSSA ESPERANÇA DEVE ESTAR EM JESUS.

ORAÇÃO

Deus Pai, eu agradeço pela alegria de ser seu filho. Abençoe a minha vida e me proteja. Amém.

18
Abril

TEXTO BÍBLICO: PROVÉRBIOS 15.13, JOÃO 15.11, FILIPENSES 4.4

JESUS

O SEGREDO DA MINHA ALEGRIA

ENZO – QUANDO CONHECEMOS JESUS, ALGO ESPECIAL ACONTECE DENTRO DE NÓS. EU SINTO ISSO NO MEU CORAÇÃO. ANTES, EU COSTUMAVA FICAR BRAVO, MAS AGORA ESTOU APRENDENDO A SER MAIS CALMO E GENTIL COM A AJUDA DO ESPÍRITO SANTO. QUANDO AS COISAS NÃO ACONTECEM COMO EU QUERO, EU COSTUMAVA FICAR CHATEADO, MAS AGORA ENTENDO QUE DEUS SABE O QUE É MELHOR PARA MIM. AINDA TENHO MUITO PARA APRENDER, MAS SEI QUE DEUS ESTÁ MUDANDO O MEU CORAÇÃO. DESDE QUE CONHECI JESUS, ENCONTREI UMA ALEGRIA DE VERDADE QUE ME FAZ SER DIFERENTE.

MÃE DO ENZO – MEU FILHO, QUE COISA LINDA! TODOS NÓS PRECISAMOS QUE DEUS NOS MUDE. QUANDO TEMOS JESUS NO CORAÇÃO, SOMOS MUITO FELIZES.

ORAÇÃO

Pai do céu, quero ser melhor a cada dia. Ajude-me a lembrar da alegria. Amém.

TEXTO BÍBLICO: SALMOS 30.5

19
Abril

A ALEGRIA DEPOIS DA TRISTEZA

UM NOVO DIA ESTÁ CHEGANDO!

MICHELLE — CRIANÇAS, A MÃE DA VALENTINA LIGOU E DISSE QUE ELA PASSOU MAL E FOI INTERNADA NO HOSPITAL NOVAMENTE. SEI QUE VOCÊS ESTÃO TRISTES E PREOCUPADOS COM A AMIGA DE VOCÊS, E TUDO BEM SE SENTIREM ASSIM. MAS LEMBREM--SE: DEUS ESTÁ CUIDANDO DELA. A BÍBLIA NOS ENSINA QUE, MESMO QUANDO CHORAMOS, A ALEGRIA VOLTA COMO O SOL QUE BRILHA DEPOIS DE UMA NOITE ESCURA. PODEMOS CONFIAR QUE A ALEGRIA VAI VOLTAR. DEUS ESTÁ CUIDANDO DA VALENTINA E PODE TRAZER COISAS BOAS, COMO A CURA. VAMOS ORAR PELA VALENTINA E PEDIR A DEUS PARA CUIDAR DELA E TRAZER ALEGRIA NOVAMENTE.

ISABELLA — MAMÃE, ESTOU TRISTE MESMO. GOSTO MUITO DA VALENTINA. VOU ORAR POR ELA E PEDIR A DEUS QUE ELA MELHORE E SINTA SEMPRE A PAZ E O AMOR DE DEUS.

JOÃO — EU TAMBÉM ESTOU TRISTE, MAS CONFIO EM DEUS.

ORAÇÃO

Deus Pai, eu agradeço por cuidar de mim sempre. Em nome de Jesus, amém.

20
Abril

TEXTO BÍBLICO: SALMOS 92

ESPALHANDO A ALEGRIA QUE VEM DE DEUS

VALENTINA — QUE ALEGRIA! VOU PODER VOLTAR PARA CASA HOJE MESMO! ONTEM EU FIQUEI COM MEDO E ESTAVA COM DOR; OS MÉDICOS COLOCARAM UNS APARELHOS EM MIM. AÍ FECHEI OS OLHOS E FALEI COM DEUS, PEDINDO QUE ELE ME DESSE CALMA E CORAGEM. EU SEI QUE ELE ME AMA MUITO E CUIDA DE MIM, E ISSO ME DEIXA MUITO FELIZ! AGORA JÁ ESTOU BEM MELHOR, VOU PODER VOLTAR PARA CASA, IR À IGREJA AMANHÃ E CONTAR PARA TODO MUNDO COMO DEUS ME AJUDOU DE NOVO.

PAI DE VALENTINA — QUE LEGAL VER VOCÊ TÃO FELIZ, VALENTINA! É MUITO IMPORTANTE CONTAR PARA AS PESSOAS O QUE ACONTECEU COM VOCÊ, PORQUE DEVEMOS AGRADECER SEMPRE. QUANDO VOCÊ CONTA A SUA HISTÓRIA, MOSTRA QUE ESTÁ CHEIA DE ALEGRIA QUE VEM DE DEUS.

ALEGRIA E GRATIDÃO A DEUS

ISABELLA – VALENTINA, COMO É BOM VER QUE VOCÊ JÁ ESTÁ MELHOR! GLÓRIA A DEUS!

VALENTINA – AMÉM! ESTOU TÃO FELIZ POR PODER VIR À IGREJA HOJE. QUERO MUITO VER TODOS VOCÊS, ABRAÇAR AS PESSOAS, CANTAR MÚSICAS LINDAS, OUVIR A HISTÓRIA DO DIA E AGRADECER. QUERO LOUVAR A DEUS COM ALEGRIA TODOS OS DIAS DA MINHA VIDA, PORQUE ELE É BOM E SEU AMOR DURA PARA SEMPRE. MESMO QUANDO ESTOU COM MEDO OU PREOCUPADA, SINTO O AMOR E O CUIDADO DELE COMIGO, E ISSO ME TRAZ MUITA ALEGRIA E PAZ.

ORAÇÃO

Pai, eu o adoro com alegria. Você é especial e merece o meu amor. Amém.

22
Abril

TEXTO BÍBLICO: SALMOS 29.11, 34.14

O SEGREDO DA ALEGRIA

VIVENDO EM PAZ COM DEUS

ENZO — A PAZ É MUITO IMPORTANTE QUANDO ESTAMOS COM DEUS. ELE NOS ENSINA A SER COMO ELE, QUE É O DEUS DA PAZ. PARA SERMOS PARECIDOS COM ELE, PRECISAMOS TER PAZ NO CORAÇÃO, NA MENTE E COM AS OUTRAS PESSOAS. ISSO QUER DIZER QUE NÃO DEVEMOS FICAR PREOCUPADOS NEM SER BRIGUENTOS. DEVEMOS VIVER EM PAZ COM DEUS E COM TODAS AS PESSOAS!

GABRIEL — QUANDO ESTAMOS MUITO PREOCUPADOS OU BRAVOS, PODEMOS PEDIR AO ESPÍRITO SANTO PARA NOS AJUDAR A ENCONTRAR PAZ. ELE PODE ACALMAR O NOSSO CORAÇÃO E A NOSSA MENTE; BASTA ESTARMOS PRONTOS PARA MUDAR!

Espírito Santo, eu agradeço por me ensinar sobre a paz e cuidar de mim. Amém.

TEXTO BÍBLICO: JOÃO 14.25-27, ROMANOS 5.1

A INCRÍVEL PAZ QUE JESUS NOS DEU!

ISABELLA — JESUS TAMBÉM ERA CHAMADO DE PRÍNCIPE DA PAZ. ELE VEIO AO MUNDO PARA NOS AJUDAR A ENCONTRAR A PAZ QUE SÓ ELE PODE DAR. UM LIVRO DA BÍBLIA CHAMADO ROMANOS DIZ QUE, QUANDO CONFIAMOS EM JESUS, FICAMOS EM PAZ COM DEUS. ESSA PAZ QUE JESUS NOS DÁ É DIFERENTE, PORQUE NUNCA ACABA. COM ELE, TEMOS A PAZ PERFEITA QUE ESTÁ SEMPRE CONOSCO, NÃO IMPORTA O QUE ACONTEÇA. PODEMOS TER CERTEZA DE QUE JESUS NOS AMA MUITO. POR ISSO, NÃO PRECISAMOS FICAR COM MEDO DO QUE VAI ACONTECER DEPOIS NEM BRIGAR COM AS OUTRAS PESSOAS.

JOÃO — SIM, A PAZ QUE JESUS NOS TROUXE É DIFERENTE, PORQUE NUNCA ACABA!

ORAÇÃO

Príncipe da Paz, eu agradeço por tudo o que o Senhor fez por mim. Quero viver em paz. Amém!

24

Abril

TEXTO BÍBLICO: ROMANOS 8.6, FILIPENSES 4.6-9

A PAZ GUARDA O NOSSO CORAÇÃO E A NOSSA MENTE

VITÓRIA — ÀS VEZES, FICO MUITO PREOCUPADA COM O QUE AS OUTRAS CRIANÇAS PENSAM DE MIM, COM AS TAREFAS DA ESCOLA E COM OUTRAS COISAS QUE ME DEIXAM NERVOSA. MAS HOJE APRENDI QUE DEUS PODE ACALMAR O MEU CORAÇÃO E A MINHA MENTE. ISSO SIGNIFICA QUE, QUANDO ESTOU PERTO DE DEUS, ELE ME AJUDA A NÃO PENSAR DEMAIS NO QUE VAI ACONTECER DEPOIS OU COM O QUE AS OUTRAS CRIANÇAS PENSAM DE MIM. PRECISO APRENDER A ME CONCENTRAR NO AMOR DE DEUS.

ENZO — EU TAMBÉM FICO MUITO ANSIOSO DE VEZ EM QUANDO; FICO INQUIETO E NÃO CONSIGO ESPERAR. MAS OS MEUS PAIS SEMPRE ORAM COMIGO NESSAS HORAS E, ASSIM, EU ME LEMBRO QUE EU ESTOU SEGURO NAS MÃOS DE DEUS.

ORAÇÃO

Deus, eu sei que o Senhor controla todas as coisas. Traga paz ao meu coração e à minha mente. Amém.

TEXTO BÍBLICO: MATEUS 5.7-9, ROMANOS 14.19-21

OS FILHOS DE DEUS SÃO MENSAGEIROS DA PAZ

VALENTINA — É IMPORTANTE SER COMO JESUS, QUE TRAZ PAZ PARA TODOS. NÓS SOMOS FILHOS DE DEUS; ENTÃO, DEVEMOS VIVER DO JEITO QUE ELE QUER. ISSO SIGNIFICA QUE, ONDE QUER QUE EU VÁ, DEVO LEVAR A PAZ. ASSIM, AS PESSOAS VÃO SABER QUE SOU FILHA DE DEUS PORQUE NÃO BRIGO, NÃO FALO COISAS RUINS E NÃO CAUSO CONFUSÃO. PELO CONTRÁRIO, LEVO AMOR, BONDADE E PAZ. A BÍBLIA DIZ QUE AS PESSOAS QUE SE IMPORTAM COM OS OUTROS TÊM PAZ E SÃO ABENÇOADAS. QUERO VIVER ASSIM: DO JEITO QUE AGRADA A DEUS.

ORAÇÃO

Deus Pai, mostre-me como viver levando a paz a todos. Amém.

Vamos colorir este desenho?

26
Abril

TEXTO BÍBLICO: COLOSSENSES 3.15-17, 1PEDRO 3.8-12

TODOS JUNTOS, SEMPRE EM PAZ!

JOÃO — DEUS NOS FEZ UMA GRANDE FAMÍLIA. ELE QUER QUE VIVAMOS EM PAZ E SEJAMOS BONS UNS COM OS OUTROS. PARA ISSO, PRECISAMOS SER COMO JESUS: SER GENTIS, FALAR COISAS BOAS E BUSCAR A PAZ SEMPRE. NÃO DEVEMOS BRIGAR NEM FALAR COISAS RUINS OU MACHUCAR AS PESSOAS. A FAMÍLIA DE DEUS DEVE MOSTRAR AO MUNDO COMO DEUS É: PERFEITO, BOM, AMOROSO E PACÍFICO. ÀS VEZES, PRECISAMOS DEIXAR DE LADO O QUE QUEREMOS PARA VIVER EM PAZ. O ESPÍRITO SANTO NOS AJUDA NISSO.

ORAÇÃO

Pai, mude o meu coração para ser como o de Jesus e me ajude a viver em paz. Amém.

TEXTO BÍBLICO: SALMOS 119.161-168, PROVÉRBIOS 3.1,2

ENCONTRAMOS PAZ NA OBEDIÊNCIA

GABRIEL — OUTRA FORMA DE TER PAZ É FAZER O QUE É CERTO. QUANDO OBEDECEMOS A DEUS E FAZEMOS O QUE ELE DIZ, A NOSSA VIDA MELHORA A CADA DIA. A BÍBLIA É UM LIVRO ESPECIAL E SEMPRE TRAZ COISAS NOVAS PARA SEREM APRENDIDAS SOBRE DEUS. QUANTO MAIS LEMOS A BÍBLIA, MAIS PODEMOS CONHECÊ-LO.

ISABELLA — PRECISAMOS FAZER AS COISAS DO JEITO QUE DEUS GOSTA. ISSO ACONTECE QUANDO CONHECEMOS O QUE DEUS NOS ENSINA E OBEDECEMOS AO QUE ELE DIZ.

ORAÇÃO

Deus Pai, eu agradeço por me ensinar através da Bíblia. Quero ser obediente. Amém.

Vamos brincar de "Achados e Perdidos" com a família? Cada um escolhe um objeto — como lápis, caneta — e esconde pela casa. Em seguida, todos procuramos. Quem encontrar mais rápido ganha pontos. Divirtam-se muito!

28
Abril

TEXTO BÍBLICO: ISAÍAS 26.1-10

COM DEUS TEMOS PAZ DE VERDADE

ISABELLA – É BOM CONFIAR EM DEUS! A BÍBLIA DIZ QUE DEUS CUIDA DAS PESSOAS QUE ACREDITAM NELE. ELE NUNCA NOS DEIXA TRISTES, NÃO MENTE E SEMPRE FAZ O QUE DIZ. DEUS SEMPRE QUER O MELHOR PARA NÓS. QUANDO CONFIAMOS NELE, TEMOS PAZ.

VITÓRIA – A BÍBLIA NOS ENSINA QUE QUEM CONFIA EM DEUS ESTÁ PROTEGIDO COMO SE ESTIVESSE FIRME EM UMA ROCHA. ELE É COMO UM LUGAR SEGURO E CUIDA DE NÓS. NÃO PRECISAMOS TER MEDO QUANDO ESTAMOS PERTO DELE.

ORAÇÃO

Deus Pai, eu agradeço por cuidar de mim! Quero estar firme nos seus braços. Amém.

TEXTO BÍBLICO: ROMANOS 5.1-5

APRENDENDO A SER PACIENTE

VITÓRIA — PAI, HOJE A PROFESSORA CONVERSOU SÉRIO COM OS ALUNOS DA MINHA SALA PORQUE NINGUÉM SOUBE ESPERAR PARA BRINCAR. ELA DISSE QUE É IMPORTANTE SABER ESPERAR SEM FICAR ZANGADO E QUE É UMA COISA BOA QUE TODOS NÓS PRECISAMOS APRENDER. EU ENTENDI QUE É IMPORTANTE SER PACIENTE E TER CALMA EM TODAS AS SITUAÇÕES, MESMO QUANDO AS COISAS DEMORAM UM POUCO.

PAI DE VITÓRIA — FOI UMA LIÇÃO IMPORTANTE, MINHA FILHA. SABIA QUE SER CALMO É BOM? ISSO MOSTRA QUE O ESPÍRITO SANTO NOS AJUDA A CONFIAR EM DEUS E A NOS TRANQUILIZAR, PORQUE SOMOS SEUS FILHOS.

ORAÇÃO

Deus Pai, quero ser calmo porque sou seu filho. Amém.

30
Abril

TEXTO BÍBLICO: GÊNESIS 15.1-6, 21.1-6

ESPERANDO COM ALEGRIA

GABRIEL — EU LI NA BÍBLIA UMA HISTÓRIA SOBRE UM HOMEM CHAMADO ABRAÃO, QUE ERA MUITO AMIGO DE DEUS. DEUS PROMETEU A ABRAÃO QUE ELE TERIA MUITOS FILHOS, MAS ABRAÃO JÁ ERA BEM VELHO, ASSIM COMO SUA ESPOSA, SARA. PASSOU MUITO TEMPO, MAS O QUE DEUS FALOU SE TORNOU VERDADE, E ELES TIVERAM UM FILHO CHAMADO ISAQUE. ISSO NOS MOSTRA QUE É IMPORTANTE ESPERAR COM PACIÊNCIA. DEUS TEM SEU PRÓPRIO TEMPO; ELE NUNCA SE ATRASA E SEMPRE FAZ O QUE DIZ. PRECISAMOS SER PACIENTES E ESPERAR NELE. ELE NUNCA NOS DEIXA TRISTES NEM DESAPONTADOS.

ORAÇÃO

Pai amoroso, ensina-me a esperar e confiar em você. Amém.

DIVERSÃO EM FAMÍLIA

Nome da esposa de Abraão

....

Nome do filho de Abraão

....

Deus cumpriu a

....

que fez a Abraão.

Coloque as letras em ordem para responder às perguntas.

café
com
Deus
pai
KIDS

MAIO
DIA DAS MÃES

DIVERSÃO EM FAMÍLIA

Vamos aprender este mês sobre a história de José, conforme você aprender, numere de 1 a 10 os acontecimentos em ordem correta.

- [ ] José foi preso.
- [ ] Os irmãos de José sentiram ciúme, pois ele era o filho favorito de Jacó.
- [ ] A esposa de Potifar tentou levar José a fazer algo que não era certo.
- [ ] José começou a trabalhar na casa de Potifar e prosperava em tudo o que fazia, pois o Senhor o abençoava.
- [ ] José escolheu fazer o que era certo. Ele foi fiel a Deus e a Potifar, e não ficou com a esposa de Potifar.
- [ ] José foi jogado em um poço.
- [ ] A esposa de Potifar tramou contra José.
- [ ] José foi vendido.
- [ ] José foi levado para o Egito como escravo.
- [ ] Deus estava com José na prisão e cuidava dele.

TEXTO BÍBLICO: ROMANOS 5.3-5, 12.11-13

CALMOS DURANTE OS DESAFIOS

ENZO — ESTOU MUITO CHATEADO! NÃO CONSIGO PRESTAR ATENÇÃO NAS TAREFAS ESCOLARES; NÃO CONSIGO FAZER NADA!

MÃE DE ENZO — CALMA, MEU FILHO. RESPIRE FUNDO. VOCÊ CONSEGUE FAZER ISSO. TALVEZ SÓ PRECISE DE UM POUCO DE AJUDA, MAS TENHO CERTEZA DE QUE VAI CONSEGUIR. EU ENTENDO QUE VOCÊ ESTÁ TRISTE E COM RAIVA, E ISSO É NORMAL. FIQUE CALMO E TENTE ESPERAR COM PACIÊNCIA. ATÉ MESMO QUANDO AS COISAS SÃO DIFÍCEIS, PRECISAMOS ESPERAR COM CALMA. LEMBRE-SE QUE DEUS ESTÁ COM VOCÊ, ASSIM COMO O SEU PAI E EU, E NÓS FAREMOS TUDO O QUE PUDERMOS PARA AJUDAR VOCÊ.

ENZO — OBRIGADO, MAMÃE. VOU TENTAR ESPERAR COM CALMA MESMO QUANDO AS COISAS SÃO DIFÍCEIS.

ORAÇÃO

Deus Pai, eu agradeço porque o Senhor está comigo. Ajude-me a ser paciente. Amém.

02
Maio

TEXTO BÍBLICO: TIAGO 1.2-4, 5.7,8

NÃO DESISTA, MESMO NAS DIFICULDADES!

JOÃO — SABE, ÀS VEZES, PASSAMOS POR SITUAÇÕES DIFÍCEIS E COMPLICADAS. SE PRESTARMOS ATENÇÃO NO QUE DEUS QUER NOS ENSINAR, A NOSSA FÉ FICARÁ MAIS FORTE. POR ISSO, É IMPORTANTE NÃO DESISTIR E CONTINUAR TENTANDO. ASSIM, VAMOS CRESCER E FICAR MAIS ESPERTOS.

VALENTINA — TENHO CERTEZA DE QUE, SE OLHARMOS DESSA FORMA, SERÁ MAIS FÁCIL CONTINUAR TENTANDO MESMO QUANDO AS SITUAÇÕES FOREM DIFÍCEIS!

ORAÇÃO

Meu Pai, me ajude a ser calmo e a não desistir. Amém.

TEXTO BÍBLICO: GÁLATAS 6.7-10, COLOSSENSES 1.9-12

EU SIGO EM FRENTE, SEMPRE ANIMADO!

VALENTINA — ÀS VEZES, SER PACIENTE SIGNIFICA CONTINUAR TENTANDO. UMA MENINA NA MINHA ESCOLA NÃO GOSTA MUITO DE MIM. O QUE EU FAÇO É CONTINUAR SENDO LEGAL COM ELA E FAZENDO COISAS BOAS. SEMPRE EMPRESTO MEUS LÁPIS DE COR, AJUDO NAS TAREFAS, DIVIDO O MEU LANCHE E PERGUNTO SE ELA ESTÁ BEM. JESUS ME ENSINOU A FAZER O BEM E EU QUERO SER COMO ELE. ENTÃO, MESMO QUANDO AS PESSOAS NÃO SÃO TÃO LEGAIS COMIGO, EU ESCOLHO SER PACIENTE E NÃO FICAR TRISTE.

ISABELLA — TENHO CERTEZA DE QUE UM DIA ESSA COLEGA VAI PERCEBER QUE VOCÊ É ESPECIAL PORQUE TEM JESUS NO SEU CORAÇÃO!

ORAÇÃO

Deus Pai, eu agradeço por me ajudar a seguir Jesus e fazer o bem. Amém.

04
Maio

TEXTO BÍBLICO: PROVÉRBIOS 19.11, EFÉSIOS 4.1-3

SABER ESPERAR COM CALMA É MUITO IMPORTANTE

ISABELLA — A PACIÊNCIA É QUANDO A GENTE CONSEGUE ESPERAR COM CALMA. PESSOAS SÁBIAS SABEM FALAR NA HORA CERTA E NÃO FICAM BRAVAS COM FACILIDADE. ELAS NÃO MACHUCAM OS OUTROS COM PALAVRAS. A SABEDORIA NOS AJUDA A CONTROLAR OS NOSSOS SENTIMENTOS E PENSAMENTOS E NOS FAZ SENTIR CALMOS QUANDO ESTAMOS ESPERANDO ALGO OU QUANDO AS SITUAÇÕES SÃO DIFÍCEIS.

JOÃO — A MELHOR PARTE É QUE DEUS NOS AJUDA A SER MAIS SÁBIOS. ELE SEMPRE NOS DÁ CAMINHOS PARA FICARMOS MAIS PERTO DO QUE ELE QUER QUE A GENTE FAÇA.

Vamos praticar a paciência? Converse com a sua família e escrevam juntos as datas importantes deste ano, como aniversários, feriados, viagens em família e eventos. Façam um calendário para todos verem.

ORAÇÃO

Pai, me ajude a ser mais sábio e a mudar a minha forma de falar, pensar e agir.

TEXTO BÍBLICO: PROVÉRBIOS 15.18, TIAGO 1.19-21

PALAVRAS GENTIS AJUDAM E NÃO MAGOAM

VALENTINA — AS PESSOAS QUE TÊM PACIÊNCIA SÃO CUIDADOSAS AO FALAR, PORQUE SE IMPORTAM COM O QUE DIZEM E COM OS SENTIMENTOS DOS OUTROS. QUANDO APRENDEMOS A SER PACIENTES, ENTENDEMOS QUE DEVEMOS TOMAR CUIDADO COM AS NOSSAS PALAVRAS, POIS ELAS PODEM AJUDAR OU MAGOAR AS PESSOAS. É MAIS IMPORTANTE ESTAR PRONTO PARA OUVIR DO QUE FALAR.

GABRIEL — SE NÃO TIVERMOS SABEDORIA, É DIFÍCIL SERMOS PACIENTES. QUANDO NÃO SOMOS PACIENTES, PODEMOS DIZER COISAS QUE MAGOAM OS OUTROS. NOSSO FALAR DEVE SER AMOROSO E BONDOSO ATÉ MESMO QUANDO ESTIVERMOS CHATEADOS.

ORAÇÃO

Deus amoroso, ajude-me a ser paciente e a falar palavras agradáveis. Amém.

06
Maio

TEXTO BÍBLICO: FILIPENSES 4.5, TITO 3.1,2

SER BONDOSO E CUIDADOSO COM OS OUTROS

ISABELLA — SER AMÁVEL É SER UMA PESSOA SIMPÁTICA, CARINHOSA E CUIDADOSA COM OS OUTROS. QUANDO SOMOS AMÁVEIS E GENTIS, VIVEMOS MELHOR COM AS PESSOAS E MOSTRAMOS O AMOR DE JESUS A ELAS. A FORMA DE TRATARMOS AS PESSOAS DEVE REFLETIR O NOSSO RELACIONAMENTO COM JESUS. PRECISAMOS SER AMÁVEIS COM DEUS, COM AS PESSOAS E CONOSCO. NA BÍBLIA, ESTÁ ESCRITO: “SEJAM AMÁVEIS COM TODOS. O SENHOR VIRÁ LOGO” (FILIPENSES 4.5, NTLH).

ORAÇÃO

Pai amado, me ajude a ser como Jesus: amável e carinhoso com as pessoas. Amém.

TEXTO BÍBLICO: JOÃO 11.1-44

07
Maio

AME OS OUTROS COMO JESUS AMAVA

JOÃO — UMA VEZ, JESUS FOI VISITAR SEU AMIGO LÁZARO, QUE ESTAVA MUITO DOENTE. QUANDO ELE CHEGOU À CASA DE LÁZARO, A IRMÃ DELE, MARIA, CORREU ATÉ JESUS PORQUE ESTAVA MUITO TRISTE COM A MORTE DO SEU IRMÃO. JESUS TAMBÉM FICOU MUITO TRISTE E CHOROU. AS PESSOAS QUE ESTAVAM LÁ DISSERAM QUE JESUS AMAVA MUITO LÁZARO. ENTÃO, JESUS FOI ATÉ ONDE O CORPO DE LÁZARO TINHA SIDO COLOCADO E ACONTECEU ALGO INCRÍVEL: ELE CHAMOU LÁZARO COM UMA VOZ BEM FORTE E LÁZARO VOLTOU À VIDA! JESUS É EXEMPLO PARA NÓS EM TUDO, ESPECIALMENTE NO AMOR. ELE AMAVA SEUS AMIGOS, AS PESSOAS QUE O SEGUIAM E SE IMPORTAVA COM CADA UMA DELAS, ASSIM COMO SE IMPORTA COM CADA UM DE NÓS.

Peça a um adulto que leia a história de Jesus e Lázaro, que está em João 11.1-44, e faça um desenho bem bonito em uma folha para ilustrar o milagre de Jesus!

ORAÇÃO

Jesus, eu agradeço por me ensinar a amar. Quero aprender mais com o Senhor. Amém.

08
Maio

TEXTO BÍBLICO: LUCAS 7.36-50

A MULHER QUE DEMONSTROU AMOR E RESPEITO POR JESUS

ISABELLA — EU LI UMA HISTÓRIA MUITO BONITA NA BÍBLIA. NESSA HISTÓRIA, UMA MULHER APARECEU EM UM JANTAR ONDE JESUS ESTAVA. ELA TINHA UM PERFUME MUITO ESPECIAL E O DERRAMOU NOS PÉS DE JESUS; ELA TAMBÉM CHOROU E USOU OS CABELOS PARA SECAR OS PÉS DE JESUS. ESSA HISTÓRIA MOSTRA QUE ESSA MULHER AMAVA MUITO JESUS. ELA ESTAVA TÃO ALEGRE NA PRESENÇA DELE QUE SÓ QUERIA FAZER ALGO ESPECIAL PARA MOSTRAR SEU AMOR. JESUS PERDOOU ESSA MULHER PORQUE ELA TINHA MUITA FÉ. DEVEMOS SER COMO ELA E AMAR A DEUS E AS PESSOAS, E NOS DEDICAR A MOSTRAR O NOSSO AMOR DE MANEIRA ESPECIAL.

JOÃO — QUE HISTÓRIA LINDA! EU TAMBÉM QUERO SER ASSIM, SERVIR, AMAR E RESPEITAR JESUS E AS PESSOAS, COMO ESSA MULHER ESPECIAL FEZ!

ORAÇÃO

Meu Jesus querido, me ajude a ser amável e a dar o melhor que tenho ao Senhor. Amém.

ESPALHANDO AMOR COM AS PALAVRAS

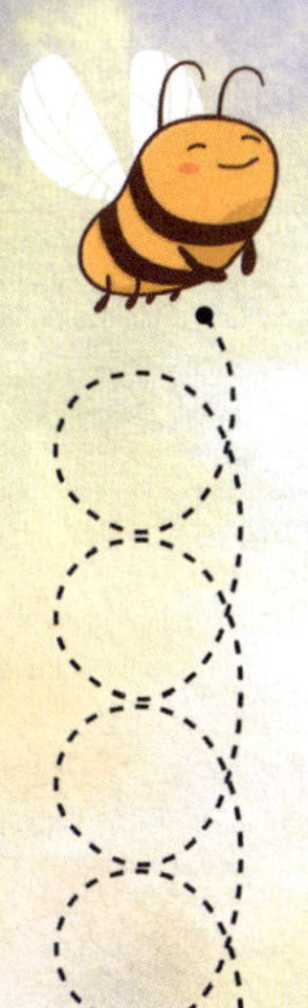

VITÓRIA — A NOSSA PROFESSORA DA IGREJA NOS CONTOU A HISTÓRIA DE ABIGAIL. ELA ERA CASADA COM UM HOMEM CHAMADO NABAL, QUE TINHA SIDO MUITO MAL-EDUCADO COM DAVI E LHE DISSE COISAS HORRÍVEIS. MAS A PROFESSORA NOS ENSINOU ALGO ESPECIAL SOBRE ABIGAIL: ELA FEZ MUITOS PÃES E FOI FALAR COM DAVI. QUANDO SE ENCONTROU COM ELE, PEDIU DESCULPAS PELAS PALAVRAS DO MARIDO E FALOU COM MUITA GENTILEZA. A ATITUDE DELA AGRADOU DAVI. APRENDEMOS NESSA HISTÓRIA QUE, QUANDO USAMOS PALAVRAS AGRADÁVEIS, PODEMOS FAZER AS PESSOAS FELIZES E O SENHOR PODE NOS ABENÇOAR!

Em Provérbios 16.24, está escrito: “Palavras amáveis são como favos de mel - delícias para a alma, energia para o corpo” (A Mensagem). Leve a abelhinha até o pote de mel!

ORAÇÃO

Espírito de Deus, ajude-me a ser gentil e a mostrar o seu amor. Amém.

10
Maio

TEXTO BÍBLICO: RUTE 1.14-17

A DOÇURA DE RUTE

VALENTINA – UMA HISTÓRIA QUE EU ADORO NA BÍBLIA É A DE RUTE! ELA ERA UMA MULHER MUITO ESPECIAL, GENTIL E FIEL. RUTE ERA NORA DE UMA SENHORA CHAMADA NOEMI. INFELIZMENTE, O MARIDO E OS DOIS FILHOS DE NOEMI MORRERAM, E ELAS FICARAM SOZINHAS. NOEMI DISSE A RUTE QUE ELA PODERIA VOLTAR PARA SUA FAMÍLIA, MAS RUTE NÃO QUIS. ELA AMAVA MUITO NOEMI E PREFERIU FICAR COM ELA, NÃO IMPORTAVA PARA ONDE NOEMI FOSSE. RUTE ERA MUITO LEAL E SEMPRE CUIDOU DE NOEMI.

VITÓRIA – TAMBÉM GOSTO MUITO DA HISTÓRIA DE RUTE! ELA ERA MUITO GENTIL E GOSTAVA DE SERVIR A TODOS.

ORAÇÃO

Deus amoroso, me ensine a ser amável como Rute. Amém.

TEXTO BÍBLICO: EFÉSIOS 4.32, 1PEDRO 3.8-18

11
Maio

MOSTRANDO CARINHO E AMOR PELOS OUTROS

ENZO — EU APRENDI MUITO SOBRE AMAR A DEUS E AS PESSOAS. SEI QUE AS MINHAS PALAVRAS E COMO ME COMPORTO PODEM AJUDAR OU ENTRISTECER OS OUTROS, MAS EU SEMPRE QUERO AJUDAR! JESUS NOS MOSTROU COMO AMAR E NOS CHAMOU PARA AMAR COMO ELE AMA. PRECISO PRESTAR MAIS ATENÇÃO NOS SENTIMENTOS DAS PESSOAS, PORQUE NEM SEMPRE VEJO POR QUE ESTÃO TRISTES, MAS QUERO ENTENDER COMO ELAS SE SENTEM. VOU ME ESFORÇAR PARA SER CADA DIA MAIS GENTIL E CARINHOSO.

JOÃO — FICO FELIZ PORQUE DEUS ESTÁ NOS ENSINANDO MUITAS COISAS BOAS! EU TAMBÉM QUERO SER MAIS PARECIDO COM JESUS TODOS OS DIAS. ASSIM, AS PESSOAS VÃO SABER QUE EU SOU FILHO DE DEUS.

Amanhã é o Dia das Mães! Faça uma surpresa especial para a mamãe com um lindo desenho da família. Peça ajuda para escrever uma mensagem carinhosa. Vai ser uma surpresa incrível!

ORAÇÃO

Pai, eu agradeço pelo seu amor e cuidado. Proteja a minha família sempre. Amém.

12
Maio

TEXTO BÍBLICO: PROVÉRBIOS 31.10-31

FESTEJANDO O AMOR DAS MAMÃES

VITÓRIA — MINHA MÃE É MUITO ESPECIAL PORQUE ELA É MUITO QUERIDA! ELA É DOCE, GENTIL, BONDOSA E CHEIA DE AMOR. ELA ME ENSINA COM PACIÊNCIA, CUIDA DE MIM E DOS OUTROS; E, QUANDO PRECISA ME CORRIGIR, ELA FAZ ISSO COM CARINHO. ELA TAMBÉM LÊ A BÍBLIA COMIGO E ME AJUDA NAS TAREFAS DA ESCOLA. E SABE O QUE MAIS? ELA SEMPRE ENCONTRA UM TEMPINHO PARA BRINCAR COMIGO. EU AMO MUITO A MINHA MAMÃE! ELA É A MELHOR!

GABRIEL — EU TAMBÉM AMO MUITO A MINHA MAMÃE. HOJE CEDO, LIGUEI PARA ELA E DISSE COMO SOU GRATO A DEUS POR ELA. EU E O MEU AVÔ PREPARAMOS UM CAFÉ DA MANHÃ ESPECIAL PARA A VOVÓ, PARA MOSTRAR QUANTO NÓS A AMAMOS. A MINHA MÃE E A MINHA AVÓ SÃO MUITO ESPECIAIS PARA MIM. DEUS FOI MUITO BOM COMIGO, PORQUE ME DEU DUAS MULHERES ESPECIAIS, QUE SÃO AMOROSAS COMIGO E ME AJUDAM!

ORAÇÃO

Deus, eu agradeço pelas pessoas amorosas na minha vida. Abençoe as mães do mundo todo. Amém.

O AMOR DE DEUS EM AÇÃO

VALENTINA – DEVEMOS SER BONDOSOS, PORQUE DEUS É BOM E CUIDA DE NÓS. SE FORMOS BONS COM OS OUTROS, ELES VÃO SABER QUE SOMOS AMIGOS DE DEUS. SER BOM É AJUDAR E SER AMÁVEL COM AS PESSOAS. A GENTE TEM QUE CUIDAR UNS DOS OUTROS. MAMÃE, ESTAVA PENSANDO: PODEMOS JUNTAR ROUPAS QUENTINHAS PARA DAR PARA QUEM ESTÁ COM FRIO? MUITAS PESSOAS ESTÃO PASSANDO FRIO PORQUE NÃO TÊM ROUPAS QUENTINHAS. EU QUERO AJUDAR E SER AMÁVEL.

MÃE DE VALENTINA – COM CERTEZA, MINHA FILHA! PODEMOS SER BONDOSOS DE MUITAS FORMAS: FALANDO COISAS BOAS, AJUDANDO OS OUTROS, DOANDO ROUPAS, BRINQUEDOS E COMIDA. SUA IDEIA É INCRÍVEL! VAMOS CONVIDAR OS NOSSOS AMIGOS PARA AJUDAR!

ORAÇÃO

Deus Pai, ajude todas as pessoas que sofrem e mostre o seu amor a elas enquanto nós ajudamos com o que temos. Amém.

TEXTO BÍBLICO: SALMOS 100, TIAGO 1.16-18

A BONDADE INCRÍVEL DE DEUS

UM AMOR QUE NUNCA ACABA!

JOÃO – DEUS É BOM O TEMPO TODO! DESDE QUE FEZ O MUNDO, ELE NOS MOSTRA QUANTO ELE É BOM. ELE CRIOU AS ESTRELAS, AS ÁRVORES, A ÁGUA, AS FRUTAS, OS ANIMAIS, AS PESSOAS E TUDO O QUE EXISTE. TUDO O QUE ELE FEZ É PERFEITO PORQUE ELE É PERFEITO. MAS A BONDADE DE DEUS É MAIOR DO QUE ISSO, PORQUE ELE NOS MOSTRA TODOS OS DIAS QUE É JUSTO E AMOROSO. ELE NOS ENSINA, NOS AJUDA QUANDO ESTAMOS ERRADOS, NOS PROTEGE E NOS AMA. TUDO O QUE É BOM VEM DE DEUS. E TAMBÉM TUDO O QUE TEMOS DE BOM EM NÓS VEM DE DEUS.

ORAÇÃO

Pai bondoso, agradeço por ser sempre bom em todo tempo. Amém.

MICHELLE – É MUITO IMPORTANTE SABER QUE DEUS É SEMPRE BOM. ELE NOS ENSINA E AJUDA A MELHORAR PORQUE ELE É BOM. ÀS VEZES, ELE NOS DIZ "NÃO" OU NOS PEDE PARA ESPERAR PORQUE ELE SABE O QUE É MELHOR PARA NÓS. EM TODOS OS MOMENTOS, DEUS É BOM.

TEXTO BÍBLICO: MATEUS 4.23-25, 11.28-30

JESUS É MUITO BOM

ELE NOS AMA E AJUDA!

ENZO — VOCÊ SABE QUEM É A PESSOA MAIS BONDOSA DO MUNDO? JESUS! ELE ENSINAVA, CURAVA E FAZIA COISAS INCRÍVEIS POR ONDE PASSAVA. ELE NÃO SE IMPORTAVA COM A APARÊNCIA DAS PESSOAS E COM O QUE TINHAM FEITO NO PASSADO. JESUS SÓ QUERIA AJUDAR AS PESSOAS. SEU MAIOR EXEMPLO DE BONDADE FOI QUANDO ELE DECIDIU MORRER PELOS NOSSOS ERROS E NOS DAR UMA NOVA VIDA. É POR CAUSA DE JESUS QUE ESTAMOS AQUI HOJE. ELE NOS DÁ DESCANSO QUANDO ESTAMOS CANSADOS, CONFORTO QUANDO ESTAMOS TRISTES E NOS GUIA QUANDO ESTAMOS PERDIDOS. PARA SER MAIS PARECIDO COM JESUS, EU PRECISO SEGUI-LO, APRENDER COM ELE E PRATICAR A MESMA BONDADE. EU QUERO MUITO SER COMO JESUS!

ORAÇÃO

Jesus, eu quero ser como o Senhor. Ensina-me a ser uma pessoa bondosa.

16
Maio

TEXTO BÍBLICO: TIAGO 1.22-27

TEMOS UMA MISSÃO: AJUDAR AS PESSOAS

ISABELLA — QUANDO SEGUIMOS JESUS, TEMOS UMA MISSÃO ESPECIAL: MOSTRAR AO MUNDO O AMOR QUE ELE DEMONSTROU TER POR NÓS. NÃO BASTA SÓ FALAR; PRECISAMOS AGIR DE ACORDO COM O QUE ELE NOS ENSINOU. QUANDO SOMOS BONDOSOS COM AS PESSOAS, MOSTRAMOS QUE DEUS É BONDOSO E, QUANDO AMAMOS OS DEMAIS, MOSTRAMOS QUE DEUS É AMOROSO. PRESTE ATENÇÃO: PRECISAMOS PÔR EM PRÁTICA O QUE DEUS NOS ENSINA.

VALENTINA — EU QUERO AJUDAR AS PESSOAS E MOSTRAR QUE DEUS É BOM!

Pinte os quadrados para mostrar quais frases estão certas e quais estão erradas:

■ Acertou em cheio!
■ Errou desta vez!

- ☐ Os filhos de Deus são pessoas bondosas.
- ☐ Os filhos de Deus ouvem a Palavra mas não praticam.
- ☐ Os filhos de Deus não ajudam ninguém.
- ☐ Os filhos de Deus cuidam dos necessitados.

Espírito Santo, me guie para obedecer a Deus e mostrar a sua bondade. Amém.

TEXTO BÍBLICO: LUCAS 12.6,7, EFÉSIOS 5.29,30

COMO DEUS ME VÊ

GABRIEL — QUANDO CHEGUEI DA ESCOLA ONTEM, EU ESTAVA TRISTE PORQUE QUERIA TER O MESMO CABELO QUE OS MENINOS DA MINHA TURMA. ENTÃO, FUI FALAR COM A MINHA AVÓ, E ELA ME DISSE QUE O MEU CABELO É LINDO DO JEITO QUE É, PORQUE FOI DEUS QUEM ME FEZ ASSIM. ELA ME EXPLICOU QUE CADA PESSOA É DIFERENTE, TANTO POR DENTRO QUANTO POR FORA, E QUE TODOS NÓS SOMOS ESPECIAIS E ÚNICOS. APRENDI QUE DEVO ME AMAR E ME TRATAR COM BONDADE, PORQUE EU FAÇO PARTE DA CRIAÇÃO DE DEUS, E TUDO O QUE ELE FAZ É BOM.

VITÓRIA — É VERDADE, GABRIEL. EU TAMBÉM ESTOU APRENDENDO A SER BONDOSA COMIGO MESMA, A CUIDAR DO MEU CORAÇÃO E DA MINHA MENTE E A ME AMAR MAIS. PRECISAMOS NOS ENXERGAR DO JEITO QUE DEUS NOS VÊ.

ORAÇÃO

Deus Pai, obrigado por ter me criado como sou e por cuidar de mim. Amém.

18
Maio

TEXTO BÍBLICO: ROMANOS 12.4-6, GÁLATAS 6.1-10

FAMÍLIA DE DEUS

AMANDO E CUIDANDO UNS DOS OUTROS!

VITÓRIA – A MINHA FAMÍLIA É MUITO IMPORTANTE PARA MIM, E A FAMÍLIA NA FÉ TAMBÉM É. A FAMÍLIA NA FÉ SÃO AS PESSOAS QUE FAZEM PARTE DA FAMÍLIA DE DEUS. A BÍBLIA NOS ENSINA QUE SOMOS UM GRUPO, COM PAPÉIS DIFERENTES, MAS TODOS IGUALMENTE IMPORTANTES. PRECISO SER GENTIL COM CADA PESSOA DESSE GRUPO PARA NINGUÉM FICAR CANSADO OU COM MUITAS TAREFAS. É IMPORTANTE AMAR E CUIDAR DE CADA PESSOA DA FAMÍLIA DE DEUS. VOU ME ESFORÇAR PARA VALORIZAR TODOS OS DIAS OS MEUS AMIGOS NA FÉ.

ISABELLA – É TÃO LEGAL SABER QUE FAZEMOS PARTE DE UMA GRANDE FAMÍLIA. TEMOS MUITAS PESSOAS PARA AMAR. ISSO É INCRÍVEL!

ORAÇÃO

Pai amado, eu agradeço pela família. Ajude-me a ser bondoso. Amém.

Vamos praticar a bondade juntos? Escolha algumas pessoas e, durante uma semana, faça coisas boas por elas. Pode ser um desenho, uma carta, um abraço, ajudar nas tarefas... Mostre amor e cuidado, assim como Deus quer.

BONDOSO COM TODOS!

ENZO — TENHO CERTEZA DE QUE DEUS ME AJUDA A SER MELHOR TODOS OS DIAS! ANTES, EU COSTUMAVA BRIGAR COM AS PESSOAS QUANDO ELAS ME TRATAVAM MAL. MAS AGORA EU QUERO SER GENTIL E AMÁVEL COM ELAS, PARA QUE VEJAM QUE JESUS ESTÁ NO MEU CORAÇÃO. JESUS NOS ENSINOU A AMAR TODAS AS PESSOAS, MESMO AQUELAS QUE NÃO NOS TRATAM BEM. ELE NOS DISSE PARA TRATAR OS OUTROS COMO GOSTARÍAMOS DE SER TRATADOS.

JOÃO — TRATAR BEM TODAS AS PESSOAS É MUITO IMPORTANTE, E DEVEMOS FAZER ISSO SEM ESPERAR NADA EM TROCA. DEUS É BOM COM CADA UM DE NÓS, POR ISSO DEVEMOS SER BONS COM OS OUTROS!

ORAÇÃO

Pai querido, eu agradeço por você cuidar de mim, da minha família, dos meus amigos e de todas as pessoas . Amém.

20
Maio

TEXTO BÍBLICO: SALMOS 23, 1CORÍNTIOS 15.58

PROVANDO A LEALDADE E O AMOR DE DEUS

VITÓRIA – DEUS É SEMPRE LEAL E VERDADEIRO, POR ISSO NÓS TAMBÉM DEVEMOS SER. ISSO SIGNIFICA QUE DEVEMOS SER SINCEROS E FAZER O QUE PROMETEMOS. É IMPORTANTE RESPEITAR E CUIDAR DAS PESSOAS AO NOSSO REDOR, ASSIM COMO OBEDECER ÀS REGRAS QUE DEUS NOS ENSINOU. DEUS NUNCA MENTE NEM NOS DEIXA SOZINHOS, PORQUE É LEAL E ESTÁ SEMPRE CONOSCO TODOS OS DIAS E EM QUALQUER LUGAR. QUERO MOSTRAR A TODOS QUE O MEU SENHOR É LEAL E EU TAMBÉM SOU.

ORAÇÃO

Pai, eu agradeço por me ensinar e ajudar a ser leal e verdadeiro como o Senhor. Amém.

TEXTO BÍBLICO: GÊNESIS 37, 39.1-5

O AMOR DE DEUS EM AÇÃO

A HISTÓRIA DE JOSÉ E SUA JORNADA DE CONFIANÇA

ISABELLA — A BÍBLIA NOS ENSINA QUE DEUS É SEMPRE FIEL. EU GOSTO MUITO DA HISTÓRIA DE JOSÉ DO EGITO. JOSÉ ERA MUITO AMADO POR SEU PAI, JACÓ, MAS SEUS IRMÃOS TINHAM INVEJA DELE; POR ISSO, FIZERAM COISAS RUINS COM JOSÉ, COMO JOGÁ-LO EM UM BURACO E VENDÊ-LO COMO ESCRAVO. ENTÃO, JOSÉ FOI LEVADO PARA O EGITO E TRABALHOU DURO LÁ. MESMO QUANDO AS COISAS ESTAVAM DIFÍCEIS, JOSÉ NÃO DESANIMOU, PORQUE SABIA QUE DEUS ESTAVA COM ELE. A BÍBLIA NOS CONTA QUE DEUS ABENÇOOU TUDO O QUE JOSÉ FEZ, E ELE TEVE SUCESSO. PODEMOS CONFIAR QUE DEUS ESTÁ SEMPRE AO NOSSO LADO E É FIEL EM TODAS AS CIRCUNSTÂNCIAS!

Peça a um adulto que leia a história de José com você. Depois, faça um desenho mostrando o momento em que os irmãos venderam José.

ORAÇÃO

Fiel Senhor, agradeço porque sempre é fiel e está comigo. Ajude-me a sentir isso todos os dias. Amém.

22
Maio

TEXTO BÍBLICO: GÊNESIS 39.6-10

EU SOU FIEL A DEUS

SEGUINDO OS PASSOS DE JOSÉ: SEMPRE AO LADO DE DEUS

JOÃO — DEUS SEMPRE ESTEVE AO LADO DE JOSÉ, E JOSÉ SEMPRE ESTEVE COM DEUS. UM DIA, A ESPOSA DE POTIFAR COMEÇOU A GOSTAR DE JOSÉ PORQUE O ACHAVA MUITO BONITO. MAS JOSÉ ERA UMA PESSOA CORRETA E NÃO QUERIA FAZER NADA ERRADO. ENTÃO, ELE DISSE QUE NUNCA PODERIA FICAR COM ELA, PORQUE NÃO QUERIA QUEBRAR A CONFIANÇA DE POTIFAR E DESOBEDECER A DEUS. A ATITUDE DE JOSÉ MOSTRA QUE ELE ERA OBEDIENTE E FIEL AO QUE HAVIA APRENDIDO DO SENHOR; POR ISSO, NÃO PECOU, MAS FICOU FIRME EM SUAS PALAVRAS FAZENDO TUDO PARA AGRADAR A DEUS.

GABRIEL — A ATITUDE DELE FOI MUITO BOA E NOS ENSINA MUITO. EU TAMBÉM QUERO SER FIEL COMO JOSÉ!

ORAÇÃO

Espírito Santo, me ajude a ser obediente e fiel como José. Amém.

FIEL A DEUS E AOS AMIGOS

GABRIEL — JOSÉ ERA MUITO LEAL A DEUS E TAMBÉM A POTIFAR. ELE TINHA RESPEITO POR POTIFAR E NUNCA QUIS FAZER ALGO ERRADO CONTRA ELE. MESMO QUANDO A ESPOSA DE POTIFAR FEZ UMA ARMADILHA PARA JOSÉ E ELE FOI PRESO, DEUS ESTEVE SEMPRE AO LADO DELE. QUANDO SOMOS FIÉIS A DEUS E ÀS PESSOAS QUE AMAMOS, DEUS SE ALEGRA CONOSCO. SER FIEL NEM SEMPRE É FÁCIL, COMO VIMOS NA HISTÓRIA DE JOSÉ: ELE FOI PRESO E PASSOU POR MOMENTOS DIFÍCEIS, MAS DEUS SEMPRE O AJUDAVA A TER SUCESSO. DEVEMOS ESCOLHER SER FIÉIS E OBEDIENTES, MESMO QUANDO FOR DIFÍCIL, PORQUE DEUS SEMPRE SE ALEGRA COM ISSO.

AVÓ DE GABRIEL — A HISTÓRIA DE JOSÉ REALMENTE NOS ENSINA MUITO. ELE ERA AMIGO DE DEUS.

ORAÇÃO

Agradeço, Senhor, por nunca me abandonar. Aprendo cada dia com a sua Palavra. Amém.

24
Maio

TEXTO BÍBLICO: DEUTERONÔMIO 5.32,33, EZEQUIEL 18.5-9

SEGUINDO A PALAVRA DE DEUS

EU SOU OBEDIENTE!

ENZO – JOSÉ ERA UM HOMEM MUITO BOM, E DEUS SEMPRE O AJUDAVA EM TUDO. MESMO COM MUITOS PROBLEMAS, COMO SER MALTRATADO, ABANDONADO E VENDIDO POR SEUS IRMÃOS, SER ESCRAVO, PERSEGUIDO PELA ESPOSA DE POTIFAR E ACABAR NA PRISÃO, ELE NUNCA ESQUECEU DE DEUS E SEMPRE FOI OBEDIENTE A ELE. MESMO QUANDO AS SITUAÇÕES ERAM DIFÍCEIS, ELE CONTINUOU FIEL AO SENHOR. JOSÉ TAMBÉM SEGUIU AS PALAVRAS DE DEUS E EVITOU FAZER COISAS ERRADAS. A BÍBLIA ENSINA QUE QUEM FAZ O QUE É CERTO TERÁ UMA VIDA BOA E FELIZ. QUEM SEGUE O QUE DEUS DIZ SERÁ MUITO ABENÇOADO, ASSIM COMO JOSÉ.

VALENTINA – SABE, SER FIEL A DEUS É REALMENTE MUITO IMPORTANTE NA NOSSA VIDA.

ORAÇÃO

Agradeço, meu Deus, pelo seu amor. Ajude-me a ser sempre obediente. Amém.

DEUS É SEMPRE FIEL

DESCOBRINDO SUAS INCRÍVEIS HISTÓRIAS!

VALENTINA – A HISTÓRIA DE JOSÉ NOS ENSINA ALGO MUITO ESPECIAL! MOSTRA COMO É IMPORTANTE CONFIAR EM DEUS E AJUDAR OS OUTROS. UM DIA, JOSÉ ESTAVA NA PRISÃO COM DUAS PESSOAS: UM COPEIRO E UM PADEIRO. ELES TIVERAM SONHOS E FICARAM CONFUSOS, SEM SABER O QUE SIGNIFICAVAM. JOSÉ SABIA QUE DEUS PODIA AJUDÁ-LOS A ENTENDER O QUE TINHAM SONHADO; ENTÃO, ELE EXPLICOU O SIGNIFICADO DOS SONHOS A CADA UM. QUANDO CONFIAMOS EM DEUS E AJUDAMOS OS DEMAIS, MOSTRAMOS O AMOR E A BONDADE DE DEUS PARA TODAS AS PESSOAS AO NOSSO REDOR.

ISABELLA – É VERDADE! O NOSSO JEITO DE VIVER MOSTRA AOS OUTROS COMO DEUS É BOM E AMOROSO.

ORAÇÃO

Amado Senhor, agradeço por ser sempre verdadeiro. Ajude-me a ser uma pessoa que ajuda os demais para mostrar o seu amor. Amém.

Descubra as histórias da Bíblia: Quem sou eu? Chame a sua família e escreva o nome de vários personagens bíblicos, um em cada pedaço de papel. Depois, dobre o papel, deixando o nome escondido. Cada pessoa sorteia um personagem bíblico e coloca o papel na testa; em seguida, fazem perguntas para desvendar quem é. Mas cuidado com a seguinte regra: a resposta só pode ser "sim" ou "não". Divirtam-se com a Bíblia!

26
Maio

TEXTO BÍBLICO: GÊNESIS 41

JOSÉ

O SONHADOR QUE SE TORNOU UM GRANDE LÍDER!

ISABELLA – DOIS ANOS SE PASSARAM, E O CHEFE DOS COPEIROS SE ESQUECEU DE FALAR SOBRE JOSÉ PARA O FARAÓ. UM DIA, O FARAÓ TEVE SONHOS QUE NINGUÉM CONSEGUIA ENTENDER. FOI ENTÃO QUE O CHEFE DOS COPEIROS SE LEMBROU DE JOSÉ E CONTOU AO FARAÓ OS SONHOS QUE JOSÉ TINHA EXPLICADO QUANDO ESTAVAM NA PRISÃO. O FARAÓ CHAMOU JOSÉ, E ELE CONTOU O SIGNIFICADO DOS SONHOS. O FARAÓ FICOU SURPRESO COM A SABEDORIA DE JOSÉ E PERCEBEU QUE DEUS ESTAVA COM ELE. ENTÃO, ESCOLHEU JOSÉ PARA GOVERNAR O EGITO. JOSÉ TEVE UMA VIDA FELIZ E ABENÇOADA PORQUE FOI FIEL A DEUS, E DEUS TAMBÉM FOI FIEL A ELE.

VITÓRIA – NOSSO DEUS É INCRÍVEL! ELE AJUDOU JOSÉ A SAIR DO SOFRIMENTO DO PASSADO E O ABENÇOOU MUITO!

ORAÇÃO

Pai, agradeço porque o Senhor é bom e fiel.
Ajude-me a ser fiel também. Amém.

TEXTO BÍBLICO: COLOSSENSES 3.12-17, TITO 3.1-11

27
Maio

O PODER DA SERENIDADE

APRENDENDO SOBRE MANSIDÃO

GABRIEL — A MANSIDÃO É SER CALMO E GENTIL. ASSIM COMO A ZILU, QUE É TRANQUILA E NÃO BRIGA, JESUS TAMBÉM ERA ASSIM. ELE NUNCA FICAVA COM RAIVA FACILMENTE NEM GRITAVA COM NINGUÉM. POR ISSO, COMO FILHOS DE DEUS, DEVEMOS SER MANSOS E SERENOS. SE BRIGARMOS E NOS IRRITARMOS FACILMENTE, AS PESSOAS NÃO VÃO VER O ESPÍRITO SANTO EM NÓS. MAS, SE FORMOS BONDOSOS, PACIENTES, CALMOS E GENTIS, TODOS VÃO SABER QUE SOMOS PARECIDOS COM JESUS.

JOÃO — DEUS USA ATÉ MESMO A ZILU PARA NOS ENSINAR!

ORAÇÃO

Jesus, me ajude a ser calmo e bondoso como o Senhor. Amém.

28
Maio

TEXTO BÍBLICO: MATEUS 11.28-30, 27.12-14

A CALMA DE JESUS EM AÇÃO

VITÓRIA — HOJE, UMA MENINA ME EMPURROU E ACABEI DERRAMANDO O MEU SUCO NA ROUPA TODA. FIQUEI MUITO BRAVA NA HORA, MAS RESPIREI FUNDO, ME ACALMEI E DISSE QUE ESTAVA TUDO BEM. ESCOLHI RESPONDER DE FORMA CALMA PORQUE LI NA BÍBLIA QUE JESUS NOS ENSINA A SER GENTIS E AMÁVEIS. MESMO NÃO SENDO TÃO CALMA QUANTO JESUS, QUERO APRENDER COM ELE. ELE NÃO TERIA RESPONDIDO DE FORMA RUDE PARA AQUELA MENINA, POR ISSO EU TAMBÉM NÃO RESPONDI.

JOÃO — PRECISAMOS APRENDER A SER CALMOS E HUMILDES COMO JESUS. NEM SEMPRE É FÁCIL, PORQUE ALGUMAS COISAS NOS FAZEM FICAR BRAVOS, MAS DEVEMOS LEMBRAR DE AGIR COMO JESUS AGIRIA.

ORAÇÃO

Jesus, me ensine a ser manso e humilde como o Senhor. Amém.

TEXTO BÍBLICO: NÚMEROS 12.1-8, TIAGO 3.13-16

MOISÉS

UM LÍDER CALMO E PACIENTE

VALENTINA — MOISÉS ERA UM LÍDER MANSO E PACIENTE. ELE FOI UM SERVO FIEL QUE ENFRENTOU O DESAFIO DE LIDERAR UM POVO DIFÍCIL. MESMO QUANDO AS PESSOAS RECLAMAVAM E PECAVAM, MOISÉS PERMANECIA CALMO E PACIENTE. ELE SEMPRE ESTAVA MUITO PERTO DE DEUS E TINHA UM PAPEL IMPORTANTE NAQUELA ÉPOCA. MOISÉS NOS MOSTROU A IMPORTÂNCIA DE LIDERAR COM CALMA E PACIÊNCIA, MESMO EM SITUAÇÕES DIFÍCEIS. DEUS O CAPACITOU A SER UMA PESSOA TRANQUILA E A MOSTRAR QUE SER FORTE NÃO SIGNIFICA SER AGRESSIVO.

GABRIEL — COM CERTEZA! MOISÉS FOI CALMO E GENTIL, E ISSO PERMITIU QUE ELE FOSSE RESPEITADO PELAS PESSOAS. PODEMOS APRENDER MUITO COM MOISÉS.

ORAÇÃO

Pai querido, ajude-me a ser calmo como o Senhor deseja. Amém.

TEXTO BÍBLICO: PROVÉRBIOS 16.32, COLOSSENSES 4.5,6

A DOÇURA DAS PALAVRAS

GABRIEL — QUANTO MAIS EU CONHEÇO A DEUS, MAIS ENTENDO QUE É IMPORTANTE FALAR COM AMOR. SE USARMOS PALAVRAS QUE MACHUCAM OU MAGOAM, PODEMOS AFASTAR AS PESSOAS DE DEUS. MAS, SE FALARMOS COM GENTILEZA, CALMA E BONDADE, MOSTRAMOS QUE O NOSSO DEUS É AMOROSO, TRANQUILO E BOM. ÀS VEZES, QUANDO TENHO UM DIA DIFÍCIL, PRECISO OUVIR PALAVRAS CARINHOSAS PARA ME ALEGRAR E LEMBRAR QUE DEUS ESTÁ COMIGO. TENHO CERTEZA DE QUE OUTRAS PESSOAS TAMBÉM PRECISAM DISSO. POR ISSO, TENTO PRESTAR ATENÇÃO NOS SENTIMENTOS DOS OUTROS E FALAR COM CALMA.

ISABELLA — ISSO É VERDADE, GABRIEL! MUITAS VEZES, PODEMOS MOSTRAR O AMOR DE JESUS ATRAVÉS DAS PALAVRAS QUE USAMOS. É POR ISSO QUE PRECISAMOS SER CALMOS, GENTIS E CARINHOSOS!

ORAÇÃO

Espírito Santo, me ajude a falar com bondade e entender as pessoas. Amém.

Espalhando o amor de Jesus: Bilhetinhos de Carinho. Espalhe o amor de Jesus escrevendo bilhetinhos com versículos da Bíblia. Entregue-os a pessoas que precisam de carinho e amor. Vamos espalhar o amor ?

CUIDADO COM AS PALAVRAS

COMO SER GENTIL E FAZER O BEM

JOÃO — ENZO, NÃO FOI LEGAL O QUE VOCÊ DISSE PARA A VITÓRIA. ELA DEVE TER FICADO MUITO TRISTE COM AQUELA BRINCADEIRA. COMO FILHOS DE DEUS, DEVEMOS TER CUIDADO COM O QUE FALAMOS PARA NÃO MACHUCAR OS OUTROS. EU FALO ISSO COMO AMIGO, PORQUE QUERO O MELHOR PARA VOCÊ. ÀS VEZES, PRECISAMOS QUE OS OUTROS NOS MOSTREM COMO PODEMOS MELHORAR.

ENZO — VOCÊ ESTÁ CERTO, JOÃO. OBRIGADO POR ME CORRIGIR COM CARINHO E CALMA! VOU PEDIR DESCULPAS A ELA E TENTAR NÃO FALAR COISAS QUE POSSAM MACHUCAR AS PESSOAS.

ORAÇÃO

Espírito Santo, me ajude a ser amoroso e ajudar os outros. Amém.

café
com
Deus
pai
KIDS
CHERIFE

JUNHO
FESTA DA ROÇA

DIVERSÃO EM FAMÍLIA

Siga o caminho e descubra a mensagem escondida!

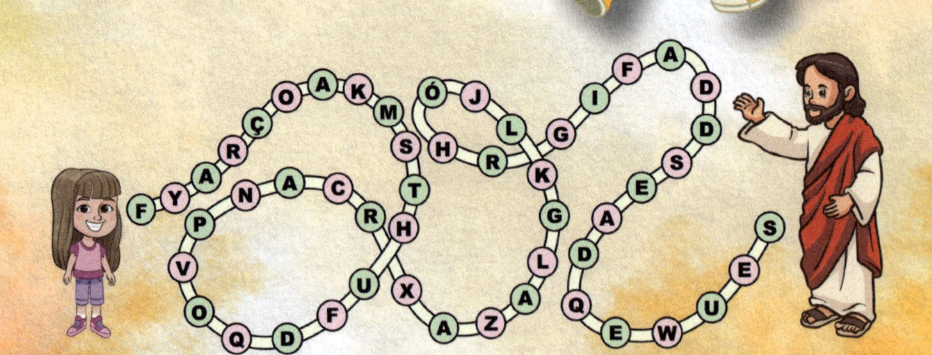

"Assim, quer vocês comam,
bebam ou façam qualquer outra coisa,

____

____."

(1Coríntios 10.31, NVI)

TEXTO BÍBLICO: PROVÉRBIOS 15.31-33, HEBREUS 12.11

01
Junho

APRENDENDO COM OS ERROS E BUSCANDO MELHORAR

ENZO — EU PENSEI MUITO NO QUE O JOÃO ME DISSE ONTEM À TARDE E ENTENDI QUE ERREI. QUERO PEDIR DESCULPAS A VOCÊ, VITÓRIA. ESTOU APRENDENDO A FALAR COM GENTILEZA E AMOR, E COMO BRINQUEI ONTEM NÃO FOI LEGAL. A CONVERSA COM O JOÃO ME AJUDOU MUITO, ELE ME CORRIGIU DE MANEIRA AMIGÁVEL. COMO FILHO DE DEUS, O MEU DEVER É ACEITAR A CORREÇÃO E ME ESFORÇAR PARA MUDAR E SER MELHOR A CADA DIA. POR ISSO, PEÇO DESCULPAS POR TER MAGOADO VOCÊ. A SUA AMIZADE É MUITO IMPORTANTE PARA MIM, E QUERO MOSTRAR ISSO TODOS OS DIAS.

VITÓRIA — EU PERDOO VOCÊ, ENZO! QUE BOM QUE VOCÊ ENTENDEU O QUE O NOSSO AMIGO JOÃO DISSE.

Deus Pai, ajude-me a aceitar as correções com calma e me faz melhor a cada dia. Amém.

Chame a sua família para brincar. Falem o que admiram uns dos outros em frente do espelho. Digam o que gostam na pessoa, como, por exemplo, ser bondoso ou fazer o que é certo. Todos devem se sentir amados e participar da brincadeira!

TEXTO BÍBLICO: PROVÉRBIOS 29.23

SER TRANQUILO TRAZ BÊNÇÃOS E MOSTRA O AMOR DE DEUS

ISABELLA — SER MANSO É MUITO IMPORTANTE PARA OS FILHOS DE DEUS. QUANDO SOMOS MANSOS, MOSTRAMOS AO MUNDO QUE SOMOS DIFERENTES. EM VEZ DE FICAR BRAVO, BRIGAR OU FALAR PALAVRAS FEIAS, DEVEMOS FICAR CALMOS E FALAR COM AMOR, MESMO EM SITUAÇÕES DIFÍCEIS. SER MANSO TRAZ BÊNÇÃOS, PORQUE AS PESSOAS HUMILDES E TRANQUILAS RECEBEM COISAS BOAS DE DEUS. NEM SEMPRE É FÁCIL FICAR CALMO, MAS O ESPÍRITO DE DEUS NOS AJUDA A SEGUIR O QUE DEUS QUER. É UMA RECOMPENSA SABER QUE DEUS FICA FELIZ QUANDO SOMOS MANSOS.

ORAÇÃO

Paizinho, obrigado por me ensinar. Quero agradar-lhe. Amém.

TEXTO BÍBLICO: PROVÉRBIOS 25.16-28

03
Junho

CONQUISTANDO O DOMÍNIO PRÓPRIO

ISABELLA — PAPAI, O QUE É DOMÍNIO PRÓPRIO?

JUNIOR — SABER SE CONTROLAR É TER DOMÍNIO PRÓPRIO, QUE SIGNIFICA PENSAR ANTES DE AGIR E FAZER AS COISAS CERTAS. QUANDO VOCÊ SABE SE CONTROLAR, CONSEGUE SE COMPORTAR BEM. POR EXEMPLO, A BÍBLIA DIZ NO LIVRO DE PROVÉRBIOS, CAPÍTULO 25, QUE NÃO DEVEMOS COMER TODOS OS DOCES DE UMA VEZ SÓ, PORQUE ISSO PODE NOS FAZER MAL. ALGUMAS PESSOAS COMPRAM UMA CAIXA DE BOMBONS E COMEM TUDO DE UMA VEZ, PORQUE NÃO CONSEGUEM SE CONTROLAR. MAS NÓS, QUE SOMOS FILHOS DE DEUS, DEVEMOS AGIR DE OUTRO JEITO. PRECISAMOS TER DOMÍNIO PRÓPRIO E SABER NOS CONTROLAR, FAZENDO O QUE É CERTO.

ORAÇÃO

Espírito de Deus, me ajude a ter controle todos os dias e em todas as situações. Amém.

TEXTO BÍBLICO: JOÃO 18.10

O QUE É AGIR SEM PENSAR?

JOÃO — PESSOAS QUE NÃO SABEM SE CONTROLAR AGEM SEM PENSAR. SER IMPULSIVO É FAZER AS COISAS SEM PENSAR NO QUE PODE ACONTECER DEPOIS. MUITAS PESSOAS COMPRAM, COMEM E FALAM SEM PENSAR NO QUE ESTÃO FAZENDO. NA BÍBLIA, PEDRO, QUE ERA UM AMIGO DE JESUS, É EXEMPLO DE UMA PESSOA QUE MUITAS VEZES AGIU SEM PENSAR. QUANDO JESUS FOI PRESO, PEDRO FICOU TÃO DESESPERADO QUE CORTOU A ORELHA DE UM HOMEM COM UMA ESPADA. SE ELE TIVESSE PENSADO ANTES, TALVEZ NÃO TIVESSE FEITO ISSO. NAQUELE MOMENTO, ELE NÃO CONSEGUIU SE CONTROLAR.

ISABELLA — NÃO PODEMOS FAZER COMO PEDRO, MAS DEVEMOS TER CUIDADO COM O QUE FAZEMOS, FALAMOS E ATÉ COM O QUE PENSAMOS E SENTIMOS.

Pinte de azul os quadradinhos das ações que mostram que sabemos nos controlar e ter domínio próprio.

- ☐ **Bater no irmão quando está bravo.**
- ☐ **Respirar fundo e se acalmar antes de falar algo.**
- ☐ **Comprar todos os doces que tiver vontade.**
- ☐ **Comprar um brinquedo e depois não brincar com ele.**
- ☐ **Comer todos os doces de uma vez.**
- ☐ **Guardar os doces para comer um por dia.**
- ☐ **Dividir os doces com a família.**
- ☐ **Esconder os doces da família.**

ORAÇÃO

Deus Pai, me ajude a agir com cuidado. Amém.

AGIR SEM PENSAR NÃO AGRADA A DEUS

ENZO — QUANDO PEDRO CORTOU A ORELHA DE UM HOMEM COM A ESPADA, JESUS NÃO GOSTOU NADA. ELE DISSE: "QUEM USA A ESPADA SERÁ CASTIGADO". ISSO MOSTRA QUE É IMPORTANTE PENSAR ANTES DE FAZER ALGO, PORQUE TUDO O QUE FAZEMOS TEM RESULTADOS. OS RESULTADOS PODEM SER BONS OU RUINS. DEUS NÃO GOSTA QUANDO AGIMOS SEM PENSAR, DEIXANDO QUE OS NOSSOS SENTIMENTOS E A NOSSA VONTADE NOS CONTROLEM. ELE QUER QUE TENHAMOS CONTROLE SOBRE NÓS MESMOS. ISSO É POSSÍVEL QUANDO VIVEMOS PELO ESPÍRITO DE DEUS.

ORAÇÃO

Espírito Santo, guie os meus pensamentos e tudo o que eu faço. Amém.

TEXTO BÍBLICO: 1CORÍNTIOS 10.31-33, TITO 2.11-14

PENSO ANTES DE AGIR

VALENTINA — EU TENHO APRENDIDO MUITO SOBRE CONTROLAR O QUE FAÇO E NÃO AGIR SEM PENSAR. UM PROBLEMA DE FAZER AS COISAS SEM PENSAR É QUE ESQUEÇO DE ALGO MUITO IMPORTANTE: AGRADAR A DEUS. COMO FILHO DE DEUS, DEVO VIVER DE TAL FORMA QUE DEIXE DEUS FELIZ EM TUDO O QUE FAÇO, ATÉ MESMO NAS COISAS SIMPLES, COMO COMER E BEBER. QUANDO FAÇO COISAS SEM PENSAR, NÃO ESTOU AGINDO PARA DEUS FICAR FELIZ COMIGO. POR ISSO, PRECISO SER CUIDADOSO O TEMPO TODO E APRENDER A ME CONTROLAR.

ISABELLA — ISSO MESMO! A MINHA MÃE ME ENSINOU QUE DEVEMOS QUERER FAZER O QUE É CERTO E NOS ESFORÇAR PARA AGRADAR A DEUS EM TUDO QUE FAZEMOS.

ORAÇÃO

Pai, ajude-me a mostrar respeito ao seu nome em tudo o que faço. Amém.

TEXTO BÍBLICO: 1CORÍNTIOS 9.24-27, 1PEDRO 5.8-11

07
Junho

NO CONTROLE DAS MINHAS ATITUDES E VALORIZANDO A AMIZADE

VALENTINA – VITÓRIA, ME DESCULPE! EU QUEBREI O SEU BRINQUEDO, MAS FOI SEM QUERER! VOU FALAR COM OS MEUS PAIS E VAMOS TENTAR ENCONTRAR UMA SOLUÇÃO.

VITÓRIA – NÃO TEM PROBLEMA, VALENTINA! NÃO SE PREOCUPE. ÀS VEZES, ACONTECEM COISAS SEM QUERER, E TENHO CERTEZA DE QUE VOCÊ NÃO FEZ DE PROPÓSITO. NÃO ESTOU BRAVA NEM CHATEADA COM VOCÊ. A NOSSA AMIZADE É MAIS IMPORTANTE DO QUE UM BRINQUEDO. PODEMOS TENTAR CONSERTAR JUNTAS, O QUE VOCÊ ACHA?

VALENTINA – CLARO, VAMOS CONSEGUIR! AGRADEÇO MUITO POR SER TÃO LEGAL COMIGO E POR NÃO FICAR BRAVA.

ORAÇÃO

Pai amado, ajude-me a tratar todos com carinho. Amém.

08
Junho

TEXTO BÍBLICO: LUCAS 12.11,12, JOÃO 3.16-21

O ESPÍRITO SANTO

MEU AMIGO EM TODAS AS HORAS

GABRIEL — APRENDER SOBRE O ESPÍRITO SANTO TEM SIDO INCRÍVEL PARA MIM. ENTENDI QUE PRECISO DEIXAR DEUS ENTRAR NO MEU CORAÇÃO E ME MUDAR POR DENTRO. O ESPÍRITO SANTO É MEU AMIGO E ESTÁ SEMPRE AO MEU LADO. ELE ME AJUDA A SER UMA CRIANÇA MELHOR, TER PAZ, AMOR E CONTROLE SOBRE MIM MESMO. COM O ESPÍRITO SANTO, POSSO SER AMÁVEL, BONDOSO, PACIENTE, MANSO, ALEGRE E FIEL. ELE ME AJUDA A VIVER DESSA FORMA, MESMO QUANDO NÃO É FÁCIL.

ENZO — EU TAMBÉM ME SINTO ASSIM. QUERO MOSTRAR ÀS PESSOAS QUE DEUS MUDOU A MINHA VIDA COM SEU AMOR E QUE TODOS PODEM SENTIR ESSE AMOR QUE NOS TORNA PESSOAS MELHORES!

ORAÇÃO

Espírito Santo, me ajude a seguir a vontade de Deus Pai. Amém.

TEXTO BÍBLICO: JOÃO 15.1-17

09
Junho

BRILHANDO COM JESUS

DESCOBRINDO OS FRUTOS DO AMOR E DA OBEDIÊNCIA

ISABELLA — QUANDO ESTAMOS COM JESUS E SEGUIMOS O ESPÍRITO, MOSTRAMOS QUEM SOMOS PARA DEUS. VIVENDO ASSIM, AS PESSOAS VEEM A LUZ DE JESUS EM NÓS E CONHECEM COMO DEUS É. É MUITO IMPORTANTE RESPEITAR DEUS EM TUDO O QUE FAZEMOS. AS PESSOAS PRECISAM SENTIR O AMOR DELE AO NOS VEREM. MUITAS PESSOAS NÃO CONHECEM ESSE AMOR, ENTÃO É NOSSA MISSÃO ESPALHAR O AMOR DO SENHOR EM TODOS OS LUGARES. SE FICARMOS COM JESUS, OBEDECERMOS SEUS ENSINAMENTOS E VIVERMOS CONFORME A PALAVRA DE DEUS, TODOS VERÃO QUE TEMOS O ESPÍRITO SANTO EM NÓS.

ORAÇÃO

Deus Pai, eu agradeço por tudo. Quero espalhar o seu amor a todos. Amém.

TEXTO BÍBLICO: MATEUS 4.4, 2CORÍNTIOS 10.3-6, HEBREUS 4.12,13

A BÍBLIA É UM PRESENTE PARA NÓS

JOÃO — A BÍBLIA É UM PRESENTE ESPECIAL DE DEUS PARA NÓS. É UM LIVRO QUE NOS AJUDA A CONHECER DEUS E SER AMIGOS DELE. AS PESSOAS QUE A ESCREVERAM RECEBERAM AJUDA DE DEUS, E AINDA HOJE PODEMOS APRENDER COM ELA, O QUE INDICA QUE A PALAVRA DE DEUS NUNCA PERDE VALOR. QUANDO LEMOS A BÍBLIA, DESCOBRIMOS MAIS SOBRE O AMOR DE DEUS POR NÓS E O QUE ELE QUER QUE FAÇAMOS. É COMO UMA COMIDA PARA A ALMA, QUE NOS DÁ FORÇA E NOS AJUDA A CRESCER. SE QUEREMOS ESTAR MAIS PERTO DE DEUS, É IMPORTANTE LER A BÍBLIA E SEGUIR O QUE ELA DIZ. ASSIM, PODEMOS CONHECER MELHOR A DEUS E SER MAIS PARECIDOS COM ELE.

ISABELLA — QUE PRESENTE INCRÍVEL DEUS NOS DEU!

ORAÇÃO

Deus, Jesus e Espírito Santo, eu agradeço pela Bíblia. Que eu seja alimentado por essa Palavra. Amém!

TEXTO BÍBLICO: SALMOS 119.1-24,105-112

11 Junho

A JORNADA PARA APRENDER NUNCA ACABA!

VITÓRIA — GOSTO MUITO DE APRENDER SOBRE DEUS! FICO FELIZ QUANDO LEIO A BÍBLIA OU OUÇO HISTÓRIAS NOVAS. NO LIVRO DE SALMOS, POR EXEMPLO, VEMOS QUE SOMOS PROTEGIDOS QUANDO SEGUIMOS A VONTADE DE DEUS. A BÍBLIA NOS MOSTRA O CAMINHO CERTO E NOS CONTA O QUE DEUS QUER QUE FAÇAMOS. ELA TAMBÉM FALA DO AMOR DE JESUS E DAS COISAS MARAVILHOSAS QUE ELE FEZ AQUI NA TERRA. É INCRÍVEL PODER APRENDER MAIS SOBRE O MEU AMADO DEUS!

Ligue os pontos para descobrir o desenho e entender esta mensagem especial!

ORAÇÃO

Pai amado, fico feliz em conhecê-lo. Que eu aprenda com a Bíblia a cada dia. Amém.

12
Junho

TEXTO BÍBLICO: JEREMIAS 9.23,24, JOÃO 17.1-5,13-19

EXPLORANDO AS MARAVILHAS DE DEUS NA BÍBLIA

ISABELLA — A BÍBLIA NOS AJUDA A CONHECER DEUS. ELA NOS CONTA HISTÓRIAS SOBRE ELE, COMO ELE É E O QUE ELE QUER QUE FAÇAMOS. POR EXEMPLO, A HISTÓRIA DE JOSÉ NOS MOSTRA QUE DEUS SEMPRE CUIDA DE NÓS E SABE TUDO O QUE ACONTECE, E A HISTÓRIA DE MOISÉS NOS ENSINA QUE DEUS QUER SER NOSSO AMIGO E ESTAR SEMPRE PERTO DE NÓS. A HISTÓRIA DE JESUS NOS MOSTRA QUE DEUS NOS AMA PROFUNDAMENTE. NA BÍBLIA, PODEMOS DESCOBRIR MUITAS COISAS MARAVILHOSAS SOBRE DEUS. É SÓ LER E DESCOBRIR!

ORAÇÃO

Pai, eu agradeço porque o Senhor se revela na Bíblia. Quero conhecê-lo mais. Amém.

13
Junho

TEXTO BÍBLICO: GÊNESIS 1.26-28, JOÃO 1.9-13, 1PEDRO 2.9,10

DESCOBRINDO A NOSSA IDENTIDADE ATRAVÉS DA BÍBLIA

VALENTINA — É INCRÍVEL PODER CONHECER O MEU AMADO DEUS ATRAVÉS DA BÍBLIA. A BÍBLIA TAMBÉM ME AJUDA A ME ENTENDER MELHOR. DESCOBRI QUE FUI CRIADA À IMAGEM DE DEUS, QUE O AMOR DE JESUS ME TORNA FILHA DE DEUS, E QUE ELE ME ESCOLHEU PARA FAZER COISAS ESPECIAIS. O ESPÍRITO SANTO ME AJUDA A FAZER O QUE DEUS DESEJA. É NA BÍBLIA QUE ENCONTRO A HISTÓRIA MAIS BONITA DE TODAS: O AMOR DE DEUS POR NÓS AO NOS ENVIAR JESUS CRISTO, SEU FILHO, PARA MORRER EM NOSSO LUGAR. SINTO-ME VALIOSA PORQUE DEUS ME VÊ ASSIM.

MÃE DE VALENTINA — ISSO É VERDADE! A BÍBLIA NOS AJUDA A DESCOBRIR QUEM SOMOS, A CONHECER QUEM NOS CRIOU E A VIVER COMO ELE DESEJA QUE VIVAMOS.

Que incrível saber que somos filhos de Deus! A nossa identidade é essa e não pode ser tirada por ninguém. Faça um desenho ou cole uma foto do seu rosto. Depois, peça a um adulto para ajudá-lo a passar tinta no dedo polegar e deixar a sua digital no lugar indicado.

Deus Pai, agradeço por me criar e amar. Ajude-me a entender melhor quem eu sou. Amém.

14
Junho

TEXTO BÍBLICO: GÊNESIS 6.8,9, ÊXODO 33.17

PESSOAS QUE AGRADARAM A DEUS

ENZO — AS HISTÓRIAS DA BÍBLIA ME SURPREENDEM MUITO. MUITAS PESSOAS FORAM BOAS E OBEDIENTES, E ISSO DEIXOU DEUS FELIZ. ESSAS HISTÓRIAS SÃO EXEMPLOS IMPORTANTES PARA NÓS. AJUDAM A GENTE A ENTENDER O QUE DEUS QUER E COMO PODEMOS SER BONS AMIGOS DELE. POR EXEMPLO, EM GÊNESIS, NOÉ AGRADOU A DEUS SENDO UMA PESSOA BOA, HONESTA E OBEDIENTE. EM ÊXODO, DEUS DISSE QUE MOISÉS ERA MUITO ESPECIAL E O ESCOLHEU PARA SER UM GRANDE LÍDER. NOÉ E MOISÉS NÃO ERAM PERFEITOS, MAS SEMPRE QUISERAM FAZER O QUE DEUS MANDAVA. É BOM TER ESSES EXEMPLOS PARA SEGUIR!

GABRIEL — EU QUERO TER UM CORAÇÃO PRONTO PARA OBEDECER, ASSIM COMO NOÉ E MOISÉS. TAMBÉM QUERO SEGUIR O EXEMPLO DESSES HOMENS E DESSAS MULHERES DE FÉ.

ORAÇÃO

Paizinho, me ajude a entender a Bíblia e mude o meu coração. Amém.

TEXTO BÍBLICO: HEBREUS 11

15
Junho

AS INCRÍVEIS HISTÓRIAS DOS HERÓIS DA FÉ!

JOÃO — MEU PAI ME CONTOU HISTÓRIAS DE PESSOAS ESPECIAIS QUE FORAM MUITO CORAJOSAS E CONFIARAM EM DEUS. ELES SÃO CHAMADOS DE HERÓIS DA FÉ. A BÍBLIA NOS ENSINA QUE ACREDITAR EM DEUS E CONFIAR NELE É MUITO IMPORTANTE. ESSES HERÓIS MOSTRARAM SUA FÉ EM DEUS MESMO QUANDO NÃO PODIAM VER NEM ENTENDER TUDO O QUE ACONTECIA. ELES NÃO TINHAM SUPERPODERES COMO NOS QUADRINHOS OU FILMES, MAS CONFIAVAM EM DEUS, QUE É MUITO PODEROSO, POR ISSO DEUS OS USOU PARA FAZER COISAS INCRÍVEIS. NOS PRÓXIMOS DIAS, VAMOS APRENDER AS HISTÓRIAS DE ALGUNS DESSES HERÓIS.

VITÓRIA — OBA! EU QUERO APRENDER COM ESSES HERÓIS E HEROÍNAS!

ORAÇÃO

Deus Pai, me ajude a confiar no Senhor porque eu também quero ser vencedor. Amém.

16
Junho

TEXTO BÍBLICO: GÊNESIS 4.1-5, HEBREUS 11.4

A INCRÍVEL FÉ DE ABEL

ACREDITE E DÊ O SEU MELHOR!

GABRIEL — EM HEBREUS 11.4, VEMOS QUE ABEL FOI UM HERÓI DA FÉ. ELE CONFIOU EM DEUS E OFERECEU ALGO MUITO ESPECIAL. NÃO FOI APENAS O VALOR MATERIAL DA OFERTA QUE O TORNOU ESPECIAL, MAS A SUA FÉ E CONFIANÇA EM DEUS. O SENHOR FICOU FELIZ COM A ATITUDE DE ABEL, POIS VIU QUE ELE ERA JUSTO E SINCERO. PODEMOS APRENDER COM ABEL A TER ESSA MESMA CONFIANÇA EM DEUS E OFERECER A ELE O MELHOR QUE TEMOS.

JOÃO — QUE LEGAL! ABEL FOI MUITO FIEL E DEDICADO AO SENHOR.

ORAÇÃO

Eu agradeço, Deus, por este dia. Ajude-me a ser fiel e a ter fé. Amém.

CAIM NÃO TIROU A FÉ DE ABEL

ISABELLA — EU SABIA QUE ABEL TINHA UM IRMÃO CHAMADO CAIM. CAIM FICOU COM INVEJA E FEZ ALGO MUITO RUIM: ELE MATOU ABEL. MAS AGORA PENSE SOBRE ISTO: CAIM NÃO PODERIA TIRAR A FÉ DE ABEL EM DEUS. DEUS NÃO GOSTOU DA OFERTA DE CAIM PORQUE A OFERTA DE ABEL ERA MELHOR, MAS PORQUE CAIM NÃO ESTAVA SENDO SINCERO. ELE NÃO TINHA A MESMA CONFIANÇA E DEDICAÇÃO A DEUS QUE ABEL. CAIM TIROU A VIDA DE SEU IRMÃO, MAS NUNCA PODERIA TIRAR A FÉ QUE ELE TINHA EM DEUS. DA MESMA FORMA, NINGUÉM PODE TIRAR OU ENFRAQUECER A NOSSA FÉ, PORQUE DEUS NOS APOIA E NOS PROTEGE COMO UM ESCUDO QUE NUNCA SE QUEBRA.

JUNIOR — PARABÉNS, ISABELLA! A NOSSA FÉ NÃO PODE SER ABALADA POR NADA NEM NINGUÉM QUANDO DEPOSITAMOS TODA A NOSSA ESPERANÇA E CONFIANÇA NO SENHOR. É IMPORTANTE CUIDAR E FORTALECER A NOSSA FÉ TODOS OS DIAS.

ORAÇÃO

Pai amado, fortaleça a minha confiança no Senhor. Amém.

18
Junho

TEXTO BÍBLICO: SALMOS 51.16,17, PROVÉRBIOS 3.5-12, LUCAS 21.1-4

A MINHA MAIOR OFERTA

ENZO — ABEL DECIDIU OFERECER OS MELHORES ANIMAIS DO SEU REBANHO COMO OFERTA A DEUS. ELE FEZ ISSO PORQUE SABIA QUE DEVIA DAR A DEUS O QUE TINHA DE MELHOR. PARA DEUS, NÃO ERA APENAS O ATO DE OFERECER QUE IMPORTAVA, MAS SIM A INTENÇÃO DO CORAÇÃO DE ABEL. ESSE BONDOSO PASTOR DE OVELHAS NÃO FICARIA FELIZ EM OFERECER A DEUS QUALQUER COISA, MAS QUERIA DAR O QUE TINHA DE MELHOR PORQUE SABIA QUE DEUS MERECE RECEBER O QUE É BOM E PERFEITO. A COISA MAIS VALIOSA QUE PODEMOS OFERECER A DEUS NÃO É DINHEIRO, ANIMAIS OU BENS MATERIAIS, MAS O NOSSO CORAÇÃO.

PAI DO ENZO — EXISTE UM VERSÍCULO NA BÍBLIA QUE DIZ QUE O QUE AGRADA A DEUS É QUANDO ESTAMOS VERDADEIRAMENTE ARREPENDIDOS E DISPOSTOS A AMAR. ISSO É O QUE DEVEMOS OFERECER A ELE TODOS OS DIAS.

Peça a um adulto que leia o texto de Lucas 21.1-4 com você. Depois, siga a linha para descobrir qual foi a oferta dada pela viúva.

ORAÇÃO

Querido Pai, entrego o meu coração ao Senhor e peço que me guie e ensine. Amém.

TEXTO BÍBLICO: MATEUS 6.19-21,25,26, 2CORÍNTIOS 9.6-7

OFERTA SINCERA DO FUNDO DO CORAÇÃO

VALENTINA — A DIFERENÇA ENTRE AS OFERTAS DE CAIM E ABEL ERA QUE ABEL DEU COM AMOR NO CORAÇÃO, ESCOLHENDO O MELHOR QUE TINHA PARA OFERECER A DEUS. MAS CAIM NÃO FEZ ISSO. DEUS FICOU FELIZ COM A OFERTA DE ABEL PORQUE ELE DEU COM ALEGRIA E DE VERDADE. QUANDO OFERECEMOS ALGO A DEUS, PRECISAMOS FAZER COM AMOR E ALEGRIA, ASSIM COMO ABEL FEZ. DEUS AMA QUANDO DAMOS DE CORAÇÃO.

ISABELLA — EU QUERO DAR A DEUS TUDO O QUE TENHO DE BOM COM MUITA ALEGRIA. QUERO OFERECER O MEU TEMPO, O MEU LOUVOR E A MINHA VIDA A ELE!

ORAÇÃO

Pai, agradeço por tudo o que o Senhor me dá e quero dividi-lo com os outros. Amém.

TEXTO BÍBLICO: 1CRÔNICAS 29.1-9, MATEUS 6.27-34

DANDO COM FÉ NO CORAÇÃO

JOÃO — QUANDO OFERECEMOS ALGO A DEUS, MOSTRAMOS QUE CONFIAMOS NELE E QUE ELE SEMPRE CUIDARÁ DE NÓS. ABEL PODERIA TER FICADO COM MEDO DE NÃO TER COMIDA O BASTANTE, MAS NÃO FOI ASSIM. ELE CONFIAVA EM DEUS E NÃO SE PREOCUPAVA COM ISSO, PORQUE CONHECIA O SENHOR A QUEM SERVIA. A BÍBLIA DIZ QUE DEUS CUIDA DAS FLORES DO CAMPO E CUIDARÁ AINDA MAIS DE NÓS, QUE SOMOS SEUS FILHOS AMADOS. NOSSO PAI AMOROSO QUER O MELHOR PARA NÓS, ENTÃO PODEMOS CONFIAR NELE E TER FÉ EM SUA AJUDA.

ISABELLA — DEUS CUIDA DE TUDO: ANIMAIS, PLANTAS, TERRA, MARES E CÉUS. ELE TAMBÉM CUIDA MUITO BEM DE NÓS, QUE SOMOS SEUS FILHOS.

Pai , obrigado por cuidar de mim. Ajuda-me a confiar sempre no Senhor. Amém.

TEXTO BÍBLICO: SALMOS 147, HEBREUS 13.13-15

ADORANDO DE TODO O CORAÇÃO

21
Junho

VITÓRIA — ADORAR A DEUS É UMA MANEIRA ESPECIAL DE LHE MOSTRAR QUE O AMAMOS E SOMOS GRATOS POR TUDO O QUE ELE FAZ. PODEMOS LOUVAR DE MUITAS FORMAS DIFERENTES, COMO CANTAR, DANÇAR, DESENHAR OU TOCAR INSTRUMENTOS. O IMPORTANTE É QUE O NOSSO LOUVOR VENHA DO CORAÇÃO, COM A INTENÇÃO DE MOSTRAR A DEUS QUANTO O ADMIRAMOS. A MAMÃE ME EXPLICOU QUE TUDO O QUE FAZEMOS DE CORAÇÃO PARA DEUS É O MESMO QUE ADORÁ-LO. É TÃO BOM SABER QUE TEMOS VÁRIAS MANEIRAS DE MOSTRAR NOSSO AMOR POR ELE!

VALENTINA — EU GOSTO DE LOUVAR COM A MINHA VOZ! AMO CANTAR MÚSICAS LINDAS.

ORAÇÃO

Deus Pai, eu o louvo de todo o coração. Aceite o meu louvor. Amém.

22
Junho

TEXTO BÍBLICO: ROMANOS 12.1,2, GÁLATAS 2.19-21

PONHO A MINHA VIDA NAS MÃOS DO SENHOR

GABRIEL — A BÍBLIA NOS ENSINA COMO PODEMOS OFERECER A NOSSA VIDA A DEUS EM TODAS AS COISAS, MESMO NAS MAIS SIMPLES, COMO DORMIR, COMER, TRABALHAR E BRINCAR. DEUS NOS DEU A VIDA, ENTÃO DEVEMOS DEDICÁ-LA A ELE. QUANDO ACORDO, AGRADEÇO A DEUS PELA NOITE DE SONO E PEÇO QUE O DIA SEJA BOM. QUANDO COMO, AGRADEÇO PELA COMIDA E PEÇO PARA QUE NUNCA FALTE. NA ESCOLA, PEÇO AJUDA A DEUS PARA ENTENDER E TER UM BOM DIA COM OS MEUS AMIGOS E PROFESSORES. QUANDO SAIO, PEÇO A DEUS QUE CUIDE DE MIM E EVITE COISAS RUINS. ISSO MOSTRA A MINHA FÉ E CONFIANÇA EM DEUS.

ORAÇÃO

Deus Criador, agradeço por cuidar de mim. Entrego a minha vida nas suas mãos. Amém.

Vamos brincar de Batata Quente com personagens bíblicos? Quando disserem "Queimou", quem estiver com o objeto precisa falar o nome de um personagem da Bíblia. Diversão garantida!

A HISTÓRIA DE ENOQUE

ISABELLA — OUTRA PESSOA QUE ENTROU NA LISTA DAS PESSOAS DE FÉ MENCIONADAS NA BÍBLIA FOI ENOQUE. A BÍBLIA DIZ QUE ELE NÃO MORREU, MAS FOI DIRETO PARA O CÉU VIVER COM DEUS. ISSO ACONTECEU PORQUE ENOQUE TINHA MUITA FÉ E ERA AMIGO DE DEUS. ELE AGRADAVA A DEUS. PARA AGRADAR A DEUS, PRECISAMOS TER FÉ, OU SEJA, ACREDITAR QUE ELE EXISTE E CONFIAR QUE ELE NOS AMA. ENOQUE ACREDITAVA EM DEUS, CONFIAVA NELE E NO SEU AMOR. POR ISSO, DEUS O LEVOU PARA VIVER COM ELE NO CÉU SEM PASSAR PELA MORTE.

VITÓRIA — A HISTÓRIA DE ENOQUE É INCRÍVEL! ELE ERA UM HOMEM DE FÉ. GOSTARIA DE DESCOBRIR MAIS COISAS SOBRE ELE.

ORAÇÃO

Pai, agradeço por ver o seu imenso poder nas histórias da Bíblia. Quero ser seu amigo assim como foi Enoque. Amém.

24
Junho

TEXTO BÍBLICO: GÊNESIS 5.18-24

DESCOBRINDO ENOQUE

QUEM FOI ELE?

VITÓRIA — MAMÃE, ME CONTA MAIS SOBRE ENOQUE? EU JÁ SEI QUE ELE TEVE MUITA FÉ E FOI MORAR COM DEUS SEM MORRER! QUERO SABER MAIS!

MÃE DE VITÓRIA — A HISTÓRIA DE ENOQUE ESTÁ NO LIVRO DE GÊNESIS. ELE FOI UM DOS DESCENDENTES DO PRIMEIRO HOMEM, ADÃO, TEVE UM FILHO CHAMADO MATUSALÉM, ALÉM DE OUTROS FILHOS E FILHAS. ENOQUE VIVEU 365 ANOS ANTES DE MORAR COM DEUS. NAQUELA ÉPOCA, AS PESSOAS VIVIAM MUITOS ANOS. A BÍBLIA NOS DIZ QUE ELE SEMPRE ANDAVA COM DEUS, O QUE SIGNIFICA QUE ELE OBEDECIA E AMAVA A DEUS, RESPEITAVA E SEGUIA OS CAMINHOS DO SENHOR.

ORAÇÃO

Deus Pai, eu agradeço porque o Senhor cuida de mim e da minha família sempre. Amém.

TEXTO BÍBLICO: DEUTERONÔMIO 30.16, LUCAS 9.23-27, JOÃO 14.6

É IMPORTANTE ANDAR COM DEUS

VITÓRIA — A HISTÓRIA DE ENOQUE NOS MOSTRA COMO É IMPORTANTE ANDAR COM DEUS. OS CAMINHOS DO SENHOR SÃO MELHORES DO QUE OS NOSSOS E NOS LEVAM À VIDA E A UM AMOR ESPECIAL. DEUS SABE O QUE É BOM PARA SEUS FILHOS. POR ISSO, PRECISAMOS CONFIAR NELE. JESUS DISSE AOS DISCÍPULOS QUE ELE É O CAMINHO, A VERDADE E A VIDA. ENTÃO, PARA ANDAR COM DEUS, É NECESSÁRIO CONHECER JESUS E ACEITAR O AMOR DE CRISTO. POR ONDE EU FOR, QUERO QUE DEUS ESTEJA COMIGO, GUIANDO CADA UM DOS MEUS PASSOS. ASSIM COMO ENOQUE ANDAVA SEMPRE COM DEUS, EU TAMBÉM QUERO ANDAR!

ENZO — EU QUERO ANDAR COM DEUS! É BOM PODER CAMINHAR COM O SENHOR E SER AMIGO DELE.

Peça a um adulto que leia Hebreus 11.5,6 na versão A Mensagem com você. Depois, desenhe setas para colocar as partes do versículo em ordem.

Por um ato de fé, Enoque escapou da morte. Eles o procuraram e não o encontraram, pois Deus o tinha tomado.

Sabemos, com base num testemunho confiável, que antes de ser tomado ele agradou a Deus.

É impossível agradar a Deus a não ser pela fé.

Por quê? Porque qualquer um que deseja se aproximar de Deus deve crer que ele existe e que se preocupa o bastante para atender aos que o procuram.

ORAÇÃO

Deus querido, quero andar com o Senhor como Enoque e que o Espírito Santo me ajude a agradar o seu coração. Amém.

26
Junho

TEXTO BÍBLICO: MATEUS 12.46-50, TIAGO 4.4

ENOQUE E DEUS

AMIZADE ESPECIAL

JOÃO — ENOQUE E DEUS ERAM GRANDES AMIGOS. ELES CONVERSAVAM TODOS OS DIAS. QUANDO ESTAVA FELIZ, ENOQUE COMEMORAVA E FICAVA COM DEUS, MOSTRANDO QUANTO O AMAVA. ENOQUE TAMBÉM PRESTAVA MUITA ATENÇÃO PARA OUVIR DEUS, PORQUE OS AMIGOS SEMPRE SE OUVEM. ENOQUE SEMPRE FAZIA O QUE DEUS ACHAVA CERTO, PORQUE, COMO AMIGO DE DEUS, SEMPRE ERA OBEDIENTE. SER AMIGO DE DEUS É MUITO ESPECIAL, É CONFIAR, RESPEITAR, AMAR, CUIDAR, SER FIEL E TER UMA AMIZADE VERDADEIRA.

ISABELLA — ASSIM COMO ENOQUE, NÓS TAMBÉM PODEMOS SER AMIGOS DE DEUS!

ORAÇÃO

Pai amado, agradeço por ser fiel e bom. Ajude-me a ser como Enoque. Amém.

TEXTO BÍBLICO: JÓ 22.21-25, JOÃO 15.11-15

O MELHOR AMIGO PARA SEMPRE

27
Junho

GABRIEL — EU TENHO MUITOS AMIGOS ESPECIAIS. MAS O MEU MELHOR AMIGO DE TODOS É DIFERENTE. EU NÃO CONSIGO VÊ-LO, MAS ELE ESTÁ SEMPRE COMIGO. ELE É O MEU DEUS. ELE ME AMA MUITO, CUIDA DE MIM E DA MINHA FAMÍLIA. MESMO QUE EU NÃO POSSA VÊ-LO, POSSO SENTIR O SEU AMOR E OUVIR A SUA VOZ NO MEU CORAÇÃO. FALO COM ELE TODOS OS DIAS E TENTO OBEDECER ÀS COISAS BOAS QUE ELE ME ENSINA. QUERO ESTAR SEMPRE PERTO DO SENHOR, PORQUE ELE É O MEU MELHOR AMIGO PARA SEMPRE.

AVÔ DE GABRIEL — DEUS É O MELHOR AMIGO QUE NÓS PODEMOS TER. É MUITO IMPORTANTE CUIDAR DA NOSSA AMIZADE COM ELE.

ORAÇÃO

Senhor, assim como Enoque, eu quero ser seu amigo para sempre! Amém.

Contorne o pontilhado para descobrir o resto da mensagem!

Deus é o meu

MELHOR AMIGO.

28
Junho

TEXTO BÍBLICO: GÊNESIS 5.24, HEBREUS 11.5,6

ENOQUE CREU E VIVEU PARA SEMPRE!

VALENTINA — ENOQUE ERA UM HOMEM MUITO ESPECIAL. ELE FOI UM DOS POUCOS DE TODA A HISTÓRIA QUE NÃO PRECISOU PASSAR PELA MORTE E FOI MORAR COM DEUS, NO CÉU. ENOQUE VIVIA DE UM JEITO CORRETO: ERA HONESTO, BONDOSO, PACIENTE E OBEDIENTE. ELE ERA UM AMIGO LEAL A DEUS, E DEUS TAMBÉM O AMAVA MUITO. POR ISSO, DEUS LEVOU ENOQUE PARA MORAR COM ELE NO CÉU. ENOQUE ERA TÃO PURO E LEAL COMO AMIGO QUE DEUS DECIDIU LEVÁ-LO DIRETAMENTE PARA O CÉU, SEM PRECISAR PASSAR PELA MORTE!

ISABELLA — A BÍBLIA CONTA QUE ENOQUE SIMPLESMENTE DESAPARECEU. DE REPENTE, ELE FOI AO ENCONTRO DE DEUS, O PAI.

ORAÇÃO

Deus Pai, eu agradeço por conhecer o Senhor cada dia mais e aprender a ser como o Senhor deseja. Amém.

NOSSO LAR NO CÉU

COM DEUS PARA SEMPRE

ENZO — ENOQUE TEVE A ALEGRIA DE IR DIRETAMENTE PARA A CASA DE DEUS, NO CÉU, SEM MORRER. ASSIM COMO ELE, UM DIA IREMOS PARA A CASA DE DEUS, O PAI, QUANDO JESUS VOLTAR. TODOS OS FILHOS DE DEUS TÊM UM LUGAR ALI. DEVEMOS SEGUIR O EXEMPLO DE JESUS, SENDO COMO ELE E ESPALHANDO SEU AMOR. É IMPORTANTE FALAR SOBRE DEUS E DAR ÀS PESSOAS A OPORTUNIDADE DE CONHECEREM A DEUS E SEREM AMIGOS DELE. ACREDITAMOS QUE JESUS VOLTARÁ PARA NOS LEVAR AO CÉU, ONDE VIVEREMOS COM O PAI E COM OS NOSSOS IRMÃOS QUE TAMBÉM SEGUEM JESUS.

ORAÇÃO

Pai, eu agradeço por nos dar a certeza de que podemos estar ao seu lado para sempre. Ajude-me a espalhar esse amor. Amém.

Vamos brincar de "Telefone sem fio" para falar da Palavra do Senhor? Escolham um versículo e falem no ouvido da pessoa ao seu lado e assim por diante até chegar ao final. Divirtam-se e espalhem a mensagem!

TEXTO BÍBLICO: HEBREUS 5.7

NOÉ, GRANDE EXEMPLO DE OBEDIÊNCIA

VITÓRIA — NOÉ FOI UM HOMEM MUITO OBEDIENTE A DEUS EM UM TEMPO NO QUAL A HUMANIDADE HAVIA DECEPCIONADO O CRIADOR, POIS NÃO CAMINHAVA MAIS COM ELE. O SENHOR FOI BOM COM NOÉ E A FAMÍLIA DELE E OS SALVOU DA DESTRUIÇÃO. QUANDO SOMOS OBEDIENTES A DEUS, ELE NOS CONSIDERA JUSTOS. A OBEDIÊNCIA A DEUS TAMBÉM VEM DA FÉ, PORQUE PRECISAMOS CONFIAR E ESTAR FIRMES NO SENHOR PARA NÃO CAIR NO PECADO E NÃO SER INFLUENCIADO PELAS MÁS COMPANHIAS.

AO OBEDECER A DEUS, PROVAMOS QUE SOMOS SEUS AMIGOS E QUE ELE PODE CONTAR COM A GENTE. ALÉM DISSO, QUANDO OBEDECEMOS A DEUS, PROVAMOS QUE CREMOS NELE, QUE ESTAMOS FIRMES EM FAZER O QUE É CERTO E QUE NÃO QUEREMOS SER LEVADOS PELOS ERROS DOS OUTROS.

VALENTINA — NOÉ ACREDITOU NO QUE DEUS LHE DISSE E SEMPRE OBEDECEU, MOSTRANDO QUE TINHA MUITA FÉ.

Poderoso Deus, agradeço por mais um dia com você; que eu possa estar sempre com o Senhor e caminhar ao seu lado. Amém.

DIVERSÃO EM FAMÍLIA

Encontre as palavras para completar os versículos!

S	Q	A	S	M	P	V
U	U	D	A	A	R	I
S	I	E	T	U	D	P
P	C	U	I	D	A	R
E	Q	S	S	I	R	O
N	U	E	F	S	E	V
D	E	L	E	L	N	I
I	M	V	I	I	T	S
S	O	A	T	Q	C	A
S	L	R	A	U	O	O
E	E	I	S	E	N	E
T	S	U	A	T	S	N
I	T	S	S	E	E	A

"Se ____________________ dá tanta atenção à aparência das flores do campo — e muitas delas nem mesmo são vistas —, não acham que ele irá ____________________ de vocês, ter prazer em vocês e fazer o melhor por vocês? Quero convencê-los a relaxar, a não se preocuparem tanto em adquirir. Em vez disso, prefiram ____________________, correspondendo, assim, ao cuidado de Deus. Quem não conhece Deus e não sabe como ele trabalha é que se prende a essas coisas, mas vocês conhecem Deus e sabem como Ele trabalha. Orientem sua vida de acordo com a realidade, a iniciativa e a ____________________ de Deus. Não se preocupem com as perdas, e descobrirão que todas as suas necessidades serão ____________________."

(Mateus 6.30-33, A Mensagem)

café
com
Deus
pai
KIDS

JULHO
FÉRIAS DE INVERNO

DIVERSÃO EM FAMÍLIA

Vamos colorir? Pinte o desenho da arca de Noé.

TEXTO BÍBLICO: GÊNESIS 6.1-10

01
Julho

NOÉ: UM HOMEM BOM E CORRETO

GABRIEL — QUANDO AS PESSOAS COMEÇARAM A FAZER COISAS MÁS E NÃO AMAVAM A DEUS, ELE FICOU MUITO TRISTE. ELE VIU QUE TODOS ESCOLHIAM FAZER COISAS RUINS EM VEZ DE FAZER O BEM. ENTÃO, DEUS DECIDIU QUE IRIA TIRAR TODAS AS PESSOAS E ANIMAIS DA TERRA PORQUE ESTAVA ARREPENDIDO DE TÊ-LOS CRIADO. MAS, MESMO NO MEIO DE TANTA MALDADE, DEUS ENCONTROU UM HOMEM ESPECIAL. ESSE HOMEM ERA NOÉ, QUE ERA BOM E CORRETO. A BÍBLIA DIZ QUE NOÉ ANDAVA COM DEUS. ISSO SIGNIFICA QUE ELE OBEDECIA A DEUS, ERA AMIGO DELE E O AMAVA DE CORAÇÃO.

JOÃO — A HISTÓRIA DE NOÉ É MARAVILHOSA! É BOM SABER QUE DEUS ENCONTROU ALGUÉM BOM NO MEIO DE TANTA GENTE QUE NÃO FAZIA COISAS BOAS.

ORAÇÃO

Meu Deus, peço perdão pelos meus pecados e peço que o Senhor me guie para eu ser uma pessoa correta e boa. Amém.

02
Julho

TEXTO BÍBLICO: GÊNESIS 6.9-22

NOÉ RECEBEU UMA TAREFA ESPECIAL DE DEUS E NÃO DESISTIU!

JOÃO — QUANDO DEUS DECIDIU SALVAR NOÉ E SUA FAMÍLIA DA DESTRUIÇÃO, ELE MANDOU NOÉ CONSTRUIR UM GRANDE BARCO DE MADEIRA, OU SEJA, UMA ARCA. ESSA ARCA TINHA ESPAÇO SUFICIENTE PARA NOÉ, SUA FAMÍLIA E TODOS OS ANIMAIS PARA QUE ELES NÃO FOSSEM ATINGIDOS. DEUS DISSE QUE TRARIA MUITA ÁGUA SOBRE A TERRA, UM GRANDE DILÚVIO, PARA DESTRUIR TODOS OS SERES VIVOS. MAS DEUS TAMBÉM FEZ UMA PROMESSA ESPECIAL A NOÉ E SUA FAMÍLIA: ELES NÃO SERIAM ATINGIDOS E SABEMOS QUE DEUS SEMPRE CUMPRE AS PROMESSAS QUE FAZ AO SEU POVO.

ISABELLA — DEVE TER SIDO UMA TAREFA E TANTO CONSTRUIR AQUELE BARCO ENORME. ELE PRECISAVA DE ESPAÇO PARA AS PESSOAS, OS ANIMAIS E A COMIDA. MAS NOÉ NÃO DESISTIU!

ORAÇÃO

Deus Pai, eu confio no que o Senhor disse. Obrigado por ser bom. Amém.

NOÉ E A GRANDE ARCA

VALENTINA — NOÉ MOSTROU SER OBEDIENTE A DEUS E TER FÉ NELE. CONFIOU QUANDO DEUS DISSE QUE ELE ESTARIA SEGURO DENTRO DA ARCA E QUE A CHUVA NÃO DESTRUIRIA SUA FAMÍLIA. COM FÉ, NOÉ ENTROU NA ARCA COM SUA MULHER E OS TRÊS FILHOS, SEM, CAM E JAFÉ, E AS ESPOSAS DOS FILHOS; TAMBÉM LEVOU ANIMAIS. DEUS DISSE QUE O DILÚVIO DURARIA QUARENTA DIAS E QUARENTA NOITES.

MÃE DE VALENTINA — QUANDO OBEDECEMOS A DEUS, DEMONSTRAMOS QUE O AMAMOS E RESPEITAMOS, ISTO É, MOSTRAMOS QUE REALMENTE ACREDITAMOS NELE.

ORAÇÃO

Deus Pai, obrigado por esses exemplos de fé e obediência. Guie sempre os meus caminhos. Amém.

04
Julho

TEXTO BÍBLICO: GÊNESIS 7.11-24

O DILÚVIO

ENZO — EU TENHO MUITO MEDO DE CHUVAS FORTES E TROVÕES. ACHO QUE FOI MUITO DIFÍCIL FICAR DENTRO DO BARCO DURANTE O DILÚVIO, SENTIR O BARCO BALANÇAR E VER OS ANIMAIS COM MEDO. DEPOIS DE CHOVER POR MUITO TEMPO, AS ÁGUAS AINDA ESTAVAM SUPER ALTAS. A BÍBLIA DIZ QUE A ÁGUA ESTAVA MUITO, MUITO ALTA, ATÉ ACIMA DAS MONTANHAS! NOÉ DEVE TER FICADO COM MUITO MEDO, PREOCUPADO E TRISTE, MAS ELE ACREDITAVA NA PROMESSA DE DEUS.

GABRIEL — NÓS TAMBÉM PRECISAMOS CONFIAR EM DEUS MESMO QUANDO ESTAMOS COM MEDO, PORQUE ELE CUIDA DE NÓS, ASSIM COMO CUIDOU DE NOÉ E DE SUA FAMÍLIA.

ORAÇÃO

Pai amado, eu sei que o Senhor cuida de mim e me traz paz. Amém.

UMA LONGA ESPERA!

ISABELLA – QUANDO A CHUVA PAROU, NOÉ ESPEROU ANTES DE SAIR DO BARCO. DEUS SECOU A ÁGUA AOS POUCOS COM UM VENTO FORTE. NOÉ SOLTOU UM PÁSSARO PRETO, MAS ELE NÃO ACHOU ONDE POUSAR. DEPOIS, SOLTOU UMA POMBA, MAS ELA VOLTOU. NOÉ SOLTOU A POMBA DE NOVO E ELA TROUXE UM GALHINHO, MOSTRANDO QUE A ÁGUA ESTAVA DIMINUINDO. DEPOIS DE ESPERAR MAIS ALGUNS DIAS, NOÉ SOLTOU A POMBA, E ELA NÃO VOLTOU. APROXIMADAMENTE UM ANO DEPOIS, NOÉ PÔDE SAIR DO BARCO, SABENDO QUE DEUS SEMPRE ESTEVE COM ELE.

ORAÇÃO

Agradeço, Senhor, por estar sempre comigo, mesmo quando preciso esperar. Amém.

06
Julho

TEXTO BÍBLICO: GÊNESIS 9.1-17

O ARCO-ÍRIS DA PROMESSA

VITÓRIA — DEUS PROTEGEU NOÉ E SUA FAMÍLIA E OS ABENÇOOU MUITO DURANTE TODO O DILÚVIO. QUANDO ELES SAÍRAM DA ARCA, DEUS DISSE A NOÉ E À SUA FAMÍLIA QUE TIVESSEM MUITOS FILHOS E SE ESPALHASSEM POR TODA A TERRA. DEUS FEZ UMA PROMESSA ESPECIAL A NOÉ DE QUE NUNCA MAIS HAVERIA OUTRO DILÚVIO. COMO SINAL DESSA PROMESSA, DEUS PÔS UM LINDO ARCO-ÍRIS NO CÉU! ATÉ HOJE, QUANDO VEMOS UM ARCO-ÍRIS, NOS LEMBRAMOS DA PROMESSA DE DEUS.

JOÃO — ACREDITAR QUE DEUS CUMPRE O QUE PROMETE É MUITO IMPORTANTE PARA SERMOS AMIGOS DELE. NOÉ MOSTROU CONFIAR EM DEUS E SE ENTREGOU A ELE COMPLETAMENTE, COM TODA A SUA FAMÍLIA. POR ISSO, DEUS O ABENÇOOU MUITO. EU TAMBÉM QUERO SER COMO NOÉ: BOM, JUSTO E TER FÉ EM DEUS.

ORAÇÃO

Senhor Deus, eu agradeço por cuidar de todos nós. Quero amá-lo e adorá-lo. Amém.

ABRAÃO DEIXA TUDO

JOÃO – EXISTE UM HOMEM NA BÍBLIA CHAMADO ABRAÃO, QUE, CERTA VEZ, RECEBEU UM CHAMADO ESPECIAL DE DEUS. DEUS DISSE A ABRAÃO QUE ELE DEVERIA IR PARA UM LUGAR NOVO QUE ELE NÃO CONHECIA. ABRAÃO TERIA QUE DEIXAR SUA CASA E SEUS PARENTES E VIAJAR MUITO TEMPO, MAS DEUS TAMBÉM DISSE A ABRAÃO QUE ELE TERIA MUITAS COISAS BOAS E MUITOS FILHOS. ABRAÃO ACREDITOU EM DEUS E PARTIU NESSA AVENTURA. ELE ERA UM AMIGO ESPECIAL DE DEUS.

ISABELLA – ELE CONFIAVA MUITO EM DEUS E MANTINHA SUA CONFIANÇA NO SENHOR MESMO QUANDO SE SENTIA DESENCORAJADO, PORQUE SABIA QUE DEUS NUNCA FALHA. QUANDO CONHECEMOS DEUS E TEMOS CERTEZA DE QUE ELE NOS AMA E QUER O MELHOR PARA NÓS, CONFIAMOS NELE MESMO QUANDO ESTAMOS COM MEDO, TRISTES OU CANSADOS.

ORAÇÃO

Meu Pai, sei que você sempre cumpre o que diz, por isso quero confiar nas suas palavras. Amém.

08
Julho

TEXTO BÍBLICO: GÊNESIS 12.1-9

A JORNADA CORAJOSA DE ABRAÃO AO DESCONHECIDO

GABRIEL — DEUS CHAMOU ABRAÃO E DISSE QUE ELE TERIA QUE DEIXAR SUA TERRA, SUA FAMÍLIA E IR PARA UM LUGAR QUE ELE NÃO CONHECIA. NAQUELA ÉPOCA, NÃO HAVIA MAPAS, NEM CARROS NEM ÔNIBUS DE VIAGEM. TUDO O QUE ABRAÃO TINHA ERA A VOZ DE DEUS PARA GUIÁ-LO, E ELE CONFIOU NESSA VOZ. DEUS PROMETEU QUE ABRAÃO TERIA MUITOS FILHOS E RECEBERIA MUITAS BÊNÇÃOS. NÓS TAMBÉM RECEBEMOS BÊNÇÃOS DE DEUS, E ELE TEM SONHOS PARA CADA UM DE NÓS, MAS É IMPORTANTE QUE ESTEJAMOS ATENTOS À SUA VOZ. É MELHOR SEGUIR A VOZ DE DEUS EM TODAS AS SITUAÇÕES.

AVÔ DE GABRIEL — HOJE EM DIA, USAMOS O MAPA DO CELULAR PARA SABER AONDE IR. MAS É IMPORTANTE LEMBRAR QUE DEUS É O NOSSO VERDADEIRO GUIA; POR ISSO, DEVEMOS OUVIR SUA VOZ PARA SABER O CAMINHO CERTO.

ORAÇÃO

Querido Pai, me ajude a ouvi-lo e a seguir a sua vontade. Em nome de Jesus, amém.

TEXTO BÍBLICO: GÊNESIS 15.1-5, SALMOS 34.4

09
Julho

AVENTURAS COM DEUS

SUPERANDO MEDOS E RECEBENDO BÊNÇÃOS!

VALENTINA — ABRAÃO ACREDITAVA MUITO NA PROMESSA DE DEUS, MAS, DEPOIS DE UNS ANOS, COMEÇOU A TER MEDO E A FICAR PREOCUPADO. ELE QUERIA MUITO TER UM FILHO PARA SER O SEU HERDEIRO, MAS SARA, SUA ESPOSA, NÃO PODIA TER FILHOS. O SENHOR DISSE QUE ELE NÃO DEVERIA TER MEDO, PORQUE RECEBERIA GRANDES BÊNÇÃOS E PROMETEU QUE ELE TERIA UM FILHO. ÀS VEZES, SINTO MUITO MEDO QUANDO ESTOU AQUI NO HOSPITAL, MAS FECHO OS OLHOS, RESPIRO FUNDO E CONSIGO SENTIR QUE DEUS ESTÁ COMIGO E CUIDA DE MIM. ELE FAZ COMIGO O QUE FEZ COM ABRAÃO E DIZ: “NÃO TENHA MEDO, VALENTINA! EU SOU O SEU ESCUDO”.

MÃE DE VALENTINA — TANTO A MAMÃE QUANTO O PAPAI TAMBÉM SENTEM MEDO, MAS NÓS ORAMOS JUNTOS E CONFIAMOS EM DEUS PARA CUIDAR DE TODAS AS SITUAÇÕES.

ORAÇÃO

Deus Pai, entrego os meus medos ao Senhor; por favor, me proteja. Amém.

10
Julho

TEXTO BÍBLICO: GÊNESIS 15.6-21

MEU AMIGO E PROTETOR

VALENTINA – CONFIAR EM DEUS ME FAZ SENTIR BEM! ELE TRAZ PAZ QUANDO AS COISAS ESTÃO DIFÍCEIS. ONTEM, O MÉDICO ME DISSE QUE ESTOU MELHOR E POSSO IR PARA CASA. PRECISO TOMAR CUIDADO, NÃO POSSO CORRER NEM FICAR MUITO CANSADA, MAS O MEU CORAÇÃO ESTÁ MAIS FORTE. EU SEI QUE DEUS ESTÁ COMIGO, NÃO IMPORTA SE ESTOU BEM OU MAL, EM CASA OU NO HOSPITAL. ABRAÃO TAMBÉM CONFIOU EM DEUS E ACREDITOU NA PROMESSA DELE, PORQUE SABIA QUE DEUS É MUITO PODEROSO.

JOÃO – VALENTINA, FICAMOS MUITO CONTENTES EM SABER QUE VOCÊ ESTÁ BEM. TODOS NÓS NOS REUNIMOS PARA ORAR POR VOCÊ E PEDIR A DEUS QUE CUIDE DO SEU CORAÇÃO E TRAGA PAZ. CONFIAMOS QUE DEUS SEMPRE CUIDA DE VOCÊ.

ORAÇÃO

Pai amado, confio no Senhor e no seu amor. Cuide de mim sempre. Amém.

QUE VOCÊ BRILHE COMO UMA ESTRELA NO CÉU

VITÓRIA — DEUS FEZ UMA PROMESSA ESPECIAL A ABRAÃO: ELE TERIA MUITOS FILHOS, NETOS E BISNETOS. SERIA UMA FAMÍLIA MUITO GRANDE, COMO AS ESTRELAS NO CÉU! ABRAÃO FICOU SURPRESO, PORQUE ELE E SUA ESPOSA SARA JÁ ERAM BEM VELHINHOS. MAS DEUS PODE FAZER COISAS INCRÍVEIS, MESMO QUANDO PARECEM MUITO DIFÍCEIS. ABRAÃO CONFIOU EM DEUS PORQUE SABIA QUE ELE NUNCA DESISTE.

Deus disse a Abraão que olhasse para o céu e contasse as estrelas, porque sua família seria tão grande quanto as estrelas. Encontre os cinco erros na imagem.

ORAÇÃO

Deus Pai, ensina-me a confiar no Senhor, como Abraão confiou. Amém.

12
Julho

TEXTO BÍBLICO: GÊNESIS 12.4, 21.5

O PRESENTE DE DEUS NO TEMPO CERTO

ENZO — HOJE, DEUS ME ENSINOU UMA IMPORTANTE LIÇÃO COM A HISTÓRIA DE ABRAÃO. EU ESTAVA ANSIOSO E ZANGADO POR CAUSA DO MEU ANIVERSÁRIO E DO PRESENTE PROMETIDO PELOS MEUS PAIS: UM CARRINHO COM CONTROLE REMOTO. FIQUEI IMPACIENTE, CHOREI E SENTI QUE OS MEUS PAIS ESTAVAM SENDO INJUSTOS. MAS, AO VER O DESENHO QUE FIZEMOS NA IGREJA, PERCEBI QUE ABRAÃO TEVE QUE ESPERAR 25 ANOS PARA QUE DEUS CUMPRISSE A PROMESSA. ELE TINHA 75 ANOS QUANDO DEUS PROMETEU UM FILHO E SÓ AOS 100 ANOS VIU ESSA PROMESSA ACONTECER. AGORA ENTENDO QUE CADA COISA ACONTECE NO TEMPO CERTO.

ORAÇÃO

Deus Pai, perdoe a minha pressa e me ajude a esperar com calma. Amém.

DEUS SEMPRE CUMPRE O QUE PROMETE

ISABELLA — DEUS SEMPRE CUMPRE SUAS PROMESSAS. ABRAÃO CONFIAVA EM DEUS PORQUE SABIA QUE ELE É FIEL. ABRAÃO ERA UMA PESSOA DEDICADA A DEUS E PROCURAVA SER JUSTO E CORRETO, MESMO QUE COMETESSE ERROS E SE SENTISSE COM MEDO E INSEGURO. NO ENTANTO, ABRAÃO TINHA A CERTEZA DE QUE O SENHOR ESTAVA COM ELE. NÃO FOI FÁCIL PARA ABRAÃO DEIXAR SUA FAMÍLIA E PARTIR PARA UMA TERRA ESTRANHA NEM ESPERAR 25 ANOS PELO NASCIMENTO DO FILHO QUE DEUS HAVIA PROMETIDO, MAS O SENHOR LHE DEU FORÇA E ESTEVE AO SEU LADO.

GABRIEL — QUANDO FUI MORAR COM OS MEUS AVÓS E DEIXEI A CASA DA MINHA MÃE, FOI DIFÍCIL PARA MIM. MAS DISSERAM QUE SERIA MELHOR PARA MIM E PARA A NOSSA FAMÍLIA. AGORA TENHO CERTEZA DE QUE ISSO É VERDADE E QUE DEUS SEMPRE ESTEVE COMIGO.

ORAÇÃO

Pai, eu quero ser fiel e valente. Por favor, tire os meus medos. Amém.

TEXTO BÍBLICO: SALMOS 37.4, 126.6, PROVÉRBIOS 16.3

DEUS CONHECE OS NOSSOS SONHOS

GABRIEL — TENHO MUITOS SONHOS PARA QUANDO EU FOR ADULTO! QUERO TER UMA CASA BONITA E UM LUGAR LEGAL PARA MORAR. SONHO EM SER BOMBEIRO E AJUDAR A APAGAR INCÊNDIOS. TAMBÉM QUERO SER GRANDE O SUFICIENTE PARA DIRIGIR UM CARRO GRANDE. AH, E EU DESEJO MORAR MAIS PERTO DA MINHA MÃE, COM MEUS AVÓS AO NOSSO LADO. SONHAR É TÃO BOM!

JOÃO — É BOM SONHAR! VOCÊ PODE FALAR COM DEUS SOBRE OS SEUS DESEJOS E SONHOS. SARA QUERIA MUITO SER MÃE E ABRAÃO QUERIA TER UM FILHO PARA CONTINUAR SUA FAMÍLIA. DEUS SABIA O QUE ELES QUERIAM E, QUANDO CHEGOU A HORA CERTA, O SENHOR FEZ ACONTECER. ELE SEMPRE SABE O TEMPO CERTO PARA REALIZAR OS NOSSOS SONHOS.

ORAÇÃO

Deus Pai, entrego os meus sonhos nas suas mãos. Faça a sua vontade. Amém.

TEXTO BÍBLICO: PROVÉRBIOS 19.21, JEREMIAS 29.11, EFÉSIOS 3.20

15
Julho

VIVENDO OS SONHOS DE DEUS

ISABELLA — QUANDO VIVEMOS OS SONHOS DE DEUS, NÃO FICAMOS TRISTES. ELE TEM SEMPRE OS MELHORES PLANOS PARA NÓS, PORQUE SABE O QUE É BOM PARA SEUS FILHOS. DEUS QUER QUE TENHAMOS ESPERANÇA E UM FUTURO BONITO. ELE NUNCA DESEJA COISAS RUINS PARA NÓS. PARA SONHAR OS SONHOS DE DEUS, PRECISAMOS CONHECÊ-LO E SER AMIGOS DELE. ASSIM, VAMOS ENTENDER O QUE ELE QUER E SER CAPAZES DE FAZER O QUE LHE AGRADA.

JOÃO — ABRAÃO E SARA TINHAM UM SONHO QUE TAMBÉM ERA O SONHO DE DEUS. DEUS LHES PROMETEU QUE TERIAM UMA GRANDE FAMÍLIA.

Vamos ver quanto você já conhece a história de Sara! Peça a um adulto que o ajude a responder a estas perguntas! Encontre a resposta na sopa de letrinhas e conecte as letras com um lápis de cor.

1. Qual era o nome do esposo de Sara?

____

2. Qual era o sonho de Sara?
Ter um _______________

3. Quem prometeu que o sonho de Sara se realizaria?

____

Pai, quero conhecê-lo mais. Desejo que os seus sonhos sejam os meus. Amém.

16
Julho

TEXTO BÍBLICO: HEBREUS 11.11,12

A INCRÍVEL JORNADA DE SARA

VITÓRIA — A ESPOSA DE ABRAÃO, CHAMADA SARA, TAMBÉM TINHA MUITA FÉ. ELA QUERIA MUITO TER UM FILHO, UM BEBÊ PARA AMAR, CUIDAR E ENSINAR. MAS SARA NÃO PODIA TER FILHOS. ELA FICOU MUITO TRISTE E DESANIMADA. MAS SABE O QUE ACONTECEU? DEUS PROMETEU A ELA QUE TERIA UM BEBÊ! NO COMEÇO, SARA ACHOU QUE NÃO ERA POSSÍVEL PORQUE ELA JÁ ERA VELHINHA. MAS DEUS MOSTROU QUE PODE FAZER COISAS IMPOSSÍVEIS! E NÃO É QUE SARA FICOU GRÁVIDA E TEVE UM MENINO? O NOME DELE ERA ISAQUE. E SABE DE UMA COISA? MINHA MÃE TAMBÉM NÃO PODIA TER FILHOS, MAS DEUS FALOU COM ELA E EU NASCI!

ISABELLA — COMO É BOM SABER QUE DEUS TORNA OS SONHOS EM REALIDADE!

ORAÇÃO

Bom Deus, agradeço por me ensinar a sonhar e a confiar que o Senhor pode tornar os meus sonhos em realidade. Amém.

A PROMESSA DO SENHOR

VALENTINA — JÁ SABEMOS QUE DEUS FEZ UMA PROMESSA ESPECIAL A ABRAÃO E SUA ESPOSA. ISSO ACONTECEU QUANDO DEUS MANDOU ANJOS DO CÉU PARA FALAR COM ABRAÃO E SARA. QUE SURPRESA! SARA FEZ PÃES BEM GOSTOSOS, E ABRAÃO ESCOLHEU O MELHOR ANIMAL PARA PREPARAR. OS ANJOS DISSERAM QUE SARA TERIA UM BEBÊ! UAU! POR ESSA NÃO ESPERAVAM. ELES FICARAM MUITO FELIZES PORQUE TINHAM O SONHO DE TER UM FILHO E ACREDITAVAM EM DEUS, QUE SEMPRE CUMPRE O QUE PROMETE. NOSSO PAI DO CÉU SE IMPORTA COM O QUE SENTIMOS E COM O QUE VAI ACONTECER NO FUTURO.

VITÓRIA — PODEMOS ACREDITAR NAS PALAVRAS DE DEUS, POIS ELE SEMPRE CUMPRE O QUE PROMETE. ELE NUNCA FALHA!

ORAÇÃO

Pai, agradeço por aprender tanto com a Bíblia. Ajude-me a confiar no Senhor sempre. Amém.

18
Julho

TEXTO BÍBLICO: GÊNESIS 18.10-15

TUDO É POSSÍVEL PARA DEUS!

ENZO – SARA PRECISOU CONFIAR EM DEUS, MESMO SENDO VELHA DEMAIS PARA TER FILHOS. QUANDO OS ANJOS DISSERAM QUE ELA TERIA UM FILHO, ELA ATÉ RIU, ACHANDO AQUILO ABSURDO, POR CONTA DA SUA IDADE. MAS PARA DEUS, TUDO É POSSÍVEL. ÀS VEZES, PASSAMOS POR SITUAÇÕES DIFÍCEIS QUE NOS DEIXAM TRISTES. EU, POR EXEMPLO, TENHO DIFICULDADE EM FICAR PARADO. O MEU SONHO ERA APRENDER A LER, MAS NÃO CONSEGUIA PRESTAR ATENÇÃO. ENTÃO, FIZ UMA ORAÇÃO PEDINDO A AJUDA DE DEUS PARA ME CONCENTRAR. AGORA, CONSIGO ME CONCENTRAR MELHOR E APRENDI A LER. LEIO ATÉ EM VOZ ALTA!

JOÃO – PARABÉNS, ENZO! EU FICO MUITO FELIZ POR VER QUE VOCÊ NÃO DESISTIU E CONSEGUIU O QUE QUERIA!

Pai, nada é impossível para o Senhor. Espírito Santo, me ajude a ficar firme. Amém.

TEXTO BÍBLICO: GÊNESIS 21.1-6

DEUS NOS FAZ RIR DE ALEGRIA

19
Julho

GABRIEL — QUANDO OS ANJOS DISSERAM QUE SARA TERIA UM BEBÊ, ELA RIU PORQUE ACHAVA MUITO DIFÍCIL. MAS, DEPOIS DE UM TEMPO, O BEBÊ ISAQUE NASCEU E ELA FICOU MUITO FELIZ. O SONHO DE SARA SE TORNOU REALIDADE, E ELA FINALMENTE TEVE SEU BEBÊ. DEUS NOS FAZ FELIZES. SE PRESTARMOS ATENÇÃO, VAMOS VER QUE ELE CUIDA DE NÓS ATÉ NOS DETALHES. FICO FELIZ EM APRENDER SOBRE O AMOR DE DEUS. FICO ANIMADO DE VER COMO ESSAS PESSOAS TINHAM TANTA FÉ.

ORAÇÃO

Bondoso Senhor, eu agradeço porque você é a minha fonte de alegria e esperança. Em nome de Jesus, amém.

TEXTO BÍBLICO: GÊNESIS 21.7, JÓ 42.2, JEREMIAS 32.17

DEUS É SUPERPODEROSO!

JOÃO – É BOM CONFIAR EM DEUS, PORQUE ELE NUNCA FALHA NEM NOS DECEPCIONA. DEUS NUNCA MENTE! O MEU CORAÇÃO FICA FELIZ QUANDO OUÇO HISTÓRIAS SOBRE AS COISAS INCRÍVEIS QUE DEUS FAZ. ESSAS HISTÓRIAS NÃO ACONTECERAM SÓ NOS TEMPOS DA BÍBLIA, MAS PODEMOS VER A BONDADE DE DEUS TODOS OS DIAS. A HISTÓRIA DA VITÓRIA É UM EXEMPLO DE COMO DEUS CUMPRE O QUE PROMETE. ELE DEU UM BEBÊ AOS PAIS DA VITÓRIA, MOSTRANDO QUE PODE FAZER O IMPOSSÍVEL. DEUS TAMBÉM CUIDA DA VALENTINA; MESMO NO HOSPITAL, ELE CUIDA DO CORAÇÃOZINHO DELA. TEMOS MUITOS MOTIVOS PARA AGRADECER E LOUVAR A DEUS!

ORAÇÃO

Amado Deus, eu agradeço pelo seu amor, poder e fidelidade. Eu te amo. Amém.

TEXTO BÍBLICO: GÊNESIS 22.1-19

A MINHA FAMÍLIA PERTENCE AO SENHOR

JUNIOR — DESDE QUE ISAQUE NASCEU, ABRAÃO E SARA SABIAM QUE ELE ERA ÚNICO, PORQUE ERA O FILHO ESPECIAL PROMETIDO. ENTÃO, O CASAL DECIDIU DEDICAR ISAQUE A DEUS. QUANDO DEDICAMOS OS NOSSOS FILHOS, ESTAMOS ENTREGANDO-OS A DEUS, PORQUE SABEMOS QUE A NOSSA FAMÍLIA É DELE. ABRAÃO, SARA E ISAQUE ENTENDIAM ISSO, ASSIM COMO ISAQUE SABIA QUE SUA FAMÍLIA TAMBÉM PERTENCIA A DEUS.

ISABELLA — A NOSSA FAMÍLIA TAMBÉM FOI DEDICADA A DEUS, NÃO É, PAPAI? É POR ISSO QUE SEMPRE ORAMOS E PEDIMOS A DEUS PARA CUIDAR DE NÓS E NOS GUIAR CONFORME ELE QUER.

JUNIOR — SIM, A NOSSA FAMÍLIA PERTENCE AO SENHOR, E PRECISAMOS SEMPRE NOS LEMBRAR DISSO.

ORAÇÃO

Meu Jesus, entrego a minha família ao Senhor. Faça em nós a sua vontade. Amém.

22
Julho

TEXTO BÍBLICO: HEBREUS 11.20

PROMESSA CUMPRIDA

JOÃO – ISAQUE ERA UM FILHO MUITO ESPECIAL PARA ABRAÃO E SARA. DEUS TINHA PROMETIDO A ABRAÃO QUE ISAQUE SERIA PARTE DE UMA GRANDE FAMÍLIA. ISAQUE TEVE DOIS FILHOS GÊMEOS: JACÓ E ESAÚ. QUANDO JÁ ERAM GRANDES, ISAQUE OROU POR ELES, PORQUE QUERIA QUE DEUS ABENÇOASSE O PRESENTE E O FUTURO DE CADA UM DELES . MEU PAI TAMBÉM ORA POR NÓS E PELO NOSSO FUTURO, POR ISSO EU ACREDITO QUE DEUS VAI NOS AJUDAR E ABENÇOAR. NOSSA FAMÍLIA SE DEDICA A DEUS COM FÉ, ASSIM COMO ISAQUE DEDICOU SEUS FILHOS.

VALENTINA – A MINHA FAMÍLIA TAMBÉM PERTENCE AO SENHOR!

ORAÇÃO

Santo Deus, obrigado por ter me dado uma família tão especial. Peço que cuide de cada um de nós, nos abençoe e guarde. Em nome de Jesus, amém.

TEXTO BÍBLICO: GÊNESIS 24.1-49

A GRANDE MISSÃO

23
Julho

VITÓRIA — CHEGOU O DIA EM QUE ABRAÃO QUERIA ENCONTRAR UMA ESPOSA PARA SEU FILHO, ISAQUE. ELE PEDIU A UM SERVO QUE O AJUDASSE A ENCONTRAR A MULHER IDEAL PARA ELE. ESSE SERVO OBEDECEU E OROU A DEUS, PEDINDO AJUDA PARA DESCOBRIR COM QUEM ISAQUE DEVERIA SE CASAR. A SUA MISSÃO DEU CERTO PORQUE ELE ENCONTROU REBECA, UMA MOÇA BONITA E DE BOA FAMÍLIA. ESSA HISTÓRIA NOS ENSINA QUE DEVEMOS SEMPRE PEDIR A DEUS SOBRE O QUE DEVEMOS FAZER.

Vamos auxiliar o servo de Abraão a encontrar Rebeca para se casar com Isaque.

ORAÇÃO

Espírito de Deus, me guie e ensine o que é certo. Amém.

24
Julho

TEXTO BÍBLICO: GÊNESIS 24.50-67

UMA HISTÓRIA DE AMOR

VALENTINA — EU GOSTO DE VER FOTOS DE CASAMENTO! TAMBÉM GOSTO DE OUVIR HISTÓRIAS DE AMOR! LI QUE ISAQUE SE CASOU COM UMA MOÇA CHAMADA REBECA. ELA ERA MUITO BONITA E GENTIL. QUANDO O AJUDANTE DE ABRAÃO ENCONTROU REBECA, ELA MOSTROU MUITA BONDADE E OFERECEU ÁGUA A ELE E PARA OS CAMELOS QUE TINHAM FEITO UMA LONGA VIAGEM. REBECA NÃO FEZ ISSO ESPERANDO RECEBER ALGO EM TROCA, MAS PORQUE ERA UMA PESSOA DE BOM CORAÇÃO. ABRAÃO QUERIA QUE SEU FILHO SE CASASSE COM UMA MULHER BOA, E ISAQUE ENCONTROU ESSA MULHER EM REBECA.

ISABELLA — ESSA HISTÓRIA DE AMOR É MUITO BONITA. O QUE REBECA FEZ FOI MUITO ESPECIAL, PORQUE NOS ENSINA A FAZER COISAS BOAS SEM ESPERAR NADA DE VOLTA. DEUS FICA FELIZ QUANDO AGIMOS COM BONDADE.

ORAÇÃO

Pai, ajude-me a ser gentil e a fazer o bem sempre. Amém.

TEXTO BÍBLICO: GÊNESIS 25.19-21, 26.1-6

O PODER DA ORAÇÃO

GABRIEL — ESTOU MUITO FELIZ! VOU VER A MINHA MÃE NESTE FIM DE SEMANA! VOCÊS SABEM QUE EU QUERIA MUITO REVÊ-LA E SINTO MUITA SAUDADE. OREI MUITO POR ISSO E PEDI A DEUS PARA ME DAR UM TEMPINHO COM MINHA MÃE COMO PRESENTE, E ELE ATENDEU AS MINHAS ORAÇÕES. DEUS É TÃO BOM! ISSO ME LEMBRA DA HISTÓRIA DE ISAQUE, QUANDO ELE OROU A DEUS PEDINDO UM FILHO, PORQUE REBECA NÃO PODIA TER BEBÊS. E DEUS DEU A ELES DOIS FILHOS, JACÓ E ESAÚ.

ENZO — QUE ALEGRIA, GABRIEL! FICO MUITO FELIZ POR VOCÊ, MEU AMIGO! DEUS É MUITO BOM, NÃO É? ELE SEMPRE QUER O MELHOR PARA NÓS.

ORAÇÃO

Meu bom Deus, eu agradeço pelo seu cuidado e amor. Cuide sempre de mim. Amém.

26
Julho

TEXTO BÍBLICO: SALMOS 145.4, PROVÉRBIOS 17.6, ISAÍAS 46.3,4

DE PAI PARA FILHO

GABRIEL – HOJE É UM DIA ESPECIAL, SABIA? É O DIA DOS AVÓS! EU MORO COM OS MEUS AVÓS E É MARAVILHOSO TÊ-LOS POR PERTO. A MINHA VOVÓ É MUITO CARINHOSA E DOCE. ELA COZINHA MUITO BEM E TRABALHA MUITO. SEMPRE SE DEDICOU A DEUS. O MEU VOVÔ É MUITO INTELIGENTE E PACIENTE. ELE ME ENSINA MUITAS COISAS E LÊ A BÍBLIA PARA MIM TODOS OS DIAS. A NOSSA FAMÍLIA CONTA A HISTÓRIA DE DEUS DE PAI PARA FILHO, ASSIM COMO ACONTECEU COM ISAQUE, QUE APRENDEU COM ABRAÃO E DEPOIS ENSINOU A JACÓ E ESAÚ.

VITÓRIA – EU AMO OS MEUS AVÓS E O CARINHO QUE ELES ME DÃO.

ORAÇÃO

Pai, hoje eu peço que a sua Palavra seja contada de pai para filho. Amém.

TEXTO BÍBLICO: GÊNESIS 27.1-40

JACÓ ENGANA SEU PAI

ENZO – JACÓ E ESAÚ ERAM IRMÃOS GÊMEOS E TIVERAM UMA BRIGA FEIA. JACÓ ENGANOU SEU PAI, ISAQUE, PARA RECEBER AS COISAS BOAS QUE ERAM DE ESAÚ. ISAQUE DEU A JACÓ O QUE PERTENCIA A ESAÚ PORQUE JÁ ERA BEM VELHINHO E QUASE NÃO PODIA ENXERGAR. ESAÚ FICOU TÃO BRAVO, QUE JACÓ TEVE QUE SE MUDAR E MORAR LONGE DE TODOS. MESMO COM TUDO ISSO, ISAQUE ABENÇOOU JACÓ E DISSE QUE ELE SERIA UM GRANDE LÍDER E QUE AS PESSOAS O RESPEITARIAM. ISAQUE SABIA QUE DEUS CUMPRIRIA AS PROMESSAS QUE TINHA FEITO A ABRAÃO. MESMO QUE JACÓ TENHA FEITO O QUE NÃO DEVIA, DEUS NÃO DEIXOU DE CUMPRIR O QUE PROMETEU.

Isaque sentiu o cheiro das roupas de Esaú e disse que o cheiro dele era como um lugar especial de Deus. Vamos brincar de descobrir cheiros? Chame a sua família para brincar e tentem descobrir o cheiro de coisas diferentes, como perfumes, cremes, comidas. Ah! Não se esqueçam de vendar os olhos de quem tenta adivinhar e divirtam-se!

ORAÇÃO

Deus Pai, que nunca me abandona, eu também quero ser abençoado pelo Senhor. Amém.

28
Julho

TEXTO BÍBLICO: HEBREUS 11.21

APRENDENDO COM OS ERROS

JOÃO — JACÓ FOI UM HOMEM MUITO IMPORTANTE NA BÍBLIA E TEVE MUITOS FILHOS. APESAR DE ELE TER AGIDO MAL COM SEU IRMÃO, DEUS ESTEVE COM ELE ENQUANTO FUGIA DE ESAÚ. JACÓ TEVE DUAS ESPOSAS, LIA E RAQUEL. NAQUELA ÉPOCA, ISSO ERA NORMAL. RAQUEL ERA A ESPOSA QUE JACÓ AMAVA E ELE TRABALHOU POR MUITOS ANOS PARA PODER SE CASAR COM ELA. A HISTÓRIA DE JACÓ MOSTRA QUE DEUS CUIDA DE NÓS SEMPRE, MESMO QUANDO FAZEMOS COISAS ERRADAS.

ISABELLA — DEUS FALOU AO CORAÇÃO DE JACÓ, E ISSO O MUDOU. O SENHOR FAZ A MESMA COISA CONOSCO QUANDO ESTAMOS PRONTOS PARA MUDAR E ACREDITAMOS QUE ELE PODE FAZER ALGO INCRÍVEL NO NOSSO CORAÇÃO.

ORAÇÃO

Deus Pai, perdão por errar. Quero fazer o certo. Amém.

TEXTO BÍBLICO: GÊNESIS 30

29
Julho

JACÓ E SEUS FILHOS

ISABELLA — JACÓ TEVE MUITOS FILHOS, MAS A ESPOSA QUE ELE AMAVA, RAQUEL, DEMOROU MUITO PARA TER UM BEBÊ. A OUTRA ESPOSA, LIA, SE SENTIA TRISTE PORQUE JACÓ NÃO A AMAVA TANTO. MAS DEUS CUIDAVA DE LIA MESMO QUANDO ELA SE SENTIA TRISTE. DEPOIS DE MUITO TEMPO, DEUS OUVIU A ORAÇÃO DE RAQUEL E DEU A ELA UM FILHO. DEUS SEMPRE VÊ NOSSA TRISTEZA E SABE O QUE DESEJAMOS EM NOSSO CORAÇÃO. ELE ESTÁ SEMPRE PERTO DE NÓS; SÓ PRECISAMOS FALAR COM ELE EM ORAÇÃO. JACÓ FOI MUITO ABENÇOADO, TEVE MUITOS FILHOS E MUITAS RIQUEZAS, MAS A MAIOR BÊNÇÃO ERA SER AMIGO DE DEUS.

JOÃO — É VERDADE! NENHUMA RIQUEZA SE COMPARA AO AMOR DE DEUS.

ORAÇÃO

Deus Pai, agradeço por cuidar de mim. Seu amor é tudo para mim. Amém.

30
Julho

TEXTO BÍBLICO: GÊNESIS 33

AMIGOS DE NOVO

JOÃO – ANTES DE JACÓ ENCONTRAR ESAÚ DE NOVO, ELE OROU E FALOU COM DEUS PORQUE ESTAVA COM MEDO DE QUE O IRMÃO AINDA ESTIVESSE MUITO ZANGADO. MAS, PARA SUA SURPRESA, QUANDO SE ENCONTRARAM, ESAÚ CORREU E O ABRAÇOU. ELES CHORARAM JUNTOS, E ESAÚ CONHECEU TODA A FAMÍLIA DE JACÓ. DEPOIS DE MUITOS ANOS, VOLTARAM A SER AMIGOS. TER AMIGOS É INCRÍVEL. JACÓ DISSE AO IRMÃO QUE VÊ-LO ERA COMO VER DEUS. ÀS VEZES, O CARINHO DE UM AMIGO É TÃO FORTE QUE SENTIMOS O AMOR DE DEUS. EU AMO OS MEUS AMIGOS!

ENZO – TER AMIGOS É MUITO BOM! OS AMIGOS NOS FAZEM SENTIR MELHOR QUANDO ESTAMOS TRISTES E FICAM AO NOSSO LADO. ELES NOS FAZEM RIR E ATÉ CHORAM COM A GENTE QUANDO PRECISAMOS.

Hoje é o Dia do Amigo! Quem são os seus melhores amigos? Ter amigos é uma coisa muito boa! Que tal escrever uma cartinha ou fazer um desenho a um amigo para que ele sinta o amor de Deus através do seu carinho?

ORAÇÃO

Meu Deus e Pai, agradeço pelos meus amigos. Ajude-me a ser um bom amigo. Amém.

CONHECENDO A VOZ DE DEUS

VALENTINA — DEUS ABENÇOOU MUITO JACÓ E FEZ A ELE PROMESSAS ESPECIAIS ASSIM COMO TINHA FEITO A ABRAÃO E ISAQUE. DEUS DEU A JACÓ E SEUS FILHOS UMA TERRA ESPECIAL E DISSE QUE ELE TERIA MUITOS FILHOS. VOCÊ SABIA QUE DEUS TAMBÉM FALA COM AS PESSOAS? É IMPORTANTE CONHECER A VOZ DE DEUS, ASSIM COMO CONHECEMOS A VOZ DAS PESSOAS QUE AMAMOS. POR EXEMPLO, ASSIM COMO VOCÊ RECONHECE A VOZ DA MAMÃE OU DO PAPAI, PODEMOS APRENDER A CONHECER A VOZ DE DEUS CONVERSANDO COM ELE E CONHECENDO-O MELHOR.

VITÓRIA — FALAR COM DEUS É MUITO BOM!

ORAÇÃO

Meu Deus, eu agradeço por falar comigo. Quero conhecê-lo melhor. Amém.

café
com
Deus
pai
KIDS

AGOSTO
DIA DOS PAIS

DIVERSÃO EM FAMÍLIA

Deus sempre escuta as nossas orações e quer o melhor para nós. Desenhe ou escreva no balão o que você pede a Deus. E lembre-se de agradecer a ele também! Temos muitos motivos para agradecer ao nosso Pai.

TEXTO BÍBLICO: GÊNESIS 37.12-36

O SOFRIMENTO DE JACÓ

01
Agosto

VALENTINA — LEMBRO DE UMA HISTÓRIA DA FAMÍLIA DE JACÓ. OS FILHOS MAIS VELHOS DE JACÓ FICARAM COM CIÚMES DE JOSÉ PORQUE ELE ERA O FILHO FAVORITO DO PAI. ENTÃO, VENDERAM JOSÉ E MENTIRAM PARA O PAI, DIZENDO QUE JOSÉ TINHA MORRIDO. JACÓ FICOU MUITO TRISTE E CHOROU MUITO.

ISABELLA — É VERDADE. JACÓ FICOU MUITO TRISTE POR CAUSA DE JOSÉ. MAS DEUS PODE MUDAR A TRISTEZA EM ALEGRIA E O CHORO EM UM LINDO SORRISO.

Em Gênesis 46.28-30, vemos que Jacó reencontrou José depois de muitos anos pensando que o filho estivesse morto, e o coração dele se encheu de alegria. Em uma folha, faça um desenho do reencontro entre o pai e o filho.

ORAÇÃO

Jesus Cristo, agradeço porque o Senhor é a minha força e a alegria quando estou triste. Amém.

02
Agosto

TEXTO BÍBLICO: GÊNESIS 48

O AVÔ JACÓ ABENÇOA OS FILHOS DE JOSÉ

GABRIEL — JACÓ AMAVA MUITO A SUA FAMÍLIA E ISSO ERA MUITO BONITO. MESMO SENDO BEM VELHINHO, ELE OROU POR MANASSÉS E EFRAIM, OS FILHOS DE JOSÉ. JACÓ QUERIA QUE DEUS ABENÇOASSE OS MENINOS. ELE TRATAVA OS NETOS COMO SE FOSSEM SEUS PRÓPRIOS FILHOS, POR ISSO INCLUIU MANASSÉS E EFRAIM NA LISTA DOS SEUS FILHOS PARA QUE TAMBÉM RECEBESSEM O QUE JACÓ TINHA. ELES TAMBÉM IAM RECEBER AS BÊNÇÃOS DE DEUS. ISSO ME LEMBRA MUITO O MEU AVÔ, QUE TAMBÉM ME TRATA COMO FILHO.

JOÃO — JACÓ ESTAVA MUITO ALEGRE POR TER JOSÉ DE VOLTA E TAMBÉM DOIS NETOS QUERIDOS. ELE PÔDE VER A FAMÍLIA CRESCER E SE TORNAR CADA VEZ MAIOR.

ORAÇÃO

Deus querido, é muito bom ter o Senhor sempre ao nosso lado. Abençoe a minha família. Amém.

AS DOZE FAMÍLIAS DE ISRAEL

ENZO — ONTEM À NOITE, O MEU PAI LEU PARA MIM A HISTÓRIA DAS DOZE FAMÍLIAS DE ISRAEL. ELAS ERAM AS FAMÍLIAS DOS FILHOS DE JACÓ. ANTES DE MORRER, JACÓ CHAMOU SEUS FILHOS E DEU A CADA UM DELES UMA BÊNÇÃO ESPECIAL. A FAMÍLIA DE JACÓ FOI MUITO ABENÇOADA POR DEUS! DESSA FAMÍLIA, SURGIRAM REIS E PESSOAS IMPORTANTES. CADA FAMÍLIA TINHA UM TRABALHO ESPECIAL. O MEU PAI DISSE QUE A FAMÍLIA DE DEUS TAMBÉM FUNCIONA ASSIM, PORQUE TODOS NÓS TEMOS TAREFAS DIFERENTES, MAS SOMOS IMPORTANTES E DEVEMOS AJUDAR UNS AOS OUTROS.

ORAÇÃO

Espírito Santo, me ajude a entender a Bíblia e a aprender mais. Amém.

Vamos brincar de criar uma cidade especial com amigos e família? Escolham seus papéis, como médico, policial, professor e mensageiro de Deus. Divirtam-se construindo essa cidade dos sonhos juntos!

04
Agosto

TEXTO BÍBLICO: HEBREUS 11.22

JOSÉ SEMPRE CONFIOU EM DEUS

GABRIEL — A HISTÓRIA DE JOSÉ É INCRÍVEL! ELE ERA UM HOMEM BOM, JUSTO E QUE AMAVA A DEUS. JOSÉ ERA FILHO DE JACÓ, NETO DE ISAQUE E BISNETO DE ABRAÃO. MESMO PASSANDO POR MUITOS PROBLEMAS, ELE NUNCA DEIXOU DE CONFIAR EM DEUS. SEUS IRMÃOS O TRATARAM MAL E O VENDERAM COMO ESCRAVO, POR ISSO ELE FOI PRESO NO EGITO, MAS DEUS NUNCA O ABANDONOU. A VIDA DE JOSÉ NOS ENSINA SOBRE TER FÉ. MESMO PERTO DE MORRER, JÁ SENDO IDOSO, ELE SABIA QUE DEUS CUMPRIRIA AS PROMESSAS FEITAS A ABRAÃO, ISAQUE E JACÓ, E LEVARIA O POVO DELES PARA UMA TERRA ESPECIAL.

ORAÇÃO

Deus poderoso, eu sei que o Senhor é bom e que nunca esquece dos seus filhos. Agradeço por seu amor e cuidado.

TEXTO BÍBLICO: GÊNESIS 30.22-24, 37.1-4

O PRESENTE ESPECIAL DE JOSÉ

05
Agosto

VITÓRIA — JOSÉ ERA O QUERIDINHO DO PAI. ELE ERA O FILHO ESPECIAL DE JACÓ E RAQUEL, SUA ESPOSA AMADA. QUANDO JOSÉ ERA JOVEM, SEU PAI LHE DEU UM PRESENTE INCRÍVEL: UMA ROUPA BONITA E COLORIDA. ISSO DEIXOU OS IRMÃOS COM MUITA INVEJA, POIS ELES SABIAM QUE O PAI TINHA UM CARINHO ESPECIAL POR JOSÉ.

ISABELLA — É MUITO BOM SERMOS FILHOS DE DEUS, PORQUE NÃO PRECISAMOS TER CIÚMES OU INVEJA. DEUS AMA A TODOS IGUALMENTE, SEM PREFERIDOS. SOMOS TODOS IMPORTANTES PARA ELE, SEUS FILHOS AMADOS.

ORAÇÃO

Deus Pai, agradeço por me dar segurança e por me tratar como filho. Amém.

06
Agosto

TEXTO BÍBLICO: GÊNESIS 37.1-11

JOSÉ, O SONHADOR

JOÃO — JOSÉ TINHA RECEBIDO UM PRESENTE ESPECIAL DE DEUS: DEUS O AJUDAVA A ENTENDER OS SONHOS DAS PESSOAS. UM DIA, JOSÉ SONHOU QUE OS IRMÃOS SE AJOELHAVAM DIANTE DELE, E ISSO OS DEIXOU MUITO ZANGADOS. MAIS TARDE, ESSE SONHO SE TORNOU VERDADE, POIS JOSÉ SE TORNOU UMA PESSOA MUITO IMPORTANTE. DEUS SEMPRE CUMPRE O QUE DIZ.

ISABELLA — ESSE PRESENTE DE DEUS É MUITO ESPECIAL! ELE SEMPRE ENCONTRA MANEIRAS DE FALAR COM A GENTE, SÓ PRECISAMOS PRESTAR ATENÇÃO NO QUE ELE NOS DIZ.

Pinte a roupa que Jacó deu a José. Lembre-se de que ela era bem bonita e colorida!

ORAÇÃO

Espírito Santo, me guie e ensine a ouvir a sua voz. Amém.

ANDANDO COM DEUS

ISABELLA — JOSÉ ACREDITAVA EM DEUS. JOSÉ PASSOU POR COISAS RUINS, COMO SER REJEITADO, VENDIDO E MALTRATADO, MAS DEUS CUIDAVA DELE. NEM POR ISSO JOSÉ FICOU BRAVO COM DEUS, AMARGURADO, RECLAMANDO DE TUDO E FAZENDO COISAS ERRADAS. TODOS PODIAM VER QUE JOSÉ ERA ABENÇOADO, POIS DEUS O AJUDAVA EM TUDO.

VALENTINA — EU APRENDI QUE É MELHOR ACREDITAR EM DEUS QUANDO ESTAMOS TRISTES. RECLAMAR SÓ NOS DEIXA AINDA MAIS TRISTES.

ORAÇÃO

Pai, agradeço por estar comigo e por me abençoar. Quero ser obediente como José e sempre andar com o Senhor, até mesmo quando eu estiver triste. Amém.

TEXTO BÍBLICO: GÊNESIS 45.5,8, 2SAMUEL 22.31-37

OS PLANOS DO SENHOR NÃO MUDAM

VITÓRIA — É ÓTIMO ACREDITAR EM DEUS! QUANDO CONFIAMOS NELE, SENTIMOS PAZ SABENDO QUE ELE NOS AMA E TEM COISAS BOAS PLANEJADAS PARA NÓS. ASSIM COMO JOSÉ ENTENDEU QUE DEUS O COLOCOU NO LUGAR CERTO, DEVEMOS TER FÉ E ACREDITAR QUE ELE QUER O MELHOR PARA NÓS. EU QUERIA MUITO TER CONTINUADO NA MINHA ANTIGA ESCOLA, MAS, DEPOIS QUE MUDEI, DESCOBRI COISAS LEGAIS. FIZ NOVOS AMIGOS, APRENDI COISAS NOVAS E ATÉ CONTEI SOBRE O AMOR DE JESUS AOS MEUS AMIGUINHOS!

MÃE DE VITÓRIA — QUE BOM QUE VOCÊ ESTÁ FELIZ E SABE QUE O SENHOR TEM O MELHOR PARA CADA UM DE NÓS.

Deus Pai, confio no Senhor e nos seus planos. A sua vontade é sempre boa. Em nome de Jesus, amém.

Complete o versículo com as letras que faltam:
"É D_us _uem me re_es_e _e for_a e tor_a _er_eito o __eu c_mi___o" (2Samuel 22.33)

A FÉ E A SABEDORIA DE JOSÉ

VALENTINA — A HISTÓRIA DE JOSÉ NOS ENSINA MUITAS COISAS. ELE ERA MUITO ESPERTO E SABIA O QUE FAZER PARA AJUDAR O EGITO A PROSPERAR NOS ANOS BONS E NOS TEMPOS DIFÍCEIS. JOSÉ ERA INTELIGENTE PORQUE CONFIAVA EM DEUS E BUSCAVA A SABEDORIA DIVINA. NÓS TAMBÉM PODEMOS PEDIR A DEUS POR SABEDORIA, E ELE NOS AJUDARÁ. JOSÉ ERA UM SERVO DE DEUS OBEDIENTE E CHEIO DE FÉ. TEMOS MUITO A APRENDER COM ELE.

GABRIEL — GOSTO MUITO DA HISTÓRIA DE JOSÉ. DEUS SE AGRADOU PORQUE JOSÉ ANDAVA COM ELE.

ORAÇÃO

Deus Pai, me ajude a ser inteligente para seguir os seus caminhos. Amém.

10
Agosto

TEXTO BÍBLICO: GÊNESIS 50.22-26

JOSÉ CONFIOU EM DEUS E VIU COISAS BOAS ACONTECEREM

ENZO — JOSÉ CONFIAVA EM DEUS E TINHA FÉ. COM O EXEMPLO DELE, APRENDI COMO É IMPORTANTE CONTAR PARA TODO MUNDO O QUE DEUS FAZIA.

JOÃO — É VERDADE. NAQUELA ÉPOCA, NÃO HAVIA BÍBLIA ESCRITA, ENTÃO AS HISTÓRIAS ERAM CONTADAS. COM O PASSAR DOS ANOS, DEUS CUMPRIU O QUE TINHA PROMETIDO A ABRAÃO, ISAQUE E JACÓ, E JOSÉ TAMBÉM FALOU SOBRE ISSO ANTES DE MORRER. PRECISAMOS FALAR A TODAS AS PESSOAS SOBRE A PALAVRA DE DEUS.

Que tal brincarmos de contar histórias em família? A primeira pessoa sorteada deve contar a história de José em 5 minutos. A segunda, em 4 minutos. A terceira, em 3 minutos. E assim por diante... Divirtam-se!

ORAÇÃO

Jesus, me ajude a levar o seu amor a todos, seguindo o seu exemplo. Amém.

TEXTO BÍBLICO: ÊXODO 2.1,2, HEBREUS 11.23-29

PAPAI, O HERÓI PROTETOR

ISABELLA — FELIZ DIA DOS PAIS, PAPAI! VOCÊ É MUITO ESPECIAL. EU AMO O SEU CARINHO, OS SEUS ABRAÇOS E O SEU CHEIRINHO.

JOÃO —O AMOR DOS PAIS É LINDO. PAPAI, TENHO CERTEZA DE QUE VOCÊ FARIA TUDO PARA CUIDAR DE NÓS E NOS PROTEGER, ASSIM COMO OS PAIS DE MOISÉS FIZERAM QUANDO ELE ERA BEBÊ. ELES SABIAM QUE O REI QUERIA FAZER MAL AOS BEBÊS MENINOS, ENTÃO O ESCONDERAM POR UM TEMPINHO PARA MANTÊ-LO SEGURO. O DIA DOS PAIS É UMA FESTA ESPECIAL PARA VOCÊ, PAPAI! AGRADECEMOS POR TODO O SEU AMOR, CUIDADO E PROTEÇÃO. OBRIGADO POR SER O MELHOR PAI DO MUNDO!

JUNIOR — DESDE QUE ME TORNEI PAI, DESCOBRI UM AMOR INFINITO E PASSEI A COMPREENDER MELHOR O AMOR DE DEUS POR NÓS. VOCÊS SÃO MINHA MAIOR ALEGRIA E O MEU PRECIOSO TESOURO!

ORAÇÃO

Deus, eu agradeço por ser o meu Pai e por me amar. Amém.

12
Agosto

TEXTO BÍBLICO: ÊXODO 1

A IMPORTÂNCIA DAQUELES QUE RESPEITAM A DEUS

VALENTINA — MOISÉS ESTAVA EM GRANDE PERIGO QUANDO NASCEU. O NOVO REI DO EGITO FOI MUITO MALVADO COM OS ISRAELITAS E OS FEZ TRABALHAR MUITO. ELE MANDOU MATAR TODOS OS MENINOS BEBÊS, MAS AS MULHERES QUE AJUDARAM NOS NASCIMENTOS NÃO FIZERAM ISSO, ELAS PROTEGERAM OS BEBÊS. DEUS PÕE PESSOAS BOAS NA NOSSA VIDA PARA NOS AJUDAR A VER QUANTO ELE NOS AMA. ESSAS MULHERES MOSTRARAM TER O AMOR DE DEUS QUANDO SALVARAM OS BEBÊS E DEIXARAM QUE ELES VIVESSEM.

MÃE DE VALENTINA — TAMBÉM É IMPORTANTE MOSTRARMOS O AMOR DE DEUS. QUANDO RESPEITAMOS A DEUS, PODEMOS AJUDAR OUTRAS PESSOAS, ASSIM COMO AQUELAS MULHERES FIZERAM.

ORAÇÃO

Deus Pai, eu agradeço pelo seu amor. Ajude-me a mostrar esse amor às pessoas. Amém.

QUANDO DEUS CHAMOU MOISÉS PARA UMA CONVERSA

ENZO — EU LI UMA HISTÓRIA INCRÍVEL! UM ANJO DE DEUS APARECEU A MOISÉS: FOI QUANDO UMA PLANTA PEGAVA FOGO, MAS NÃO SE QUEIMAVA. DEUS CHAMOU MOISÉS E CONVERSOU COM ELE. O SENHOR DISSE QUE ESTAVA VENDO O SOFRIMENTO DOS ISRAELITAS E OUVINDO O PEDIDO DE AJUDA DELES; POR ISSO, IRIA SALVÁ-LOS DOS EGÍPCIOS E LEVÁ-LOS PARA UMA TERRA MARAVILHOSA, CHEIA DE COISAS BOAS. ESTA ERA A MESMA TERRA QUE HAVIA SIDO PROMETIDA A ABRAÃO, ISAQUE E JACÓ. DEUS ESCOLHEU MOISÉS PARA LIBERTAR O POVO E IR PARA ESSE LUGAR.

JOÃO — É MUITO BOM QUANDO DEUS FALA COM A GENTE! MOISÉS ERA MUITO PRÓXIMO DO SENHOR, E NÓS TAMBÉM DEVEMOS SER.

Encontre o nome escondido na planta em chamas!

	1	2	3
A	M	E	H
B	D	O	X
C	I	Y	R
D	L	N	S
E	V	Z	É
F	T	S	G

___ A-1 ___ B-2 ___ C-1 ___ D-3 ___ E-3 ___ F-2

ORAÇÃO

Deus Pai, quero estar mais perto de você a cada dia. Ajuda-me a ouvir a sua voz. Amém.

14
Agosto

TEXTO BÍBLICO: ÊXODO 3.11-22

DEUS SEMPRE ESTÁ PERTO DE NÓS

GABRIEL — QUANDO MOISÉS ESTAVA COM MEDO, DEUS DISSE QUE ESTAVA COM ELE. DEUS TAMBÉM NOS DIZ A MESMA COISA QUANDO ESTAMOS ASSUSTADOS. O SENHOR ESTÁ COM A GENTE O TEMPO TODO; ELE CUIDA DE NÓS E NOS TRAZ SEGURANÇA. QUANDO ESTAMOS COM DEUS PAI, NÃO PRECISAMOS TER MEDO DE NADA, PORQUE ELE É COMO UM LUGAR SEGURO ONDE NOS ESCONDEMOS; ELE NOS PROTEGE E CUIDA DE NÓS.

VALENTINA — ISSO É VERDADE! QUANDO ESTOU NO HOSPITAL E COMEÇO A FICAR COM MEDO, FALO COM DEUS E PEÇO PARA ELE ME DAR PAZ NO CORAÇÃO.

ORAÇÃO

Pai querido, me faça sentir seguro e amado. Amém.

TEXTO BÍBLICO: ÊXODO 13.17-22, HEBREUS 11.27

A FUGA DO EGITO

15
Agosto

ISABELLA — DEUS CUIDOU DOS ISRAELITAS E OS AJUDOU A SAIR DO EGITO, ONDE ESTAVAM SOFRENDO NAS MÃOS DO FARAÓ. O SENHOR ESTAVA COM ELES O TEMPO TODO, DURANTE O DIA COMO UMA NUVEM E À NOITE COMO FOGO. ISSO ME FEZ ENTENDER QUE DEUS SEMPRE CUIDA DOS SEUS FILHOS E NUNCA OS ABANDONA. ELE NÃO ESQUECEU DAQUILO QUE DISSE QUE FARIA PELO POVO DE JACÓ, O POVO DE ISRAEL. O POVO SEGUIU MOISÉS E DEIXOU O EGITO.

JOÃO — DEUS ESTÁ SEMPRE COM A GENTE, TANTO NOS MOMENTOS FELIZES COMO NOS DIFÍCEIS. ELE QUER O MELHOR PARA NÓS, ASSIM COMO QUERIA O MELHOR PARA OS ISRAELITAS.

Desenhe em uma folha os israelitas acompanhados por uma nuvem durante o dia e pelo fogo durante a noite.
"Durante o dia o Senhor ia adiante deles, numa coluna de nuvem, para guiá-los no caminho, e de noite, numa coluna de fogo, para iluminá-los, e assim podiam caminhar de dia e de noite." (Êxodo 13.21)

ORAÇÃO

Deus, eu agradeço por cuidar de nós. O Senhor está sempre presente. Amém.

16
Agosto

TEXTO BÍBLICO: ÊXODO 14.10-31, HEBREUS 11.29

UM CAMINHO NO MEIO DO MAR

VITÓRIA — DEUS AJUDOU OS ISRAELITAS A ATRAVESSAREM O MAR E A FUGIREM DOS EGÍPCIOS. ELE ABRIU AS ÁGUAS PARA QUE O POVO PUDESSE PASSAR BEM NO MEIO. DEUS CUIDOU DELES E OS PROTEGEU. POR ISSO, O POVO CONFIOU EM DEUS E ACREDITOU NELE. OS ISRAELITAS ATRAVESSARAM O MAR CONFIANDO EM DEUS. É IMPORTANTE CONFIAR QUE DEUS ESTÁ SEMPRE CONOSCO E NOS AJUDA EM TODAS AS SITUAÇÕES. ELE SEGURA A NOSSA MÃO E CAMINHA AO NOSSO LADO, PARA QUE CHEGUEMOS AO OUTRO LADO COM SEGURANÇA.

ORAÇÃO

Paizinho, fique comigo e me ajude a confiar nas suas palavras. Amém.

DEUS AMA O SEU POVO

JOÃO — DEUS AMA E SE IMPORTA COM TODOS OS SEUS FILHOS. ELE DEU UMA MENSAGEM ESPECIAL AOS ISRAELITAS: DISSE QUE, SE ELES OBEDECESSEM E SEGUISSEM TUDO O QUE DEUS DISSESSE, SERIAM MUITO VALIOSOS PARA ELE. DEUS NOS DEU ALGUMAS REGRAS PARA NOS APROXIMARMOS MAIS DELE. QUANDO OBEDECEMOS, FICAMOS MAIS PERTO DO CORAÇÃO DE DEUS. EU QUERO OBEDECER A DEUS E SEGUIR TUDO O QUE ELE DIZ.

GABRIEL — É MUITO BOM SABER QUE DEUS NOS AMA E QUER QUE ESTEJAMOS CADA VEZ MAIS PERTO DELE! EU AMO O SENHOR!

ORAÇÃO

Pai amado, eu me alegro no seu amor. Quero viver a sua vontade. Amém.

Vamos brincar de mímica? Chame todo mundo para brincar com você e imite uma personagem da Bíblia. As outras pessoas devem tentar acertar quem é.

18
Agosto

TEXTO BÍBLICO: JOSUÉ 1.1-5, HEBREUS 11.30

O VALENTE JOSUÉ

VALENTINA — GOSTO MUITO DA HISTÓRIA DE JOSUÉ, PORQUE ELE FOI MUITO VALENTE! JOSUÉ FOI O CHEFE QUE VEIO DEPOIS QUE MOISÉS MORREU. DEUS FALOU COM ELE E DISSE QUE OS ISRAELITAS IRIAM ENTRAR NA TERRA QUE ELE TINHA PROMETIDO. DEUS PROMETEU QUE ESTARIA COM JOSUÉ, ASSIM COMO ESTEVE COM MOISÉS. DA MESMA FORMA, DEUS ESTÁ CONOSCO E NUNCA NOS DEIXARÁ SOZINHOS. ELE NOS DÁ ÂNIMO E NOS AJUDA. A FÉ DE JOSUÉ E DOS ISRAELITAS DERRUBOU AS PAREDES DE JERICÓ. NADA PODE ENFRENTAR O PODER DE DEUS, QUE DEU AQUELA TERRA AO POVO DE ISRAEL. JOSUÉ ERA VALENTE PORQUE TINHA FÉ E SABIA QUE DEUS NUNCA O ABANDONARIA.

ORAÇÃO

Deus poderoso, fique comigo sempre e me ajude a confiar no Senhor. Amém.

TEXTO BÍBLICO: JOSUÉ 1.6-8

FORTE E CORAJOSO

ENZO — EU QUERO SER FORTE E CORAJOSO COMO JOSUÉ. ELE NÃO TEVE MEDO DE OBEDECER A DEUS, PORQUE DEUS ESTAVA COM ELE. EU TAMBÉM NÃO QUERO TER MEDO DE OBEDECER E SEGUIR OS CAMINHOS DE DEUS. ÀS VEZES, TENHO DIFICULDADE EM FALAR COM AS PESSOAS, MAS NÃO QUERO TER MEDO DE FALAR SOBRE O AMOR DE DEUS. ENTENDO QUE CADA PESSOA É ESPECIAL E TEM SUA PRÓPRIA MANEIRA DE PENSAR E APRENDER. TODOS SOMOS DIFERENTES, E SEI QUE VOU APRENDER A FALAR SOBRE DEUS DO MEU JEITO VALENTE.

VITÓRIA — EU SOU UM POUCO TÍMIDA, MAS SEI QUE POSSO FALAR ÀS PESSOAS SOBRE O AMOR DE DEUS, PORQUE ELE VAI ME AJUDAR.

ORAÇÃO

Pai, ajude-me a ser corajoso. Quero falar do seu amor sem medo. Amém.

20
Agosto

TEXTO BÍBLICO: JOSUÉ 1.9, ISAÍAS 41.8-10,13

DEUS SEMPRE ESTÁ COMIGO

GABRIEL —VOVÔ, LEMBRA QUANDO FIQUEI COM MEDO NO MEU PRIMEIRO DIA NA ESCOLA NOVA? EU ESTAVA TRISTE POR DEIXAR A MINHA MÃE E COM RECEIO DE CONHECER AS OUTRAS CRIANÇAS, OS PROFESSORES E O LUGAR. VOCÊ LEU PARA MIM UM TRECHO DA BÍBLIA, JOSUÉ 1.9. DEUS DIZ A JOSUÉ QUE ELE NÃO DEVIA TER MEDO NEM PERDER A CORAGEM. DEUS PROMETEU ESTAR COM ELE EM TODOS OS LUGARES.

AVÔ DE GABRIEL — CLARO, MEU QUERIDO PEQUENO, LEMBRO-ME DISSO MUITO BEM. ASSIM COMO DEUS ESTAVA COM JOSUÉ, ELE ESTARÁ SEMPRE AO SEU LADO; NÃO IMPORTA PARA ONDE VOCÊ VÁ. LEMBRO-ME DE COMO VOCÊ SE SENTIU MAIS CALMO DEPOIS DE ORARMOS JUNTOS, E FICO FELIZ EM SABER QUE TEVE UM DIA MUITO BOM NA ESCOLA. É REALMENTE ESPECIAL CONFIAR EM DEUS!

Complete a frase com o seu nome e faça um desenho seu.
O meu nome é ______________.
Eu sou forte e corajoso. Eu sei que o Senhor estará comigo por onde eu andar.

ORAÇÃO

Espírito Santo, esteja sempre comigo. Afaste o medo e o desânimo. Amém.

TRABALHANDO COM DEUS PARA ALCANÇAR GRANDES COISAS

JOÃO — JOSUÉ CONFIAVA EM DEUS E ACREDITAVA QUE ELE DARIA A TERRA AOS ISRAELITAS. MAS JOSUÉ NÃO FICOU PARADO. ELE E O POVO SE PREPARARAM PARA CONQUISTAR A TERRA, SEGUINDO O QUE DEUS MANDOU. É IMPORTANTE LEMBRAR QUE CADA UM DE NÓS TAMBÉM TEM UM TRABALHO A FAZER. EMBORA DEUS SEJA PODEROSO, PRECISAMOS FAZER A NOSSA PARTE. POR ISSO, DEVEMOS ESTAR SEMPRE PRONTOS PARA FAZER O QUE DEUS QUER.

ORAÇÃO

Deus Pai, quero estar pronto para obedecer. Em nome de Jesus, amém.

22
Agosto

TEXTO BÍBLICO: JOSUÉ 6.1-5

UMA ORDEM A SER SEGUIDA

VITÓRIA — JOSUÉ OBEDECIA A DEUS SEMPRE. ELE SEGUIA O QUE DEUS FALAVA E SUAS ORIENTAÇÕES. CERTO DIA, DEUS DISSE PARA O POVO ATRAVESSAR O RIO JORDÃO E IR ATÉ JERICÓ, QUE TINHA UM MURO MUITO ALTO. MAS ISSO NÃO IMPEDIU OS ISRAELITAS, POIS DEUS PROMETEU QUE ELES CONQUISTARIAM JERICÓ. ELES MARCHARAM AO REDOR DA CIDADE POR SEIS DIAS, COMO DEUS MANDOU. NO SÉTIMO DIA, MARCHARAM SETE VEZES AO REDOR E TOCARAM AS TROMBETAS. E SABEM O QUE ACONTECEU? O MURO CAIU! PARECE IMPOSSÍVEL, MAS COM DEUS, TUDO É POSSÍVEL. JOSUÉ TINHA MUITA FÉ EM DEUS, E ESSA FÉ FEZ ALGO INCRÍVEL ACONTECER.

A MURALHA QUE DESABOU

ISABELLA — A HISTÓRIA DE JOSUÉ E DOS ISRAELITAS NOS ENSINA COISAS MUITO ESPECIAIS. ELES CONFIARAM EM DEUS, E ACONTECEU ALGO INCRÍVEL: AS MURALHAS DE JERICÓ CAÍRAM! ISSO NOS MOSTRA QUE DEUS TAMBÉM NOS AJUDA A PASSAR POR COISAS DIFÍCEIS. QUANDO ACREDITAMOS EM DEUS E PEDIMOS A AJUDA DELE, ELE NOS MOSTRA O QUE FAZER PARA ENFRENTAR OS PROBLEMAS. É IMPORTANTE CONFIAR EM DEUS E FAZER O QUE ELE NOS DIZ. QUERO APRENDER A CONFIAR EM DEUS E SABER QUE ELE PODE DERRUBAR QUALQUER COISA QUE ESTEJA NO MEU CAMINHO.

JUNIOR — É MUITO IMPORTANTE ACREDITAR QUE DEUS PODE FAZER TUDO. NÓS NÃO SOMOS SUPERPODEROSOS, MAS SABEMOS QUE DEUS É PODEROSO E O MAIS FORTE DE TODOS.

ORAÇÃO

Pai, eu também quero derrubar muralhas com o Senhor! Amém.

24
Agosto

TEXTO BÍBLICO: JOSUÉ 23

AS PROMESSAS DO SENHOR SE CUMPRIRAM

GABRIEL — QUANDO FICOU BEM VELHINHO, JOSUÉ FALOU COM OS ISRAELITAS E LEMBROU DE TUDO O QUE O SENHOR TINHA FEITO PELO POVO DE ISRAEL. TAMBÉM DISSE AOS SEUS IRMÃOS QUE DEVIAM CONTINUAR OBEDECENDO E FAZENDO O QUE DEUS TINHA MANDADO. JOSUÉ DISSE QUE SABIA QUE DEUS TINHA CUMPRIDO TODAS AS PROMESSAS, NENHUMA DELAS TINHA DEIXADO DE SER CUMPRIDA, MAS O POVO PRECISAVA CONTINUAR SEGUINDO O SENHOR. JOSUÉ FOI FIEL, VALENTE E ACREDITOU EM DEUS. ELE É UM EXEMPLO PARA NÓS E PODEMOS APRENDER MUITO COM A HISTÓRIA DESSE HOMEM CORAJOSO.

ENZO — EU GOSTO MUITO DE APRENDER SOBRE A BÍBLIA. É MUITO ESPECIAL PODER CONHECER DEUS ATRAVÉS DO QUE ESTÁ ESCRITO.

ORAÇÃO

Jesus, ajude-me a ser como o Senhor e a seguir o seu exemplo. Amém.

Vamos marchar e conquistar Jericó? Chame todos em casa para marchar ao redor de um objeto (por exemplo, um sofá) sete vezes. Depois, imitem o som de uma trombeta. Quando o som da trombeta parar, todo mundo precisa se sentar!

TEXTO BÍBLICO: JOSUÉ 2.1.11

UMA MULHER CORAJOSA

VALENTINA — ANTES DE CONQUISTAR A CIDADE DE JERICÓ, JOSUÉ MANDOU DOIS ESPIÕES OLHAREM A TERRA. ELES SE ESCONDERAM NA CASA DE UMA MULHER CHAMADA RAABE. ELA NÃO DISSE NADA PARA NINGUÉM E PROTEGEU OS ESPIÕES. RAABE FEZ ISSO PORQUE TINHA OUVIDO FALAR DE COMO DEUS TINHA AJUDADO OS ISRAELITAS A SAÍREM DO EGITO. ELA SABIA QUE O DEUS DOS ISRAELITAS É O DEUS DO CÉU E DA TERRA. A HISTÓRIA DE RAABE É MUITO BONITA. ELA FOI AMÁVEL COM OS ISRAELITAS PORQUE TEMIA A DEUS. MESMO ANTES DE ESCOLHER SEGUIR OS CAMINHOS DE DEUS, ELA JÁ SABIA DO PODER DELE. É INCRÍVEL!

ORAÇÃO

Deus Pai, tão poderoso, agradeço por conhecer o seu amor e poder. Amém.

26
Agosto

TEXTO BÍBLICO: HEBREUS 11.31

RAABE

UMA HISTÓRIA DO PERDÃO DE DEUS

ISABELLA — JÁ SABEMOS QUE OS ISRAELITAS POUPARAM A VIDA DE RAABE E DE SUA FAMÍLIA. RAABE NÃO TINHA UMA VIDA MUITO CORRETA, MAS A VIDA DESSA MULHER MUDOU DEPOIS QUE ELA OUVIU FALAR DE TUDO O QUE DEUS ESTAVA FAZENDO E TEVE UM ENCONTRO COM DEUS. ELA SE TORNOU TÃO IMPORTANTE QUE ATÉ FAZ PARTE DA FAMÍLIA DE JESUS! A HISTÓRIA DE RAABE NOS ENSINA QUE DEUS PERDOA OS NOSSOS ERROS E NOS ACOLHE EM SUA FAMÍLIA.

ORAÇÃO

Querido Pai, me ajude a obedecer e amar o Senhor. Em nome de Jesus, amém.

TEXTO BÍBLICO: JOSUÉ 2.12-24

UNIDOS POR UMA MISSÃO ESPECIAL

JOÃO — É MUITO IMPORTANTE CUMPRIR O QUE PROMETEMOS. RAABE E OS ESPIÕES SE UNIRAM. ELA OS PROTEGEU E SALVOU A VIDA DAQUELES HOMENS. DEPOIS, RAABE PEDIU QUE ELES TAMBÉM FOSSEM GENTIS COM ELA QUANDO OS ISRAELITAS ENTRASSEM EM JERICÓ PARA DESTRUIR A CIDADE. OS HOMENS CONCORDARAM EM TRATAR RAABE E SUA FAMÍLIA COM BONDADE E LEALDADE. QUANDO FAZEMOS UMA PROMESSA A ALGUÉM, DEVEMOS CUMPRIR, PORQUE A NOSSA PALAVRA TEM MUITO VALOR. DEVEMOS LEVAR A SÉRIO TUDO O QUE DIZEMOS; NUNCA MENTIR NEM ENGANAR.

ISABELLA — UAU! DA HORA SABER QUE RAABE E OS ESPIÕES TENHAM CUMPRIDO A PROMESSA QUE FIZERAM, PORQUE ISSO SALVOU MUITAS PESSOAS!

Peça a um adulto que leia o texto de Josué 2.12-24 com você. Depois, circule o objeto usado pelos homens israelitas para marcar a janela da casa de Raabe.

ORAÇÃO

Pai, agradeço por estar comigo. Ajude-me a cumprir tudo o que eu digo. Amém.

28
Agosto

TEXTO BÍBLICO: JOSUÉ 6.22-25

RAABE E SUA FAMÍLIA FORAM LIVRES DO PERIGO

ENZO — A HISTÓRIA DE RAABE MUDOU COMPLETAMENTE! ELA ESTAVA VIVENDO DE FORMA ERRADA E DISTANTE DE DEUS, MAS, QUANDO OUVIU SOBRE O PODER DE DEUS, FICOU COM MEDO. RAABE FOI GENTIL COM OS ISRAELITAS E OS SALVOU. QUANDO OS ISRAELITAS CHEGARAM A JERICÓ, NINGUÉM MACHUCOU RAABE E A FAMÍLIA DA MOÇA. A FÉ DE RAABE SALVOU A VIDA DE TODOS ELES. JOSUÉ TAMBÉM FOI MUITO IMPORTANTE, PORQUE ELE SE LEMBROU DA PROMESSA QUE OS ESPIÕES TINHAM FEITO E A CUMPRIU. ESSA HISTÓRIA ME ENSINA A CUIDAR DAS PESSOAS, SER AMÁVEL COM ELAS E CUMPRIR O QUE PROMETO.

PAI DE ENZO — EXISTEM VÁRIAS MANEIRAS DE CUMPRIR AS NOSSAS PROMESSAS. PODEMOS CHEGAR NA HORA CERTA, FAZER AS TAREFAS DA CASA E DA ESCOLA, CUMPRIR O QUE FALAMOS E SEMPRE DEVOLVER O QUE PEGAMOS EMPRESTADO.

ORAÇÃO

Jesus, sou feliz por você ser meu amigo. Quero aprender com você todos os dias. Amém.

TEXTO BÍBLICO: TIAGO 2.24-26

ACEITA POR DEUS

29
Agosto

GABRIEL — A BONDADE DE DEUS ME DEIXA MUITO FELIZ. ELE FOI MUITO BONDOSO COM RAABE E SUA FAMÍLIA. A BÍBLIA DIZ QUE DEUS GOSTOU DELA E A ACEITOU PORQUE ELA AJUDOU OS ESPIÕES COM FÉ. QUANDO TEMOS FÉ, TAMBÉM PRECISAMOS OBEDECER A DEUS. DEUS FOI BOM COM RAABE E A ACEITOU, MESMO QUE ELA TENHA FEITO COISAS ERRADAS ANTES. O AMOR DE DEUS MUDA E LIBERTA AS PESSOAS QUANDO NOS ENCONTRAMOS COM ELE.

VALENTINA — O AMOR DE DEUS É O MAIOR DE TODOS. É UM AMOR PODEROSO QUE PODE CURAR, CONSERTAR, LIBERTAR E TRAZER VIDA NOVA.

ORAÇÃO

Deus Pai, que eu nunca me esqueça do amor de Jesus por mim. Amém.

Na Bíblia, leia Josué 2.1-18 e escolha a resposta correta para completar a história de Raabe.

Onde Raabe morava?
( ) Jericó ( ) Belém

Quantos espiões israelitas entraram na casa de Raabe?
( ) Três ( ) Dois

Qual era a cor do cordão que Raabe amarrou na janela?
( ) Amarelo ( ) Vermelho

TEXTO BÍBLICO: SALMOS 111.10, ECLESIASTES 12.13, EFÉSIOS 1.13,14

ACREDITAR EM DEUS MUDA A NOSSA VIDA

VITÓRIA — RAABE ACREDITOU NO PODER DE DEUS, MESMO SEM CONHECER O SENHOR. QUANDO OUVIU FALAR DELE, ACREDITOU E SENTIU MUITO RESPEITO. SUA FÉ PERMITIU QUE DEUS A MUDASSE. ACREDITO QUE ELA TENHA SE SENTIDO ARREPENDIDA POR SEUS ERROS E DECIDIDA A MUDAR DE VIDA. QUANDO DECIDIMOS ABANDONAR O QUE É ERRADO, DAMOS UM PASSO DE CONFIANÇA EM DEUS. PRECISAMOS CONFIAR TODOS OS DIAS QUE ELE TEM O PODER DE MUDAR O NOSSO CORAÇÃO E MELHORAR A NOSSA HISTÓRIA.

MÃE DE VITÓRIA — É VERDADE. TODOS NÓS DEVEMOS RESPEITAR A DEUS E ACREDITAR QUE ELE PODE MUDAR O NOSSO CORAÇÃO E NOS AJUDAR A SER MAIS PARECIDOS COM JESUS.

ORAÇÃO

Deus que amo tanto, muda a minha vida com o seu amor e poder. Amém.

TEXTO BÍBLICO: MATEUS 1.5-16

RAABE SE TORNOU PARTE DA FAMÍLIA DE JESUS

ISABELLA — O AMOR DE DEUS NOS LIBERTA DOS NOSSOS ERROS E MUDA COMPLETAMENTE A NOSSA HISTÓRIA. VEJA O EXEMPLO DE RAABE: ELA COSTUMAVA FAZER COISAS QUE NÃO AGRADAVAM A DEUS, VIVENDO EM DESOBEDIÊNCIA. NO ENTANTO, AO OUVIR SOBRE O PODER E A MARAVILHA DO SENHOR, TUDO MUDOU. A PARTIR DO ENCONTRO COM OS ESPIÕES, A VIDA DELA NUNCA MAIS FOI A MESMA, PORQUE ELA DECIDIU ACEITAR A MUDANÇA TRAZIDA PELO ESPÍRITO SANTO. E QUE MUDANÇA MARAVILHOSA! RAABE SE TORNOU PARTE DA FAMÍLIA DE JESUS, O QUE SIGNIFICA QUE ELA SE TORNOU PARTE DO SEU POVO ESCOLHIDO.

GABRIEL — ESSA HISTÓRIA DE MUDANÇA É REALMENTE MARAVILHOSA! DEUS DEMONSTRA AMOR E BONDADE TAMBÉM ÀS PESSOAS QUE ERRAM.

Faça um desenho de uma história bíblica para a sua família acertar quem é a personagem. Depois, é a vez do restante da família. Lembre-se das histórias que você já viu.

ORAÇÃO

Espírito Santo, mude a minha vida, porque eu quero obedecer e agradar ao Senhor. Amém.

café
com
Deus
pai
KIDS

SETEMBRO
INDEPENDÊNCIA DO BRASIL
GRESSO

DIVERSÃO EM FAMÍLIA

A Bíblia diz, em Eclesiastes 4.9: "É melhor ter companhia do que estar sozinho, porque maior é a recompensa do trabalho de duas pessoas". Ajude as crianças da turma a se encontrarem.

TEXTO BÍBLICO: JUÍZES 6.1-6, HEBREUS 11.32

01 Setembro

GIDEÃO

UM LÍDER ESCOLHIDO POR DEUS

ISABELLA — INFELIZMENTE, MUITAS VEZES OS ISRAELITAS ESQUECIAM DO ACORDO QUE FIZERAM COM O SENHOR E VOLTAVAM A PECAR. POR CAUSA DO PECADO, SOFRIAM NAS MÃOS DE OUTROS POVOS. SÓ SE LEMBRAVAM DE DEUS QUANDO ESTAVAM DESESPERADOS E PEDIAM AJUDA A ELE. NESSE MOMENTO, APARECEU UM LÍDER CHAMADO GIDEÃO. DEUS O ESCOLHEU E ELE TEVE FÉ QUANDO O ANJO DO SENHOR LHE DISSE QUE ELE LIBERTARIA ISRAEL DOS MIDIANITAS.

ENZO — DEUS ESTÁ SEMPRE ATENTO AOS NOSSOS PEDIDOS, POIS ELE É FIEL E AMOROSO! DA MESMA FORMA, ELE OUVE AS NOSSAS NECESSIDADES E CUIDA DA NOSSA CIDADE E DO NOSSO PAÍS.

ORAÇÃO

Deus Pai, eu amo servir ao Senhor e confiar nos seus caminhos. Amém.

02
Setembro

TEXTO BÍBLICO: JUÍZES 6.7-10

A OBEDIÊNCIA QUE LIBERTA

ENZO — O POVO DE ISRAEL SOFRIA POR CAUSA DOS MIDIANITAS, POIS NÃO OBEDECIAM A DEUS. ELE ENVIOU UM PROFETA PARA LEMBRÁ-LOS DAS COISAS BOAS QUE ELE FEZ E DAS REGRAS PARA ADORAR SOMENTE A ELE. DESOBEDECER TEM CONSEQUÊNCIAS RUINS. DEVEMOS LEMBRAR DO QUE DEUS FAZ POR NÓS E FAZER O QUE ELE DIZ. ELE NOS LIBERTA DO PECADO E NOS AMA MUITO.

ORAÇÃO

Deus Pai, ajude-me a lembrar do seu amor e das suas maravilhas. Amém.

QUANDO DEUS NOS CHAMA

VALENTINA — QUANDO DEUS CHAMOU GIDEÃO, ELE NÃO SE ACHAVA CAPAZ OU IMPORTANTE O BASTANTE, MAS DEUS PROMETEU QUE ESTARIA COM ELE E O AJUDARIA A VENCER OS MIDIANITAS. QUANDO DEUS CHAMA ALGUÉM, ELE SEMPRE DÁ O QUE É NECESSÁRIO E NUNCA DEIXA A PESSOA SOZINHA.

ISABELLA — É VERDADE. DEUS ESTÁ SEMPRE CONOSCO E NOS DÁ CORAGEM. MESMO QUE GIDEÃO SE SENTISSE FRACO, ELE CONFIOU NO PODER INCRÍVEL DE DEUS, QUE É O MAIS PODEROSO DE TODOS! DEUS É MAIS FORTE DO QUE AS PESSOAS MALVADAS E ATÉ MESMO MAIS FORTE DO QUE A MORTE.

04
Setembro

TEXTO BÍBLICO: JUÍZES 7.9-25

A VITÓRIA DE GIDEÃO

GABRIEL – COM A AJUDA DE DEUS, GIDEÃO E OS SOLDADOS DE ISRAEL CONSEGUIRAM VENCER OS MIDIANITAS. ELES NÃO TERIAM GANHADO A BATALHA SE DEUS NÃO ESTIVESSE COM ELES. TODA A NOSSA FORÇA VEM DE DEUS. ELE DEU A GIDEÃO UM PLANO E A CORAGEM PARA VENCER. O EXÉRCITO DE GIDEÃO NÃO ERA O MAIOR, MAS ESTAVA DO LADO DE DEUS, O SENHOR DOS EXÉRCITOS. A NOSSA FÉ NÃO DEVE DEPENDER DA FORÇA DAS PESSOAS, MAS DA FORÇA DE DEUS!

AVÔ DE GABRIEL – É MUITO BOM VER O CUIDADO DO SENHOR COM OS ISRAELITAS. ISSO NOS MOSTRA QUE ELE É FIEL E CUIDA DOS SEUS FILHOS. O SENHOR TAMBÉM CUIDA DE NÓS E DO NOSSO PAÍS.

ORAÇÃO

Deus da minha força, abençoe o meu país e que o seu nome seja conhecido. Amém.

TEXTO BÍBLICO: JUÍZES 8.22,23, 1TIMÓTEO 2.1-4

05
Setembro

DEUS É O NOSSO REI

VITÓRIA — GIDEÃO ERA MUITO FIEL A DEUS, ELE SABIA QUE DEUS É O MAIS PODEROSO E MERECE SER ADORADO. OS ISRAELITAS PEDIRAM A GIDEÃO PARA SER SEU REI, MAS ELE DISSE QUE DEUS É QUEM DEVERIA GOVERNAR SOBRE O POVO. DA MESMA FORMA, DEUS DEVE SER O REI DA NOSSA VIDA E DO NOSSO PAÍS. NENHUM LÍDER É MAIS PODEROSO DO QUE O NOSSO DEUS. ELE É O REI SUPREMO, O MAIS IMPORTANTE DE TODOS.

MÃE DE VITÓRIA — É VERDADE, VITÓRIA. PRECISAMOS SEMPRE ORAR PELAS PESSOAS QUE GOVERNAM E PEDIR QUE DEUS AS AJUDE A TOMAR BOAS DECISÕES. MAS NÃO DEVEMOS PERMITIR QUE ELAS SE TORNEM MAIS IMPORTANTES PARA NÓS DO QUE DEUS.

Faça um desenho da bandeira do seu país. Se você não souber como é, peça a um adulto que mostre uma foto e o ajude.

ORAÇÃO

Deus Pai, reine em mim e no meu país. Oro pelos governantes. Amém.

06
Setembro

TEXTO BÍBLICO: PROVÉRBIOS 8.15,16, 1PEDRO 2.13-17

DEUS NO CONTROLE

ISABELLA — HÁ MUITO TEMPO, O NOSSO PAÍS ERA GOVERNADO POR OUTRO PAÍS, ASSIM COMO OS ISRAELITAS ERAM DOMINADOS PELOS MIDIANITAS. HOJE, SOMOS LIVRES, NÃO ESTAMOS MAIS SOB O CONTROLE DE PORTUGAL. DEVEMOS OBEDECER SOMENTE A DEUS E CONFIAR NELE. DEUS NOS LIBERTOU DA ESCRAVIDÃO, DO PECADO E NOS MOSTROU O CAMINHO PARA A VIDA ETERNA. NOSSO PAÍS NÃO ESTÁ MAIS NAS MÃOS DE OUTRO PAÍS: ESTÁ NAS MÃOS DO SENHOR!

JOÃO — QUE BOM QUE ELE ESTÁ CONOSCO E TEM CUIDADO DE NÓS. TEMOS QUE ORAR TODOS OS DIAS PARA QUE O SENHOR REINE SOBRE A NOSSA NAÇÃO.

ORAÇÃO

Deus Pai, seja o principal governante do meu país e abençoe a todos. Amém.

TEXTO BÍBLICO: HEBREUS 11.14-16

07
Setembro

INDEPENDÊNCIA DO BRASIL

VITÓRIA – HOJE É UM DIA ESPECIAL, É A INDEPENDÊNCIA DO BRASIL! EU AMO SER BRASILEIRA. GOSTO DA NOSSA COMIDA, DO CLIMA, DAS PLANTAS, DOS ANIMAIS E DAS PESSOAS. AMO O MEU PAÍS.

JOÃO – EU GOSTO MUITO DE SER BRASILEIRO. MAS A NOSSA VERDADEIRA PÁTRIA É O CÉU. NÓS, QUE SOMOS FILHOS DE DEUS, NÃO PERTENCEMOS A ESTE MUNDO. SOMOS DO CÉU E UM DIA ESTAREMOS COM O NOSSO CRIADOR QUANDO JESUS VOLTAR PARA NOS BUSCAR.

ORAÇÃO

Deus Pai, agradeço porque o meu país é livre. Ajude-me a espalhar o seu amor. Amém.

Chame seus amigos para brincar. Vocês devem encontrar um objeto verde, um amarelo, um azul e um branco, que são as cores da bandeira do Brasil. O primeiro a encontrar tudo será o vencedor!

08
Setembro

TEXTO BÍBLICO: JUÍZES 4.6-8, HEBREUS 11.32

A CORAGEM E A AJUDA DE DEUS PARA VENCER

ISABELLA — ANTIGAMENTE, OS ISRAELITAS TINHAM UMA LÍDER CHAMADA DÉBORA: UMA MULHER ESPECIAL QUE DEUS ESCOLHEU PARA FALAR COM O POVO. UM DIA, DÉBORA CHAMOU BARAQUE E DISSE QUE DEUS QUERIA QUE ELE FOSSE LUTAR NUMA BATALHA. NO INÍCIO, BARAQUE ESTAVA COM MEDO E DISSE QUE SÓ IRIA SE DÉBORA FOSSE COM ELE. QUANDO NOS SENTIMOS INSEGUROS OU COM MEDO, É BOM PEDIR AJUDA.

JOÃO — DEUS SEMPRE COLOCA NO NOSSO CAMINHO PESSOAS QUE NOS AJUDAM. DÉBORA ERA MUITO CORAJOSA E CONFIAVA NO SENHOR. ELA AJUDOU BARAQUE A SE SENTIR MAIS SEGURO.

ORAÇÃO

Pai, eu agradeço por sempre estar comigo. Envie pessoas fiéis para me apoiar. Amém.

NUNCA ESTAMOS SOZINHOS

VITÓRIA — ÀS VEZES, EU ME SINTO SOZINHA E TRISTE. PARECE QUE ESTOU LONGE DAS PESSOAS E MEU CORAÇÃO DÓI. MAS LEMBRO QUE NUNCA ESTOU SOZINHA. DEUS ESTÁ SEMPRE COMIGO, AO MEU LADO E NO MEU CORAÇÃO. ELE ME DEU UMA FAMÍLIA AMOROSA E BONS AMIGOS. BARAQUE TAMBÉM TINHA MEDO DE LUTAR SOZINHO, MAS ELE NUNCA ESTEVE SOZINHO. EM PRIMEIRO LUGAR, TINHA DEUS AO SEU LADO. E TAMBÉM CONTAVA COM A AJUDA DE DÉBORA, QUE NUNCA O ABANDONOU.

MÃE DE VITÓRIA — QUANDO VOCÊ SE SENTIR SOZINHA, QUERIDA, LEMBRE-SE DE PEDIR AJUDA A DEUS, À SUA FAMÍLIA E AOS SEUS AMIGOS. ELES ESTÃO AQUI PARA APOIÁ-LA E CUIDAR DE VOCÊ. NÃO TENHA MEDO EM CONTAR COM ESSAS PESSOAS QUANDO PRECISAR.

ORAÇÃO

Espírito Santo, peço que me lembre que nunca estou sozinho. Amém.

10
Setembro

TEXTO BÍBLICO: ECLESIASTES 4.9-11

A FORÇA DA UNIÃO ENTRE AMIGOS

ISABELLA — ÀS VEZES, PODEMOS SENTIR MEDO DE ENFRENTAR SITUAÇÕES DIFÍCEIS SOZINHOS, COMO BARAQUE NA BATALHA. DEUS ESTÁ SEMPRE CONOSCO, MAS É BOM TER ALGUÉM QUE NOS DÊ CORAGEM. DÉBORA FOI UMA GRANDE AMIGA PARA BARAQUE NESSE MOMENTO. DEUS SE ALEGRA COM AS AMIZADES QUE NOS APROXIMAM DELE. A BÍBLIA NOS DIZ QUE É BOM TER ALGUÉM AO NOSSO LADO. EU GOSTO DE ESTAR COM MEU IRMÃO, POIS JUNTOS PODEMOS NOS AJUDAR E CONVERSAR ENQUANTO FAZEMOS AS COISAS.

JUNIOR — É MELHOR ESTAR COM AS PESSOAS QUE AMAMOS E NOS APROXIMAM DE DEUS DO QUE FICAR SOZINHO!

ORAÇÃO

Jesus, eu agradeço por ser o meu melhor amigo. Ajude-me a encontrar amigos que me levem até o Pai. Amém.

JUNTOS SOMOS MAIS FORTES

ENZO — EU FICO FELIZ POR TER VOCÊS AO MEU LADO. VOCÊS ME DÃO FORÇA QUANDO ESTOU TRISTE. É BOM TER AMIGOS QUE ME APROXIMAM DE DEUS! OS AMIGOS NOS ALEGRAM E NOS AJUDAM EM MOMENTOS DIFÍCEIS. BARAQUE ERA MAIS FORTE COM A AJUDA DE DÉBORA. NÓS TAMBÉM SOMOS MAIS FORTES JUNTOS. PODEMOS NOS ENCORAJAR, PROTEGER E ORAR UNS PELOS OUTROS.

JOÃO — AMIGOS DE VERDADE SÃO COMO UM TESOURO ESPECIAL. É IMPORTANTE CUIDAR DAS AMIZADES E APRECIAR AS PESSOAS QUE NOS APROXIMAM DE DEUS. SOU MUITO GRATO A DEUS POR ME DAR AMIGOS TÃO BONS.

ORAÇÃO

Santo Espírito, ajude-me a ser um bom amigo. Amém.

12
Setembro

TEXTO BÍBLICO: MATEUS 18.18-20, ATOS 1.14

UNIDOS NA ORAÇÃO

JOÃO — É BOM QUANDO NÓS, FILHOS DE DEUS, ORAMOS JUNTOS. DEUS GOSTA QUANDO ESTAMOS UNIDOS. POR ISSO, É IMPORTANTE ORAR COM NOSSOS IRMÃOS EM CRISTO. VOCÊS SE LEMBRAM QUANDO TODOS SE REUNIRAM PARA ORAR PELA VALENTINA QUANDO ELA ESTAVA DOENTE? FOI UM MOMENTO ESPECIAL.

ISABELLA — CLARO, EU ME LEMBRO! FOI UM MOMENTO MUITO ESPECIAL. JESUS DISSE QUE ESTÁ PRESENTE QUANDO NOS REUNIMOS EM SEU NOME. É IMPORTANTE DIVIDIR NOSSAS ORAÇÕES COM DEUS, MAS TAMBÉM COM NOSSOS IRMÃOS EM CRISTO. ASSIM, PODEMOS ORAR JUNTOS E UNS PELOS OUTROS. BARAQUE SABIA QUE DÉBORA ERA UMA AMIGA DE DEUS. TENHO CERTEZA DE QUE ISSO O ENCORAJOU.

ORAÇÃO

Pai, obrigado por estar comigo, por cuidar dos meus amigos e família. Amém.

Desembaralhe as letras para formar algumas palavras.

EARBAUQ ______________

BADORÉ ______________

ÃÇOARO ______________

NÃIUO ______________

O SENHOR PROTEGE OS FILHOS DELE

ENZO — DEUS É MUITO BOM COM OS SEUS FILHOS. ELE NUNCA NOS DEIXA SOZINHOS QUANDO ESTAMOS EM APUROS. ASSIM COMO DÉBORA DISSE A BARAQUE PARA SEGUIR EM FRENTE PORQUE DEUS ESTAVA COM ELE, PODEMOS TER CERTEZA DE QUE DEUS TAMBÉM VAI À NOSSA FRENTE QUANDO PASSAMOS POR SITUAÇÕES DIFÍCEIS. ELE ESTÁ SEMPRE CONOSCO, TANTO NOS MOMENTOS FELIZES COMO NOS TRISTES. DÉBORA DEU CORAGEM A BARAQUE, E ELE LUTOU A FAVOR DO POVO DE DEUS, PORQUE SABIA QUE O SENHOR ESTAVA COM ELE.

VALENTINA — NÃO HÁ NADA TÃO BOM QUANTO SABER QUE DEUS NOS AMA E ESTÁ SEMPRE AO NOSSO LADO. É MARAVILHOSO VIVER NO AMOR DE DEUS PAI!

ORAÇÃO

Deus amado, eu agradeço por estar comigo e por me amar. Quero me lembrar do seu amor sempre. Amém.

14
Setembro

TEXTO BÍBLICO: JUÍZES 5

DEUS É INCRÍVEL E MERECE TODA A NOSSA GRATIDÃO E ALEGRIA

VALENTINA — BARAQUE E DÉBORA CONFIARAM EM DEUS ANTES E DURANTE A BATALHA, MAS SUA CONFIANÇA NÃO PAROU POR AÍ. DEPOIS QUE DEUS OS AJUDOU A VENCER, ELES CANTARAM UMA MÚSICA ESPECIAL PARA AGRADECER. QUANDO CANTAMOS PARA DEUS, MOSTRAMOS QUE CONFIAMOS NELE. CANTAR É UMA FORMA DE AMAR, RESPEITAR, ACREDITAR E SER FELIZ. ELES CANTARAM PORQUE ESTAVAM MUITO FELIZES E GRATOS POR GANHAR A BATALHA E SABIAM QUE DEUS MERECIA TODA A ADORAÇÃO. BARAQUE MOSTROU MUITA CONFIANÇA QUANDO SE LEVANTOU PARA LUTAR POR ISRAEL E VENCER OS INIMIGOS COM DÉBORA, QUE ERA UMA PROFETISA.

TEXTO BÍBLICO: HEBREUS 11.32-34

USANDO A NOSSA FORÇA PARA AGRADAR A DEUS

ENZO — SANSÃO ERA UM HOMEM MUITO FORTE, MAIS FORTE DO QUE TODO MUNDO, PORQUE DEUS LHE DAVA ESSA FORÇA ESPECIAL. ELE NÃO PRECISAVA MALHAR EM UMA ACADEMIA, MAS TINHA UMA FORÇA QUE DEUS LHE DAVA. QUANDO DEUS NOS DÁ TALENTOS ESPECIAIS, DEVEMOS USÁ-LOS PARA AGRADAR A ELE MOSTRAR AOS OUTROS COMO O SENHOR É PODEROSO ATRAVÉS DE NÓS.

ISABELLA — TODAS AS PESSOAS TÊM TALENTOS ESPECIAIS DADOS POR DEUS. SOMOS DIFERENTES, MAS TODOS IGUALMENTE IMPORTANTES PARA O REINO DE DEUS. PRECISAMOS PERMITIR QUE O ESPÍRITO SANTO ENTRE NA NOSSA VIDA E NOS MUDE.

ORAÇÃO

Espírito Santo, mostra-me os meus talentos para agradar a Deus. Amém.

16
Setembro

TEXTO BÍBLICO: JUÍZES 13

SEPARADOS PARA DEUS

ISABELLA – SANSÃO FOI ESCOLHIDO E SEPARADO PARA DEUS ANTES MESMO DE NASCER. UM ANJO APARECEU À MÃE DELE E DISSE QUE ELA TERIA UM BEBÊ QUE SERIA ESPECIAL PARA DEUS DESDE O INÍCIO. ISSO QUER DIZER QUE HAVIA ALGUMAS COISAS QUE SANSÃO DEVERIA SEGUIR, COMO NÃO BEBER VINHO NEM CORTAR O CABELO. ELE FOI ESCOLHIDO PARA AJUDAR O POVO DE ISRAEL A SE LIBERTAR. NÓS TAMBÉM SOMOS ESPECIAIS PARA DEUS. NOSSOS PAIS JÁ ORAVAM POR NÓS ANTES DE NASCERMOS. PARA MOSTRAR QUE TAMBÉM FOMOS SEPARADOS PARA DEUS, PRECISAMOS VIVER DE UMA MANEIRA QUE AGRADE A ELE, SENDO OBEDIENTES, AMOROSOS, FIÉIS, BONDOSOS E CORRETOS.

JOÃO – QUE ALEGRIA TER A CERTEZA DE QUE SOMOS DO SENHOR.

ORAÇÃO

Deus Pai, entrego minha vida ao Senhor. Quero ser separado e consagrado ao Senhor. Amém.

GUIADOS PELO ESPÍRITO SANTO

JOÃO — PAI, ACONTECEU ALGO INCRÍVEL HOJE NA ESCOLA! VI UM COLEGA QUE PARECIA TRISTE E SENTI NO MEU CORAÇÃO QUE EU DEVERIA FALAR COM ELE. ERA COMO SE EU OUVISSE UMA VOZ QUE ME DIZIA PARA ME APROXIMAR. ENTÃO, RESPIREI FUNDO, PEDI AJUDA A DEUS E FUI. CONVERSAMOS UM POUCO, E DESCOBRI QUE ELE ESTAVA PASSANDO POR UM MOMENTO DIFÍCIL. PERGUNTEI SE PODERIA ORAR, E ELE CONCORDOU! NÓS ORAMOS JUNTOS E ELE MOSTROU INTERESSE EM CONHECER MAIS SOBRE O AMOR DE DEUS.

JUNIOR — QUE ACONTECIMENTO INCRÍVEL, JOÃO! O ESPÍRITO SANTO AGIU EM VOCÊ, LEVANDO-O A SE APROXIMAR DO SEU COLEGA. QUANDO O ESPÍRITO DO SENHOR AGE EM NÓS, COISAS MARAVILHOSAS ACONTECEM. ERA ASSIM QUE SANSÃO RECEBIA FORÇA: PELO PODER DO ESPÍRITO DE DEUS.

ORAÇÃO

Jesus Cristo, todo-poderoso, eu quero ter a força divina e fazer coisas incríveis para o Senhor. Amém.

18
Setembro

TEXTO BÍBLICO: JUÍZES 15.14, SALMOS 28.7, EFÉSIOS 6.10

A FORÇA QUE VEM DE DEUS

GABRIEL — JÁ OUVI MUITAS HISTÓRIAS SOBRE HERÓIS MUITO FORTES, MAS NENHUM ERA COMO SANSÃO. A FORÇA DE SANSÃO ERA DIFERENTE, NÃO ERA DE SUPERPODERES, ERA DE DEUS. NÓS TAMBÉM RECEBEMOS NOSSA FORÇA DE DEUS. ELE É PODEROSO, MAIS DO QUE QUALQUER HERÓI IMAGINÁRIO. A FORÇA QUE DEUS NOS DÁ PODE SER FÍSICA, COMO A DE SANSÃO, MAS TAMBÉM PODE SER A FORÇA DA MENTE E DO CORAÇÃO. ÀS VEZES, PASSAMOS POR MOMENTOS DIFÍCEIS E PRECISAMOS SER CORAJOSOS. SER FORTE NÃO SIGNIFICA NÃO FICAR TRISTE OU NÃO CHORAR. SER FORTE SIGNIFICA RESISTIR MESMO NAS DIFICULDADES. COMO FILHOS DE DEUS, BUSCAMOS FORÇA NO SENHOR, PORQUE SOMENTE ELE NOS TORNA FORTES.

ORAÇÃO

Pai, nada é impossível para o Senhor. Espírito Santo, me ajude a ficar firme. Amém.

TEXTO BÍBLICO: JUÍZES 16.4-18

19
Setembro

A QUEDA DE UM HERÓI TRAÍDO

VITÓRIA — NEM SEMPRE SANSÃO FAZIA O QUE ERA CERTO. ÀS VEZES, ELE SE ESQUECIA QUE DEUS O HAVIA ESCOLHIDO. ISSO ACONTECEU MUITAS VEZES. SANSÃO ERA MUITO FORTE, E AS PESSOAS O ADMIRAVAM POR ISSO. UM DIA, ELE CONHECEU UMA MOÇA CHAMADA DALILA, QUE NÃO GOSTAVA DELE DE VERDADE E SÓ QUERIA DESCOBRIR O SEGREDO DA SUA FORÇA. DEPOIS DE INSISTIR MUITO, SANSÃO CONTOU A ELA QUE NUNCA HAVIA CORTADO O CABELO. ENTÃO, DALILA CHAMOU UM HOMEM PARA CORTAR O CABELO DAQUELE HOMEM FORTE, E A FORÇA DE SANSÃO SE FOI.

VALENTINA — SANSÃO NÃO APENAS PERDEU A FORÇA POR CAUSA DO CABELO, MAS TAMBÉM PORQUE SE AFASTOU DO SENHOR.

ORAÇÃO

Deus Pai, o Senhor é a minha força e o meu amor sempre. Nunca quero me esquecer disso. Amém.

20
Setembro

TEXTO BÍBLICO: JUÍZES 16.19-22

QUANDO NOS AFASTAMOS DE DEUS, FICAMOS FRACOS

JOÃO — QUANDO SANSÃO SE AFASTOU DE DEUS E NÃO SEGUIU AS ORDENS DO PAI CELESTIAL, ELE PERDEU SUA FORÇA. OS INIMIGOS CONSEGUIRAM CAPTURÁ-LO E MACHUCARAM SEUS OLHOS. QUANDO ESTAMOS LONGE DE DEUS, FICAMOS FRACOS E SEM DEFESA. A NOSSA FORÇA VEM DE DEUS. É ELE QUE NOS SUSTENTA E NOS GUARDA. POR ISSO, É MUITO IMPORTANTE BUSCAR ESTAR MAIS PERTO DE DEUS. ELE NOS DÁ FORÇA, NOS TIRA O CANSAÇO E RENOVA A NOSSA MENTE. ALÉM DISSO, QUANDO ESTAMOS MAIS PRÓXIMOS DE DEUS, NOS AFASTAMOS DO PECADO. A FORÇA QUE VEM DE DEUS TAMBÉM NOS AJUDA A VIVER CORRETAMENTE E RESISTIR À TENTAÇÃO.

GABRIEL — SANSÃO SOFREU MUITO QUANDO SE AFASTOU DE DEUS. MAS A BOA NOTÍCIA É QUE DEUS SEMPRE RECEBE DE BRAÇOS ABERTOS AQUELES QUE SE ARREPENDEM E ESTÃO DISPOSTOS A MUDAR.

ORAÇÃO

Deus querido, obrigado por estar comigo sempre e por me dar força. Me ensine os seus caminhos, para que eu faça a sua vontade e nunca me afaste do Senhor. Amém.

SER AMIGO DE DEUS É MUITO IMPORTANTE

VALENTINA — A HISTÓRIA DE SANSÃO NOS MOSTRA QUE É IMPORTANTE SER BOM COM DEUS. SANSÃO ERA ESPECIAL DESDE QUE NASCEU, MAS ELE FEZ COISAS ERRADAS E NÃO FOI UM FILHO OBEDIENTE. ELE NÃO FEZ O QUE SEUS PAIS TINHAM PROMETIDO AO SENHOR. DEUS QUER O NOSSO CORAÇÃO INTEIRO, NÃO APENAS UMA PARTE DA NOSSA VIDA. DEPOIS QUE SANSÃO FEZ COISAS ERRADAS, ELE SE ARREPENDEU E PEDIU QUE DEUS O AJUDASSE E LHE DESSE FORÇA NOVAMENTE. FOI ISSO QUE ACONTECEU!

ENZO — EU QUERO MUITO SER BOM PARA DEUS E FAZER O QUE LHE PROMETI. DEUS ME ESCOLHEU PARA SER ESPECIAL PARA ELE.

Já brincou de Espelho? Chame alguém da sua família para brincar junto. Fiquem um de frente para o outro e imitem as ações um do outro. Boa diversão!

ORAÇÃO

Pai amado, eu agradeço por aprender tanto com as histórias da Bíblia. Fico feliz em conhecê-lo. Amém.

22
Setembro

TEXTO BÍBLICO: JUÍZES 10.6-18

UM LÍDER VALENTE PARA O POVO DE DEUS

JOÃO — MAIS UMA VEZ, O POVO DE ISRAEL SE AFASTOU DE DEUS E COMEÇOU A ADORAR OUTROS DEUSES. MAS, DEPOIS DE UM TEMPO, ELES FICARAM TRISTES E SE ARREPENDERAM. DECIDIRAM VOLTAR A ADORAR O SENHOR. NOSSO DEUS É MUITO AMOROSO E NÃO GOSTA DE NOS VER SOFRENDO, POR ISSO ELE ESCOLHEU UM NOVO LÍDER PARA AJUDAR O POVO. O NOME DESSE LÍDER ERA JEFTÉ, QUE ERA MUITO VALENTE; UM GUERREIRO CORAJOSO, COMO DIZ A BÍBLIA. MESMO QUE A FAMÍLIA DE JEFTÉ NÃO O TENHA ACEITADO, DEUS NUNCA O ABANDONOU. O ESPÍRITO DE DEUS ESTAVA COM JEFTÉ, E ELE TEVE VITÓRIAS NAS BATALHAS.

ISABELLA — QUE BOM QUE O PASSADO DE JEFTÉ NÃO O IMPEDIU DE SER VITORIOSO!

ORAÇÃO

Eu agradeço, meu Deus, por me ensinar e mostrar quem o Senhor é. Amém.

LEVES E LIVRES

UMA NOVA JORNADA COMEÇA

GABRIEL — QUANDO CONHECEMOS JESUS E DEIXAMOS QUE ELE NOS AJUDE, NOS SENTIMOS MAIS LEVES E FELIZES. JEFTÉ FOI DEIXADO DE LADO PELOS SEUS IRMÃOS E TEVE QUE IR EMBORA, MAS, QUANDO DEUS O CHAMOU, ELE SE SENTIU AMADO E ESPECIAL. ANTES DE CONHECER JESUS, EU ME SENTIA TRISTE PORQUE NÃO CONHECIA O MEU PAI E MORAVA LONGE DA MINHA MÃE. DEPOIS QUE CONHECI O AMOR DE DEUS PAI, O MEU CORAÇÃO FICOU CHEIO DE ALEGRIA E TODAS AS TRISTEZAS FORAM EMBORA.

AVÓ DE GABRIEL — VOCÊ TEM TODA RAZÃO, GABRIEL. O AMOR DE DEUS É TÃO PODEROSO QUE NOS AJUDA A DEIXAR PARA TRÁS COISAS TRISTES E SEGUIR EM FRENTE.

ORAÇÃO

Jesus, eu agradeço pelo seu amor e pela nova vida que tenho ao seu lado. Amém.

24
Setembro

TEXTO BÍBLICO: JUÍZES 11.4-8

DEUS MUDA O CORAÇÃO DAS PESSOAS

ENZO — NESTA HISTÓRIA, OS IRMÃOS DE JEFTÉ FORAM MAUS COM ELE, MAS DEPOIS MUDARAM DE IDEIA E PEDIRAM A AJUDA DELE PARA VENCER OS INIMIGOS. ÀS VEZES, AS PESSOAS NÃO SÃO BOAS CONOSCO, MAS NUNCA DEVEMOS PARAR DE TRATAR OS OUTROS COM AMOR, BONDADE E RESPEITO. DEUS TEM O PODER DE MUDAR AS PESSOAS PARA QUE SEJAM MELHORES. O SENHOR NOS MOSTRA O CAMINHO E ESTÁ SEMPRE PRONTO PARA ENSINAR AQUELES QUE QUEREM MUDAR E APRENDER.

MÃE DE ENZO — QUERIDO, É MUITO IMPORTANTE PRESTARMOS ATENÇÃO NO QUE DEUS NOS FALA. ELE PODE MUDAR O NOSSO CORAÇÃO E PENSAMENTOS, DEIXANDO-NOS MAIS PRÓXIMOS DO QUE ELE QUER PARA NÓS. QUE TAL FICARMOS ATENTOS A ELE TODOS OS DIAS?

ORAÇÃO

Espírito Santo, me ajude a fazer a vontade de Deus e ser melhor. Amém.

TEXTO BÍBLICO: JUÍZES 11.9-11, SALMOS 27.7-11

DEUS SEMPRE NOS VÊ

VITÓRIA — A FAMÍLIA DE JEFTÉ NÃO GOSTAVA DELE, MAS DEUS SEMPRE ESTEVE AO SEU LADO. DEUS O AJUDOU A SE TORNAR UM LÍDER IMPORTANTE, E ATÉ MESMO OS IRMÃOS TIVERAM QUE OBEDECER A ELE. É MUITO BOM SABER QUE DEUS NOS VÊ. ELE VÊ QUANDO ESTAMOS TRISTES E ENFRENTANDO DESAFIOS; CONHECE O QUE TEMOS NO CORAÇÃO. DEUS NÃO FICA FELIZ QUANDO PASSAMOS POR MOMENTOS DIFÍCEIS, MAS TEM PLANOS BONS PARA NÓS E QUER NOS DAR CORAGEM. JEFTÉ TINHA CORAGEM EM DEUS, QUE NUNCA O DEIXOU SOZINHO OU ABANDONADO.

VALENTINA — DEUS SE LEMBRA DE MIM E DE VOCÊ. ELE CUIDA DE TODOS OS SEUS FILHOS AMADOS.

ORAÇÃO

Pai amoroso, traga mais alegria e felicidade. Nunca me deixe sozinho. Amém.

26
Setembro

TEXTO BÍBLICO: JUÍZES 11.12-22, SALMOS 62.11

CONFIE EM DEUS

VALENTINA — JEFTÉ CONFIAVA EM DEUS PORQUE SABIA QUE ELE É JUSTO E FORTE. ALÉM DISSO, RECORDAVA AS COISAS BOAS QUE DEUS TINHA FEITO PELOS ISRAELITAS E COMO OS AJUDOU A CONQUISTAR OUTRAS TERRAS. NÓS TAMBÉM TEMOS MUITAS HISTÓRIAS QUE MOSTRAM COMO DEUS É PODEROSO E NOS AMA. DEUS NOS MOSTRA TODOS OS DIAS COMO É INCRÍVEL. SE OLHARMOS AO NOSSO REDOR, A BELEZA DA NATUREZA NOS MOSTRA O AMOR E O CUIDADO DE DEUS. TAMBÉM OUVIMOS HISTÓRIAS SOBRE AS COISAS QUE DEUS FAZ NA NOSSA VIDA E NA VIDA DE OUTRAS PESSOAS. POSSO DIZER ISSO POR MIM TAMBÉM!

MÃE DE VALENTINA — É MUITO BOM LEMBRAR DO AMOR DO SENHOR E AGRADECER PELO QUE ELE É E FAZ POR NÓS!

Peça a um adulto que leia o texto de Salmos 62.11 e complete o versículo: "Uma vez Deus falou, duas vezes eu ouvi, que o ____________________ pertence a Deus".

ORAÇÃO

Querido Jesus, eu agradeço por me amar e cuidar de mim. Ajude-me a ser grato. Amém.

TEXTO BÍBLICO: JUÍZES 11.23-27

27
Setembro

JEFTÉ RECONHECIA QUE O SENHOR É O SOBERANO

ISABELLA — DEUS É MUITO PODEROSO E SABE O QUE É CERTO E ERRADO. ELE NOS ENSINA O QUE É BOM. JEFTÉ SABIA QUE DEUS, QUE É MUITO JUSTO, É QUEM DECIDE O QUE É CERTO. QUANDO ENTENDEMOS ISSO, PERCEBEMOS QUE A OPINIÃO DE DEUS É MUITO IMPORTANTE. DEUS SEMPRE AGE DE FORMA JUSTA E CORRETA. NÃO É LEGAL FALAR QUE OS OUTROS ESTÃO ERRADOS. TODOS NÓS COMETEMOS ERROS, POR ISSO NÃO DEVEMOS CRITICAR OS OUTROS. É MELHOR SERMOS GENTIS E TRATAR OS OUTROS COM AMOR, ASSIM COMO DEUS NOS TRATA DE FORMA JUSTA E AMOROSA.

MICHELLE — É IMPORTANTE PENSAR ANTES DE FALAR COISAS RUINS SOBRE OS OUTROS. SÓ DEUS SABE O QUE É CERTO E ERRADO. ELE É O ÚNICO QUE PODE DECIDIR O QUE É CERTO E SÓ ELE É BONDOSO COM TODOS.

ORAÇÃO

Deus Pai, ajude-me a entender as outras pessoas e a ser gentil. Amém.

28
Setembro

TEXTO BÍBLICO: DEUTERONÔMIO 23.21-23, JUÍZES 11.30-36

EU FAÇO O QUE DIGO

ORAÇÃO

Jesus, agradeço pelo seu amor. Quero seguir os seus caminhos. Amém.

Vamos brincar de descobrir músicas e desenhar? Cada um escolhe uma música sem contar para os demais. Depois, fazemos desenhos que representem as canções. Eu escolhi "Pedro, Tiago e João no barquinho".

JUNIOR — VOCÊS SABIAM, CRIANÇAS, QUE DAQUI A ALGUMAS SEMANAS SERÁ O NOSSO ANIVERSÁRIO DE CASAMENTO? MICHELLE E EU, QUANDO NOS CASAMOS. PROMETEMOS SER GENTIS, NOS RESPEITAR E NOS AMAR SEMPRE. LEVAMOS ESSAS PROMESSAS MUITO A SÉRIO, SABEM? TAMBÉM PRECISAMOS SER VERDADEIROS COM DEUS, POIS ELE É SEMPRE VERDADEIRO CONOSCO.

MICHELLE — ISSO É VERDADE, JUNIOR. TODOS OS DIAS NOS ESFORÇAMOS PARA CUMPRIR O QUE PROMETEMOS. É MUITO IMPORTANTE HONRAR AS NOSSAS PROMESSAS E MANTER O NOSSO AMOR E RESPEITO UM PELO OUTRO.

JOÃO — EU QUERO PRESTAR MAIS ATENÇÃO NO QUE DIGO, PARA SEMPRE CUMPRIR O QUE PROMETO.

DE PASTOR DE OVELHAS A REI ESCOLHIDO POR DEUS

ENZO — VOU CONTAR UMA HISTÓRIA SOBRE UM HOMEM MUITO IMPORTANTE CHAMADO DAVI. ELE ERA MUITO JOVEM QUANDO UM HOMEM CHAMADO SAMUEL O ESCOLHEU. NESSA ÉPOCA, DEUS ESTAVA PROCURANDO UM NOVO REI PARA O POVO DE ISRAEL PORQUE O REI ANTERIOR, CHAMADO SAUL, NÃO TINHA SIDO BOM. DAVI ERA EXEMPLO DE UMA PESSOA QUE TINHA MUITA FÉ, RESPEITO E AMOR POR DEUS. ELE CONVERSAVA SEMPRE COM DEUS, OUVIA A VOZ DELE E O ADORAVA COM MÚSICAS MUITO BONITAS.

JOÃO — EU GOSTO MUITO DA HISTÓRIA DE DAVI! DEUS O AMAVA MUITO, E DAVI SEMPRE SE DEDICAVA PARA CONHECER MAIS O SENHOR E SEGUIR O QUE ELE ENSINAVA.

ORAÇÃO

Deus Pai, guia-me a entender sua voz, a ser como Davi e a agradar-lhe. Amém.

30
Setembro

TEXTO BÍBLICO: 1SAMUEL 17.1-37

CORAGEM PARA VENCER OS DESAFIOS

VITÓRIA — DESDE BEM NOVINHO, DAVI TINHA FÉ EM DEUS. QUANDO UM GIGANTE CHAMADO GOLIAS ESTAVA ASSUSTANDO AS PESSOAS DE ISRAEL, DAVI NÃO FICOU COM MEDO. MUITOS SOLDADOS VALENTES, QUE JÁ TINHAM LUTADO EM MUITAS BATALHAS, ESTAVAM COM MEDO, MAS AQUELE JOVEM NÃO SE DEIXOU ASSUSTAR. ELE CONFIAVA QUE O SENHOR DOS EXÉRCITOS ESTAVA COM ELE E LHE DARIA VITÓRIA. ISSO ME ENSINOU QUE A MINHA IDADE NÃO IMPORTA. EU AINDA SOU BEM PEQUENA, MAS ACREDITO QUE O MEU DEUS É MUITO GRANDE E PODEROSO. EU SEI QUE DEUS ESTÁ SEMPRE COMIGO EM TODOS OS LUGARES, E ELE É MUITO MAIS FORTE DO QUE QUALQUER GIGANTE.

ORAÇÃO

Pai, me dê a certeza do seu amor e força para enfrentar os desafios. Amém.

Pinte os quadrados abaixo para mostrar quais frases estão certas e quais estão erradas.

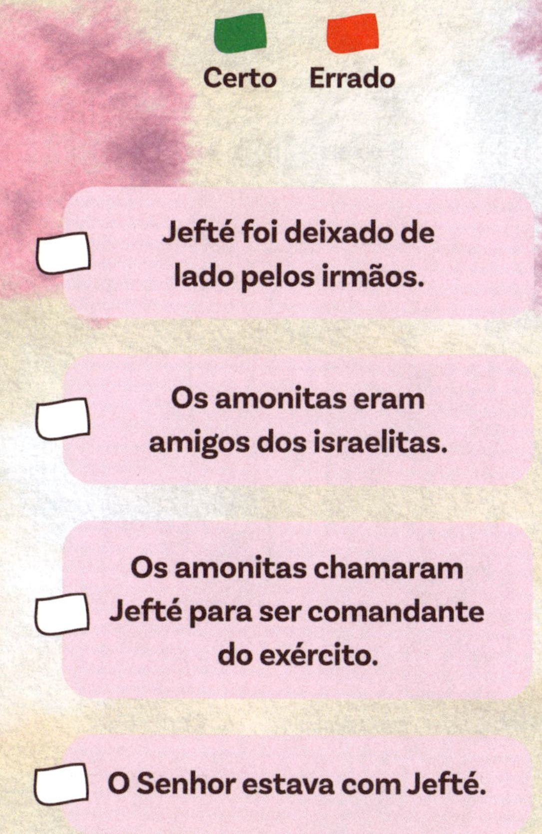

café
com
Deus
pai
KIDS

OUTUBRO
DIA DAS CRIANÇAS

DIVERSÃO EM FAMÍLIA

No livro de 1Samuel, no capítulo 17, lemos que Davi pegou um cajado, escolheu cinco pedras lisas no riacho e as colocou na bolsa. Com uma atiradeira, ele se aproximou do filisteu. Circule as cinco pedras que Davi escolheu.

A FÉ QUE VENCE GIGANTES

JOÃO — TER FÉ SIGNIFICA ACREDITAR COM CERTEZA QUE DEUS ESTÁ SEMPRE AO NOSSO LADO, MESMO QUANDO AS COISAS FICAM DIFÍCEIS. UM EXEMPLO DISSO É A HISTÓRIA DE DAVI, O JOVEM CORAJOSO QUE ENFRENTOU UM GUERREIRO MALVADO CHAMADO GOLIAS. DAVI ESTAVA TRANQUILO E CONFIANTE PORQUE SABIA QUE DEUS ESTAVA COM ELE. POR ISSO, DISSE A GOLIAS QUE NÃO PRECISAVA DE ARMAS PORQUE CONFIAVA NO PODER DE DEUS. UMA VEZ, TIVE UM SONHO ASSUSTADOR E ACORDEI COM MEDO, MAS RESPIREI FUNDO E LEMBREI QUE DEUS ESTAVA COMIGO.
ELE É MAIS FORTE E PODEROSO DO QUE QUALQUER COISA QUE NOS ASSUSTE, COMO GIGANTES, MEDOS OU PESADELOS. DEUS NUNCA PERDE.

ORAÇÃO

Deus, o Senhor é o meu abrigo. Eu agradeço por cuidar de mim. Amém.

02 Outubro

TEXTO BÍBLICO: 2SAMUEL 5.1-5

UM LÍDER ESCOLHIDO POR DEUS

ISABELLA — DAVI FOI UM REI MUITO IMPORTANTE DE ISRAEL. ELE TINHA MUITAS COISAS PARA FAZER, MAS O MAIS LEGAL É QUE DEUS SEMPRE ESTAVA COM ELE. DAVI TAMBÉM ERA CORAJOSO NAS BATALHAS, E DEUS O AJUDAVA A GANHAR. PARA SER UM BOM LÍDER, É PRECISO CONFIAR EM DEUS.
DAVI SABIA QUE DEUS É PODEROSO E SEMPRE FAZ O QUE É CERTO. ELE OBEDECIA A DEUS E QUERIA CONHECÊ-LO CADA VEZ MAIS. DAVI PASSOU POR MOMENTOS DIFÍCEIS NA VIDA E ERROU BASTANTE, MAS, MESMO ASSIM, SEMPRE CAMINHOU COM DEUS.

JUNIOR — SER LÍDER NÃO É FÁCIL, MAS DAVI FOI UM ÓTIMO LÍDER PORQUE AMAVA A DEUS E FAZIA O QUE ELE MANDAVA.

ORAÇÃO

Deus, entrego a minha vida nas suas mãos. O Senhor sabe o melhor para mim. Amém.

A AMIZADE DE DAVI COM DEUS

GABRIEL — DEUS AMAVA DAVI E A SUA FAMÍLIA, POR ISSO ABENÇOOU DAVI COM MUITAS COISAS BOAS. DEUS DISSE A DAVI QUE ELE SERIA FAMOSO E QUE SEMPRE HAVERIA UM REI EM SUA FAMÍLIA. ISSO SIGNIFICA QUE OS FILHOS E NETOS DE DAVI TAMBÉM SERIAM IMPORTANTES. É TÃO LINDO VER COMO DAVI ERA AMIGO DE DEUS. DEUS VIU DAVI, QUE ERA UM PASTOR DE OVELHAS, E O ESCOLHEU PARA SER O REI DE ISRAEL! TER UMA AMIZADE COM DEUS É ALGO MUITO ESPECIAL. EU QUERO APRENDER MAIS SOBRE A HISTÓRIA DE DAVI, PORQUE TAMBÉM QUERO ESTAR PERTO DO CORAÇÃO DE DEUS.

ENZO — EU TAMBÉM QUERO APRENDER CADA VEZ MAIS SOBRE DEUS. A HISTÓRIA DE DAVI ME ENSINA COMO SER AMIGO DE DEUS.

Complete o texto de 2Samuel 7.22:

"Quão grande és tu,

ó ______________________________!

Não há ninguém como tu nem

há outro ____________ além de ti,

conforme tudo o que sabemos."

ORAÇÃO

Deus Pai, por favor, ajuda-me a conhecê-lo mais. Amém.

TEXTO BÍBLICO: SALMO 51

ARREPENDIMENTO E O AMOR DE DEUS

VALENTINA — EU APRENDI SOBRE OUTRAS HISTÓRIAS DO REI DAVI E DESCOBRI QUE, ASSIM COMO NÓS, ELE TAMBÉM ERRAVA. DAVI FEZ UMA ESCOLHA HORRÍVEL E TEVE PROBLEMAS POR CAUSA DISSO, MAS ELE SE ARREPENDEU DE VERDADE. O ARREPENDIMENTO É QUANDO A GENTE PEDE DESCULPAS A DEUS E PROMETE NÃO FAZER DE NOVO. DEUS SEMPRE NOS PERDOA QUANDO ESTAMOS ARREPENDIDOS, PORQUE ELE É AMOROSO E BONDOSO. ELE NOS AJUDA A MUDAR O NOSSO CORAÇÃO E A NOS TORNAR PESSOAS MELHORES.

ISABELLA — DAVI FICOU MUITO TRISTE POR DESAGRADAR O SENHOR, ENTÃO PEDIU PERDÃO E SE ESFORÇOU PARA SER UMA PESSOA MELHOR.

ORAÇÃO

Deus Pai, agradeço por ser bom.
Ajude-me a fazer o que é certo. Amém.

CANTAR E CONFIAR EM DEUS

JOÃO — DAVI ERA UM MÚSICO INCRÍVEL! ELE ESCREVIA MUITAS CANÇÕES PARA ADORAR A DEUS E DIZER QUANTO ELE É ESPECIAL. TAMBÉM TOCAVA UM INSTRUMENTO CHAMADO HARPA E ERA MUITO BOM NISSO. NA BÍBLIA, TEMOS MUITAS MÚSICAS E ORAÇÕES QUE DAVI ESCREVEU, ESPECIALMENTE NO LIVRO DE SALMOS. CANTAR PARA DEUS É UMA FORMA DE MOSTRAR O QUANTO O AMAMOS E CONFIAMOS NELE.

VITÓRIA — AS MÚSICAS DE DAVI NOS ENSINAM COISAS MUITO IMPORTANTES, COMO CONFIAR EM DEUS, SER AMIGO DELE E AGRADECER POR TUDO. DAVI SEMPRE MOSTROU QUE CONFIAVA EM DEUS E SABIA QUE TODAS AS COISAS BOAS VINHAM DELE. ELE ERA FAMOSO E RICO, MAS SEMPRE RECONHECIA QUE TUDO ISSO ERA PRESENTE DE DEUS.

ORAÇÃO

Querido Deus, cuide de mim e da minha família. Amém.

Que tal criar uma música? Leia o salmo 34 com um adulto e invente uma melodia especial. Depois, cante a sua criação musical para a família. Mostre a sua voz única e divirta-se!

06
Outubro

TEXTO BÍBLICO: 1SAMUEL 2.18-21,26

SAMUEL

UM MENINO QUE SE TORNOU UM GRANDE PROFETA

VITÓRIA — EU ME LEMBRO DA HISTÓRIA DE SAMUEL. A MAMÃE E O PAPAI DELE ORARAM MUITO POR UM BEBÊ. QUANDO ELE NASCEU, ANA E ELCANA FICARAM TÃO FELIZES QUE O ENTREGARAM PARA MORAR NA CASA DE DEUS. A VERDADE É QUE SAMUEL CRESCEU NO TEMPLO DO SENHOR, AO LADO DE UM HOMEM MUITO ESPECIAL QUE CUIDAVA DAS COISAS DE DEUS. DESDE PEQUENO, SAMUEL ERA MUITO DEDICADO E CRESCEU EM OBEDIÊNCIA, SERVINDO AO SENHOR. QUANDO CRESCEU, ELE SE TORNOU UM PROFETA MUITO IMPORTANTE. DEUS FALAVA COM ELE, E ELE TINHA A TAREFA DE FALAR COM O POVO EM NOME DE DEUS.

ENZO — SAMUEL FOI REALMENTE IMPORTANTE! FOI ELE QUEM ESCOLHEU E ABENÇOOU O REI DAVI, COMO JÁ APRENDEMOS ANTES.

ORAÇÃO

Deus, eu quero dedicar a minha vida ao Senhor, assim como Samuel. Amém.

TEXTO BÍBLICO: 1SAMUEL 2.35, SALMOS 99.6

DEUS CHAMA UM AJUDANTE DE CORAÇÃO PURO

ISABELLA — O SACERDOTE ELI ENSINAVA SAMUEL. ELI TINHA DOIS FILHOS CHAMADOS HOFNI E FINEIAS. INFELIZMENTE, OS DOIS FIZERAM COISAS ERRADAS E DEIXARAM DEUS TRISTE. ENTÃO, DEUS DISSE A ELI QUE ESCOLHERIA OUTRA PESSOA FIEL PARA OCUPAR O LUGAR DELE. ESSE SACERDOTE FARIA O QUE DEUS QUERIA. VOCÊ JÁ DEVE IMAGINAR QUE O SACERDOTE ESCOLHIDO POR DEUS FOI SAMUEL.

VITÓRIA — MESMO SENDO BEM PEQUENO, SAMUEL JÁ AJUDAVA NO TEMPLO. ISSO NOS ENSINA QUE NÃO IMPORTA SE SOMOS PEQUENOS, TODOS NÓS PODEMOS FAZER ALGO PARA DEUS. PODEMOS SER DEDICADOS E QUERER CONHECER MAIS SOBRE ELE.

ORAÇÃO

Querido Deus, eu quero servir e ajudar do jeito que o Senhor gosta. Amém.

08 Outubro

TEXTO BÍBLICO: 1SAMUEL 3.1-10

CONHECENDO A VOZ DE DEUS

GABRIEL — CERTA NOITE, DEUS FALOU COM SAMUEL, MAS ELE NÃO SABIA DE ONDE VINHA ESSA VOZ. O MENINO ATÉ CONFUNDIU A VOZ DE DEUS COM A VOZ DE ELI. NAQUELA ÉPOCA, SAMUEL AINDA NÃO CONHECIA AO SENHOR. PARA NÃO SE CONFUNDIR, É IMPORTANTE CONHECER A DEUS E SABER RECONHECER A VOZ DELE. ENQUANTO SAMUEL CRESCIA, O SENHOR ESTAVA SEMPRE COM ELE. EU TAMBÉM QUERO CONHECER A DEUS, OUVIR SUA VOZ E CONVERSAR COM ELE.

ENZO — SAMUEL ERA UM PROFETA MUITO IMPORTANTE NAQUELA ÉPOCA. DEUS FALAVA COM ELE, E SAMUEL CONTAVA AO POVO O QUE DEUS QUERIA DIZER.

ORAÇÃO

Pai amado, eu quero conhecer a sua voz e falar com o Senhor. Amém.

TEXTO BÍBLICO: 1SAMUEL 3.10-14, 1PEDRO 1.10,11

09
Outubro

PRONTOS PARA OUVIR E RESPONDER A DEUS

ISABELLA — DEUS FALAVA COM AS PESSOAS POUCAS VEZES NAQUELA ÉPOCA, E SAMUEL DEMOROU PARA ENTENDER A VOZ DO SENHOR. QUANDO ELI DISSE QUE DEUS ESTAVA CHAMANDO POR SAMUEL, ELE RESPONDEU IMEDIATAMENTE: "SIM, ESTOU OUVINDO". QUANDO DEUS NOS CHAMA, PRECISAMOS RESPONDER LOGO E COM ATENÇÃO. DEUS, O NOSSO PAI, QUER QUE CADA UM DE NÓS FAÇA A SUA PARTE NO REINO DELE. ALGUMAS PESSOAS SÃO ESCOLHIDAS PELO SENHOR PARA FALAR COISAS ESPECIAIS QUE ELE QUER QUE OS OUTROS SAIBAM E PARA AJUDAR OUTRAS PESSOAS. ISSO MOSTRA O AMOR DE DEUS POR TODAS AS PESSOAS.

JUNIOR — TODOS NÓS SOMOS IMPORTANTES PARA O REINO DE DEUS, DESDE OS BEBEZINHOS ATÉ OS MAIS VELHOS.

ORAÇÃO

Querido Deus, quero ouvir a sua voz e responder quando me chamar. Amém.

10
Outubro

TEXTO BÍBLICO: 1SAMUEL 7.2-9

UMA CONVERSA ESPECIAL COM DEUS

VALENTINA — SABE, MAMÃE, EU COMECEI A ORAR A DEUS TODOS OS DIAS PELO NOSSO PAÍS. É MUITO IMPORTANTE CONVERSAR COM DEUS SOBRE AS PESSOAS QUE CUIDAM DO PAÍS, AS QUE ESTÃO TRISTES OU COM PROBLEMAS, E ATÉ MESMO SOBRE AQUELAS QUE AINDA NÃO CONHECEM O AMOR DE DEUS. MESMO SENDO BEM PEQUENA, EU SEI QUE SOU ESPECIAL PARA DEUS. ELE ME AMA, CUIDA DE MIM E SEMPRE OUVE AS MINHAS PALAVRAS. VOCÊ SABIA QUE ATÉ O SAMUEL DA BÍBLIA CONVERSAVA COM DEUS PELOS ISRAELITAS? ELE PEDIA A DEUS PARA PERDOAR OS PECADOS DELES.

MÃE DE VALENTINA — QUE BOM QUE VOCÊ SABE QUE É IMPORTANTE ORAR PELO NOSSO PAÍS, ASSIM COMO SAMUEL.

ORAÇÃO

Jesus, oro pelo meu país e para que todos conheçam o seu amor. Amém.

Encontre a palavra escondida nas letras embaralhadas e complete o restante do versículo.

"E Samuel prosseguiu: Reúnam todo o Israel em Mispá, e eu ________________ ao Senhor a favor de vocês" (1Samuel 7.5).

ATÉ AQUI O SENHOR NOS AJUDOU

ENZO — O PROFETA SAMUEL ERA UM HOMEM ESPECIAL. ELE SABIA QUE DEUS ERA BOM PARA O POVO DE ISRAEL. UM DIA, DEUS AJUDOU OS ISRAELITAS A VENCEREM OS INIMIGOS, E SAMUEL COLOCOU UMA PEDRA PARA LEMBRAR DESSE MOMENTO. ELE MARCOU AQUELE MOMENTO, DIZENDO EBENÉZER, QUE SIGNIFICA: "ATÉ AQUI O SENHOR NOS AJUDOU". É IMPORTANTE AGRADECER A DEUS E LEMBRAR COMO ELE NOS AJUDA. DEUS ESTÁ SEMPRE CONOSCO E MOSTRA SEU AMOR DE MUITAS FORMAS. EU AMO A DEUS E SEI QUE ELE ME AJUDOU ATÉ AQUI E SEMPRE VAI ME AJUDAR.

VALENTINA — EU SOU MUITO GRATA A DEUS! DEUS SEMPRE ME AJUDA E CUIDA DE MIM E DA MINHA FAMÍLIA. POSSO DIZER QUE ELE É O MELHOR!

ORAÇÃO

Deus, obrigado por me ajudar até aqui e estar sempre comigo. Amém.

12
Outubro

TEXTO BÍBLICO: 1SAMUEL 3.1,7,8

DEUS FALA COM AS CRIANÇAS

JOÃO — EU FIQUEI MUITO FELIZ COM A HISTÓRIA DE SAMUEL! ELE ERA UM MENINO QUE AMAVA A DEUS E SERVIA NO TEMPLO. MESMO SENDO BEM NOVINHO, DEUS FALOU COM ELE. ISSO MOSTRA QUE AS CRIANÇAS TAMBÉM PODEM FALAR COM DEUS. NÃO IMPORTA SE SOMOS PEQUENOS OU GRANDES, DEUS NOS AMA E DESEJA QUE ACEITEMOS O AMOR DELE. ELE SEMPRE ESTÁ PRONTO PARA NOS OUVIR, NÃO IMPORTA A NOSSA IDADE.

ENZO — TENHO CERTEZA DE QUE DEUS FALA COM AS CRIANÇAS! ELE ME FALA ATRAVÉS DA BÍBLIA, DAS ORAÇÕES E DAS COISAS QUE APRENDO. É INCRÍVEL SABER QUE DEUS ESTÁ SEMPRE PERTO DE MIM E QUE ME AMA TANTO ASSIM! ELE QUER O MELHOR PARA MIM E ME GUIA TODOS OS DIAS.

ORAÇÃO

Pai, ensina-me a ouvir a sua voz e tudo o que preciso saber. Amém.

Hoje é um dia especial, sabia? É o Dia das Crianças! Que tal um piquenique? No parque, no quintal ou em casa. Comidinhas gostosas, como sanduíches, bolachas e frutas... Ah, só de pensar, já me deu fome!

TEXTO BÍBLICO: MATEUS 19.13-15

JESUS AMA AS CRIANÇAS

13
Outubro

ISABELLA — UMA VEZ, OS DISCÍPULOS DE JESUS NÃO QUERIAM DEIXAR AS CRIANÇAS SE APROXIMAREM DELE PARA NÃO ATRAPALHAR JESUS. MAS JESUS NÃO GOSTOU DISSO: "DEIXEM QUE AS CRIANÇAS VENHAM A MIM!", FOI O QUE ELE RESPONDEU, PORQUE O REINO DOS CÉUS TAMBÉM É DE TODAS NÓS! ISSO É PORQUE DEUS AMA MUITO AS CRIANÇAS E TEM PLANOS ESPECIAIS PARA CADA UMA. PODEMOS CONFIAR EM DEUS, O NOSSO PAI, E ACREDITAR QUE ELE NOS AMA, CUIDA DE NÓS E ENVIOU SEU FILHO QUERIDO PARA NOS SALVAR.

JOÃO — JESUS SEMPRE DEIXOU CLARO QUE AS CRIANÇAS SÃO ESPECIAIS PARA DEUS. EU AMO ANDAR COM JESUS!

ORAÇÃO

Jesus, estou tão feliz porque sou importante para o seu Reino! Que alegria! Amém.

14
Outubro

TEXTO BÍBLICO: MATEUS 21.15-17, MARCOS 9.36,37

JESUS E AS CRIANÇAS

VITÓRIA — ÀS VEZES, FICO COM MEDO DE FALAR COM AS PESSOAS. TENHO MEDO QUE RIAM DE MIM. MAS, QUANDO CONVERSO COM JESUS, ME SINTO PROTEGIDA. ELE SE IMPORTA COM TUDO O QUE EU SINTO, PENSO E DIGO. DEUS GOSTA QUANDO AS CRIANÇAS O ADORAM, OU SEJA, QUANDO ELAS CANTAM E ORAM PARA ELE. QUANDO FALO COM JESUS, GOSTO DE CANTAR MÚSICAS BONITAS. ELE FICA FELIZ COM A MINHA ADORAÇÃO SINCERA.

PAI DE VITÓRIA — JESUS MOSTROU O AMOR DELE PELAS CRIANÇAS MUITAS VEZES. OS ADULTOS TÊM MUITO A APRENDER COM A FÉ, A HUMILDADE E A SINCERIDADE DOS PEQUENINOS.

ORAÇÃO

Meu Jesus querido, quero louvar de coração e agradecer pela sua proteção. Amém.

APRENDENDO COM O MESTRE

GABRIEL — HOJE É UM DIA ESPECIAL, O DIA DOS PROFESSORES! ESTOU FAZENDO CARTINHAS PARA AGRADECER AOS MEUS PROFESSORES PORQUE ELES SÃO MUITO LEGAIS! MAS VOCÊ SABE QUEM É O MELHOR PROFESSOR DE TODOS? É JESUS, O MESTRE DOS MESTRES! ELE ENSINAVA TODOS OS DIAS NO TEMPLO E TAMBÉM PELOS LUGARES ONDE PASSAVA. ELE ENSINAVA COM MUITO AMOR E PACIÊNCIA! APRENDER COM JESUS É INCRÍVEL! TAMBÉM APRENDO MUITO COM OS MEUS PROFESSORES DA ESCOLA E DA IGREJA.

AVÓ DE GABRIEL — É MUITO IMPORTANTE ORAR PELOS PROFESSORES, PARA QUE DEUS CUIDE DELES E LHES DÊ SABEDORIA E CONHECIMENTO.

ORAÇÃO

Jesus, meu Mestre, peço que os meus professores tenham sabedoria. Amém.

16
Outubro

TEXTO BÍBLICO: JOÃO 6.60-69

AS PALAVRAS DE JESUS SÃO COMO UM PRESENTE VALIOSO

JOÃO — MUITAS PESSOAS TINHAM DIFICULDADE EM ENTENDER O QUE JESUS ENSINAVA. ELE FALAVA COMO VIVER DE UM JEITO DIFERENTE. ALGUMAS PESSOAS ATÉ PARARAM DE SEGUI-LO. ENTÃO JESUS PERGUNTOU AOS SEUS AMIGOS, OS DOZE DISCÍPULOS, SE ELES TAMBÉM IRIAM EMBORA. PEDRO RESPONDEU: “SENHOR, PARA ONDE IREMOS? SÓ O SENHOR TEM AS PALAVRAS QUE NOS DÃO VIDA PARA SEMPRE”. PEDRO SABIA QUE AS PALAVRAS DE JESUS SÃO MUITO IMPORTANTES. SOMENTE JESUS TEM AS PALAVRAS QUE NOS DÃO VIDA.

ISABELLA — OS ENSINAMENTOS DE JESUS SÃO COMO UM TESOURO MUITO VALIOSO PARA NÓS.

ORAÇÃO

Eu agradeço, Jesus, por me ensinar cada dia. Vou guardar e praticar a sua palavra. Amém.

TEXTO BÍBLICO: MATEUS 14.22-29

17
Outubro

A INCRÍVEL AVENTURA SOBRE AS ÁGUAS

VALENTINA —ESTA HISTÓRIA FALA DE PEDRO, UM DOS DISCÍPULOS DE JESUS E MUITO AMIGO DELE. TODOS ESTAVAM EM UM BARCO E VIRAM ALGO INCRÍVEL: JESUS ANDANDO EM CIMA DA ÁGUA! PEDRO FICOU MUITO ANIMADO E PEDIU A JESUS QUE O DEIXASSE ANDAR NA ÁGUA TAMBÉM. JESUS CONCORDOU, E PEDRO PULOU DO BARCO E ANDOU SEM AFUNDAR NA ÁGUA!

ESSA HISTÓRIA ME ENSINA QUE, SE TIVERMOS CORAGEM E ACREDITARMOS EM JESUS, PODEMOS FAZER COISAS INCRÍVEIS. É MUITO BOM ESTAR COM JESUS E CONFIAR NO AMOR E NO PODER DELE EM TODAS AS SITUAÇÕES.

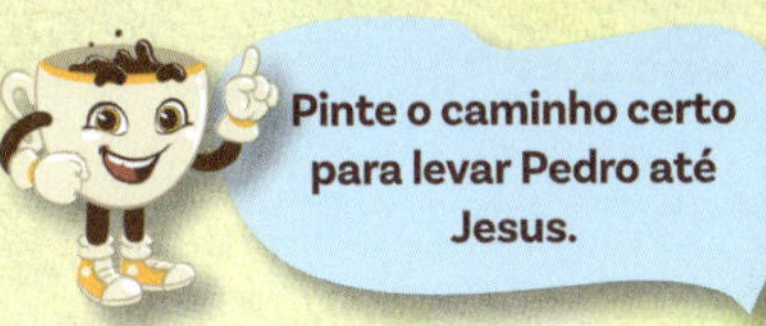

ORAÇÃO

Meu Jesus, ajude-me a confiar no Senhor e a viver coisas incríveis. Amém.

18
Outubro

TEXTO BÍBLICO: MATEUS 14.30-34

ACREDITE EM JESUS E ANDE COM ELE

ENZO — PEDRO ACREDITOU EM JESUS E TEVE CORAGEM PARA CAMINHAR SOBRE A ÁGUA, MAS ELE FICOU COM MEDO QUANDO SENTIU O VENTO. JESUS ESTENDEU A MÃO E O SEGUROU. O MEDO FEZ PEDRO PERDER UM POUCO DA SUA FÉ, MAS JESUS ESTAVA LÁ PARA LEMBRÁ-LO DE CONFIAR NELE. TODOS NÓS SENTIMOS MEDO ÀS VEZES, MAS É IMPORTANTE ACREDITAR QUE O SENHOR CUIDA DE NÓS. JESUS SEMPRE ESTENDE A MÃO PARA NOS AJUDAR. DEVEMOS TER CERTEZA DISSO E NUNCA DUVIDAR DO PODER DE DEUS.

PAI DE ENZO — É IMPORTANTE CONFIAR EM JESUS PARA CAMINHAR COM ELE. QUANDO VOCÊ ESTIVER COM MEDO OU ASSUSTADO, LEMBRE-SE DE QUE JESUS NUNCA O DEIXARÁ SÓ.

ORAÇÃO

Espírito Santo, ajude-me a saber que o Senhor está sempre comigo. Amém.

TEXTO BÍBLICO: MARCOS 4.35-41

JESUS ME PROTEGE NO MEIO DA TEMPESTADE

JOÃO — JESUS ESTÁ SEMPRE COM A GENTE, ATÉ NOS MOMENTOS DIFÍCEIS. QUANDO CONFIAMOS NELE, PODEMOS FICAR CALMOS E DESCANSAR, PORQUE ELE CUIDA DE NÓS. UMA VEZ, JESUS ESTAVA EM UM BARCO COM SEUS AMIGOS, OS DISCÍPULOS, QUANDO UM VENTO FORTE COMEÇOU A BALANÇAR O BARCO. OS DISCÍPULOS FICARAM MUITO ASSUSTADOS, MAS JESUS ESTAVA DORMINDO TRANQUILAMENTE. ELES O ACORDARAM, POIS ESTAVAM COM MUITO MEDO, E JESUS, COM UMA PALAVRA DE ORDEM, MANDOU O VENTO E O MAR FICAREM QUIETOS. ATÉ O VENTO E O MAR OBEDECEM A JESUS, POR ISSO NÃO PRECISAMOS TER MEDO DAS TEMPESTADES OU DAS COISAS DIFÍCEIS. COM JESUS AO NOSSO LADO, PODEMOS DESCANSAR E FICAR EM PAZ.

ISABELLA — QUANDO TEMOS FÉ, FICAMOS CALMOS E CORAJOSOS MESMO QUANDO AS COISAS ESTÃO DIFÍCEIS.

ORAÇÃO

Senhor, me ajude a confiar e descansar no seu amor. Amém.

Vamos brincar de "Qual é a música?"? Cada um de nós canta um pedaço, e os outros completam. Por exemplo, eu começo com "Pedro, Tiago, João no...", e vocês dizem: "... barquinho no mar da Galileia".

20
Outubro

TEXTO BÍBLICO: MATEUS 16.13-19

UMA INCRÍVEL MUDANÇA

ENZO — PEDRO ERA MUITO BRAVO, SE IRAVA FACILMENTE E DEIXAVA QUE AS EMOÇÕES TOMASSEM CONTA DELE, MAS O AMOR DE JESUS O TRANSFORMOU. PEDRO ACOMPANHOU JESUS DURANTE O TEMPO EM QUE VIVEU AQUI NA TERRA, APRENDEU COM ELE, VIU OS MILAGRES E CURAS DE JESUS E O AMOR DELE PELAS PESSOAS. CAMINHAR COM JESUS TRANSFORMA O NOSSO CORAÇÃO E A NOSSA MENTE. PEDRO SE TORNOU MUITO IMPORTANTE NA HISTÓRIA DA IGREJA, POIS CUROU VÁRIAS PESSOAS E PREGOU O EVANGELHO.

JOÃO — O ESPÍRITO SANTO MUDOU A VIDA DE PEDRO E TAMBÉM PODE MUDAR A NOSSA VIDA.

ORAÇÃO

Espírito de Deus, mude o meu coração e a minha mente. Amém.

TEXTO BÍBLICO: ATOS 8.1-3, 9.1,2

21
Outubro

DE PERSEGUIDOR A SEGUIDOR DE JESUS

ISABELLA — HAVIA UM HOMEM MUITO IMPORTANTE NA BÍBLIA CHAMADO PAULO. ELE VIAJAVA PARA FALAR DE JESUS ÀS PESSOAS, MAS ANTES DISSO FAZIA COISAS MÁS E NÃO GOSTAVA DOS CRISTÃOS. NAQUELA ÉPOCA, SE CHAMAVA SAULO. QUANDO PAULO CONHECEU JESUS, TUDO MUDOU! ELE PASSOU A AMAR OS CRISTÃOS E A FAZER COISAS BOAS. JESUS NOS AJUDA A SER PESSOAS BOAS E NOS PERDOA QUANDO ERRAMOS. PAULO ENCONTROU PERDÃO E UMA VIDA NOVA COM JESUS. HOJE, EM ALGUNS LUGARES, AINDA EXISTEM PESSOAS QUE NÃO GOSTAM DOS CRISTÃOS E OS TRATAM MAL. POR ISSO, PRECISAMOS ORAR POR NOSSOS IRMÃOS NA FÉ PARA QUE TENHAM A LIBERDADE DE FALAR SOBRE JESUS E VIVER PARA DEUS.

MICHELLE — É IMPORTANTE ORAR POR TODAS AS PESSOAS QUE NÃO GOSTAM DOS CRISTÃOS, PARA QUE ELAS MUDEM, ASSIM COMO PAULO MUDOU.

ORAÇÃO

Pai, cuide dos meus irmãos em Cristo pelo mundo. Em nome de Jesus, amém.

22
Outubro

TEXTO BÍBLICO: ATOS 9.1-9

QUANDO O AMOR DE JESUS NOS TRANSFORMA

VITÓRIA — O AMOR DE JESUS TRAZ ALEGRIA A TODOS. LEMBRA DE PAULO, QUE FAZIA COISAS RUINS AOS CRISTÃOS? POIS É, UM DIA ELE DESCOBRIU O AMOR DE JESUS. FOI INCRÍVEL! UMA LUZ BRILHOU E DELA SAIU UMA VOZ QUE FALOU COM ELE. ERA O PRÓPRIO JESUS, A QUEM ELE ESTAVA PERSEGUINDO. DEUS TEM O PODER DE SALVAR TODAS AS PESSOAS, MESMO AQUELAS QUE COMETERAM GRANDES ERROS. O AMOR DE JESUS PODE NOS SALVAR E NOS LIBERTAR. FOI EXATAMENTE ISSO QUE ACONTECEU COM PAULO. ELE OUVIU A VOZ DE JESUS MUDOU COMPLETAMENTE, PORQUE ENCONTROU O VERDADEIRO AMOR. JESUS DESEJA QUE TODAS AS PESSOAS CONHEÇAM ESSE AMOR E SEJAM LIBERTAS DO PECADO.

ORAÇÃO

Jesus, eu oro para que as pessoas que não conhecem o seu amor tenham um encontro com você. Amém.

Contorne as letras para descobrir quem transformou o coração de Paulo.

TEXTO BÍBLICO: ATOS 9.10-19

23
Outubro

UM MENSAGEIRO DE DEUS COM UMA MISSÃO ESPECIAL

JOÃO — PAPAI, VOCÊ JÁ OUVIU FALAR DE DEUS PEDINDO A ALGUÉM QUE ORASSE POR OUTRA PESSOA? EU LI UMA HISTÓRIA EM QUE DEUS PEDIU A UM HOMEM CHAMADO ANANIAS PARA SE ENCONTRAR COM PAULO E FAZER UMA ORAÇÃO POR ELE. DEUS QUERIA ENCHER O CORAÇÃO DE PAULO COM O ESPÍRITO SANTO.

JUNIOR — SIM, ÀS VEZES DEUS NOS DIZ QUE DEVEMOS ORAR POR ALGUÉM EM ESPECIAL. É COMO SE ELE NOS DESSE UM RECADO. ELE PODE NOS DIZER QUE DEVEMOS MANDAR UMA MENSAGEM, DAR UM ABRAÇO OU SIMPLESMENTE ORAR. QUANDO OUVIMOS A VOZ DE DEUS, É IMPORTANTE OBEDECER E FAZER O QUE ELE PEDE. ASSIM, PODEMOS AJUDAR E ABENÇOAR OUTRAS PESSOAS. É UMA MANEIRA MUITO BELA DE SERMOS BONS COM OS DEMAIS.

ORAÇÃO

Deus, guia-me para fazer o bem às pessoas e mostrar o seu amor. Amém.

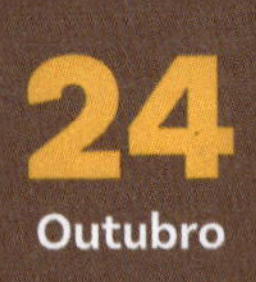

24
Outubro

TEXTO BÍBLICO: ATOS 9.19-22

O AMOR DE JESUS TRANSFORMA O NOSSO CORAÇÃO

GABRIEL — EU FICO MUITO FELIZ EM SABER QUE JESUS ESTÁ NO MEU CORAÇÃO. QUANDO ME SINTO TRISTE, BRAVO OU CANSADO, SEI QUE ELE ESTÁ COMIGO. ÀS VEZES, É DIFÍCIL NÃO TER PAI COMO OUTRAS CRIANÇAS TÊM: ELAS BRINCAM COM SEUS PAIS, GANHAM PRESENTES E RECEBEM MUITO AMOR. MAS AGORA ENTENDO QUE TENHO ALGO ESPECIAL, UM AMOR AINDA MAIOR: O AMOR DE DEUS PAI. ELE ME AMA MUITO E ESTÁ SEMPRE COMIGO, CUIDANDO DE MIM.

AVÓ DE GABRIEL — QUE BOM QUE VOCÊ ESTÁ SENTINDO CADA VEZ MAIS O AMOR DO SENHOR. ÀS VEZES, PODEMOS NOS SENTIR TRISTES, MAS É IMPORTANTE SABER QUE VOCÊ É AMADO POR DEUS, POR SUA FAMÍLIA E SEUS AMIGOS. NUNCA VAI FALTAR AMOR A NENHUM DE NÓS, PORQUE SOMOS TODOS FILHOS ESPECIAIS DE DEUS. ELE SEMPRE VAI ESTAR AQUI PARA NOS AMAR E CUIDAR DE NÓS.

ORAÇÃO

Espírito Santo, me ajude a viver como Deus deseja. Em nome de Jesus, amém.

LEVANDO O AMOR DE JESUS A TODAS AS PESSOAS

VALENTINA — FICO MUITO TRISTE QUANDO VEJO QUE ALGUMAS PESSOAS AINDA NÃO SABEM QUANTO DEUS NOS AMA. QUERO FAZER TUDO O QUE POSSO PARA SER UMA CRIANÇA ABENÇOADA E LEVAR O AMOR DE JESUS A TODOS AQUELES QUE PRECISAM. EM TODO O MUNDO, EXISTEM PESSOAS QUE PRECISAM OUVIR AS PALAVRAS DO SENHOR E CONHECER O AMOR QUE MUDA O NOSSO CORAÇÃO E NOS SALVA DO PECADO. QUANDO EU CRESCER, QUERO SER COMO PAULO, QUE VIAJOU A MUITOS LUGARES PARA FALAR SOBRE JESUS. MUITAS PESSOAS CONHECERAM A DEUS E ACREDITARAM NELE POR CAUSA DO TRABALHO DE PAULO.

ISABELLA — EU TAMBÉM QUERO LEVAR O AMOR DE JESUS ÀS PESSOAS. MAS VOCÊ SABIA QUE NÃO PRECISA ESPERAR CRESCER PARA COMEÇAR A FALAR DA PALAVRA DE DEUS? TODO MUNDO PODE E DEVE!

ORAÇÃO

Deus Pai, ajude-me a falar do seu amor sem medo nem vergonha. Amém.

26
Outubro

TEXTO BÍBLICO: ROMANOS 1.1-17

ESPALHANDO O AMOR E O PODER DE DEUS PELO MUNDO!

VITÓRIA — DEPOIS QUE PAULO COMEÇOU A ANDAR NOS CAMINHOS DO SENHOR, ELE SEMPRE SE DEDICOU A OBEDECER A DEUS E A ENSINAR OUTRAS PESSOAS. PAULO VIAJOU PARA VÁRIOS LUGARES E CONVIDOU AS PESSOAS A VIVEREM NA OBEDIÊNCIA QUE VEM PELA FÉ. ELE FALOU SOBRE O PODER DE DEUS, O AMOR DE JESUS CRISTO E A SANTIDADE DO ESPÍRITO.

DEPOIS QUE PAULO COMEÇOU A CAMINHAR COM DEUS, ELE SEMPRE FEZ O QUE O PAI MANDAVA E ENSINOU OS OUTROS A FAZER O MESMO. PAULO VIAJOU PARA MUITOS LUGARES E CONVIDOU AS PESSOAS A OBEDECEREM A DEUS COM FÉ. ELE FALOU SOBRE COMO DEUS É PODEROSO, COMO JESUS NOS AMA E COMO O ESPÍRITO SANTO É ESPECIAL E NOS AJUDA.

ENZO — AS PESSOAS FICAVAM MUITO SURPRESAS QUANDO VIAM COMO PAULO TINHA MUDADO. ELE COSTUMAVA PERSEGUIR OS SEGUIDORES DE JESUS, MAS DEPOIS ELE MESMO SE TORNOU UM SEGUIDOR DE JESUS. EU TAMBÉM QUERO QUE TODOS VEJAM COMO EU MUDO A CADA DIA, PORQUE ESCOLHI SEGUIR JESUS CRISTO.

ORAÇÃO

Querido Deus, eu quero servir e ajudar do jeito que o Senhor gosta. Amém.

TEXTO BÍBLICO: ISAÍAS 52.7, MARCOS 16.15-18

27
Outubro

OS CORAJOSOS QUE LEVAM O AMOR DE DEUS

ENZO — EU OUVI DIZER QUE TEM UMA MISSIONÁRIA AQUI NA IGREJA HOJE! QUE LEGAL! MAS O QUE É UM MISSIONÁRIO?

JOÃO — OS MISSIONÁRIOS SÃO PESSOAS QUE ESPALHAM A MENSAGEM DE AMOR E SALVAÇÃO DE JESUS. ALGUNS MISSIONÁRIOS VÃO PARA LUGARES DISTANTES, OUTROS FICAM EM SUAS PRÓPRIAS CIDADES, AJUDANDO AS PESSOAS E LEVANDO ESPERANÇA E FÉ. TODOS NÓS DEVEMOS LEVAR ESSAS BOAS NOTÍCIAS, MAS OS MISSIONÁRIOS SE DEDICAM ESPECIALMENTE A ISSO, DEIXANDO TUDO PARA TRÁS, COMO TRABALHO, CASA E ATÉ MESMO SEU PAÍS, PARA ESPALHAR O AMOR DE DEUS!

28
Outubro

TEXTO BÍBLICO: MATEUS 5.13-16, EFÉSIOS 6.18-20

LEMBRANDO DOS MISSIONÁRIOS NAS MINHAS ORAÇÕES

ISABELLA – PAPAI, EU QUERIA MUITO AJUDAR AQUELA MISSIONÁRIA QUE NOS VISITOU ONTEM. O QUE SERÁ QUE POSSO FAZER? EU PENSEI EM OFERTAR COM O DINHEIRO QUE TEM NO MEU COFRE.

JUNIOR – VOCÊ PODE, SIM, DAR UM POUCO DO SEU DINHEIRO PARA AJUDAR OS MISSIONÁRIOS. ISSO VAI SER DE MUITA AJUDA! MAS TEM ALGO MUITO IMPORTANTE QUE PODEMOS FAZER POR ELES TAMBÉM: ORAR. A ORAÇÃO É O QUE NOS MANTÉM FORTES NA CAMINHADA COM JESUS. PRECISAMOS PEDIR A DEUS PARA CUIDAR, ABENÇOAR E DAR SABEDORIA AOS MISSIONÁRIOS QUE ESTÃO ESPALHANDO A MENSAGEM DO EVANGELHO.

ORAÇÃO

Deus Pai, abençoe os missionários do mundo todo e que muitos conheçam o seu amor. Amém.

TEXTO BÍBLICO: MATEUS 10.7,8, ROMANOS 10.9-15

ESPALHANDO O AMOR DE JESUS POR ONDE PASSO

GABRIEL — HOJE ACONTECEU ALGO INCRÍVEL! EU ESTAVA NA ESCOLA COM DOIS AMIGOS E ELES ME PERGUNTARAM POR QUE SOU TÃO FELIZ E ESPECIAL. EXPLIQUEI QUE MINHA ALEGRIA VEM DE JESUS E QUE O ESPÍRITO SANTO MUDOU O MEU CORAÇÃO. FALEI SOBRE O AMOR DE DEUS, QUE MANDOU SEU FILHO PARA NOS SALVAR E NOS LIVRAR DO PECADO. DEPOIS, DESENHEI ALGO ESPECIAL PARA CADA UM DELES E ESCREVI: "JESUS TE AMA". ELES FICARAM MUITO FELIZES!

AVÔ DE GABRIEL — QUE ALEGRIA! VOCÊ FEZ ALGO MUITO BOM. EM TODOS OS LUGARES QUE VAMOS, DEVEMOS MOSTRAR QUE TEMOS O AMOR DE JESUS NO CORAÇÃO. TODOS NÓS FOMOS CHAMADOS PARA FALAR DO AMOR DE DEUS!

ORAÇÃO

Amoroso Deus, que todos conheçam o seu amor e sigam o Senhor. Amém.

30

Outubro

TEXTO BÍBLICO: ROMANOS 3.21-31

TODOS PRECISAM DO AMOR DE JESUS

O AMOR DE JESUS É PARA TODOS

VALENTINA — QUERO QUE O MUNDO TODO CONHEÇA O AMOR DE JESUS! ELE AMA PESSOAS DE TODOS OS LUGARES E TODAS AS IDADES; NINGUÉM É DEIXADO DE FORA. POR ISSO, EU QUERO QUE TODO O MUNDO SAIBA DO AMOR DE DEUS E SEJA SALVO! EU SEI QUE MEU PAPEL É ORAR, LER A BÍBLIA, FAZER O QUE DEUS DIZ E FALAR DO AMOR DE JESUS. É MUITO IMPORTANTE OBEDECER A DEUS E MOSTRAR A MINHA FÉ, PARA QUE OS OUTROS VEJAM O AMOR, O PODER E A BONDADE DE JESUS EM TUDO!

ORAÇÃO

Jesus, eu agradeço por me amar sempre. Que eu viva para alegrar o Senhor. Amém.

TEXTO BÍBLICO: 2CORÍNTIOS 5.11-20

SENDO UM MENSAGEIRO DE CRISTO

ENZO — PAPAI, EU LI UM VERSÍCULO QUE DIZ QUE NÓS SOMOS EMBAIXADORES DE CRISTO. O QUE ISSO SIGNIFICA?

PAI DE ENZO — UM EMBAIXADOR É COMO UM MENSAGEIRO ESPECIAL QUE VAI A OUTROS LUGARES REPRESENTANDO ALGO OU ALGUÉM. POR EXEMPLO, IMAGINE QUE VOCÊ É UM EMBAIXADOR DO BRASIL E VAI PARA OUTROS PAÍSES EM NOME DO NOSSO PAÍS. NÓS SOMOS EMBAIXADORES DE CRISTO, O QUE SIGNIFICA QUE DEVEMOS APRESENTAR JESUS EM TUDO O QUE FAZEMOS, NÃO IMPORTA ONDE ESTIVERMOS. É IMPORTANTE PROCURAR SER COMO JESUS E MOSTRAR O AMOR DELE POR TODAS AS PESSOAS.

ENZO — QUE LEGAL! EU SOU UM EMBAIXADOR DE CRISTO E REPRESENTO JESUS!

ORAÇÃO

Pai, agradeço pelo ensino da Bíblia. Cuide de mim e da minha família. Amém.

café
com
Deus
pai
KIDS

NOVEMBRO
FIM DAS AULAS

DIVERSÃO EM FAMÍLIA

Nós somos ovelhas, e o Senhor é o nosso pastor. Cole algodão na ovelhinha para deixá-la bem macia e fofinha.

A GRANDE FAMÍLIA DE DEUS

VITÓRIA — DEUS É COMO UM PAI PARA TODOS NÓS, E SOMOS UMA FAMÍLIA MUITO GRANDE. O NOSSO PAI CELESTIAL NOS AMA E CUIDA PORQUE SOMOS SEUS FILHOS. É TRISTE QUANDO ALGUMAS PESSOAS AINDA NÃO CONHECEM O NOSSO PAI DO CÉU. DEPOIS QUE CONHECEMOS A DEUS, NUNCA MAIS NOS SENTIMOS SOZINHOS, PORQUE DEUS ESTÁ SEMPRE CONOSCO. O AMOR DE DEUS É O MAIOR DE TODOS, E NÃO EXISTE NINGUÉM COMO ELE!

GABRIEL — É MUITO BOM SABER QUE DEUS É O MEU PAI! ELE NUNCA ME DEIXA SOZINHO E SEMPRE MOSTRA O QUANTO ME AMA.

ORAÇÃO

Deus Pai, eu agradeço por me amar tanto e desejo que todos o conheçam. Amém.

02
Novembro

TEXTO BÍBLICO: 1CORÍNTIOS 12.12-26

EU AMO A MINHA FAMÍLIA DA FÉ

JOÃO — DEVEMOS CUIDAR DAS PESSOAS QUE ACREDITAM EM DEUS, ASSIM COMO NÓS. ESSAS PESSOAS SÃO COMO UMA FAMÍLIA ESPECIAL, CHAMADA FAMÍLIA DA FÉ. CADA UM DE NÓS É IMPORTANTE E TEM COISAS DIFERENTES PARA OFERECER. NINGUÉM É MELHOR OU PIOR DO QUE OS OUTROS. QUANDO UM AMIGO ESTÁ FELIZ, TODOS FICAMOS FELIZES. QUANDO UM AMIGO ESTÁ TRISTE, TAMBÉM NOS ENTRISTECEMOS.

VALENTINA — É VERDADE! EU VEJO O AMOR E O CUIDADO DE VOCÊS COMIGO. QUANDO FICO DOENTE, TODOS FICAM TRISTES E ORAM POR MIM. QUANDO MELHORO, TODOS FICAM FELIZES E AGRADECEM A DEUS EM ORAÇÃO.

ORAÇÃO

Pai, oro pelos meus amigos da igreja para que o seu amor nos torne mais fortes. Amém.

Divirta-se com a sua família! Façam uma brincadeira diferente: imitem uns aos outros sem falar, só com mímica. Tentem descobrir quem está sendo representado. Vai ser muito engraçado!

TEXTO BÍBLICO: MATEUS 18.10-14, LUCAS 15.1-7

A OVELHA PERDIDA

03
Novembro

ISABELLA —DEUS AMA MUITO TODOS OS SEUS FILHOS. ELE QUER CUIDAR DE NÓS E NOS DAR O MELHOR. JESUS CONTOU UMA HISTÓRIA A SEUS AMIGOS SOBRE UMA OVELHINHA QUE SE PERDEU. IMAGINE UM PASTOR QUE TEM MUITAS OVELHAS; UMA DELAS SE PERDEU PELO CAMINHO, POR ISSO O PASTOR DEIXOU AS OUTRAS BEM SEGURAS PARA PROCURAR A OVELHA PERDIDA. DEUS TAMBÉM FAZ TUDO POR NÓS, PORQUE QUER QUE ESTEJAMOS SEMPRE PERTO DELE. QUANDO ESTAMOS LONGE DE DEUS, NÃO ESTAMOS SEGUROS. MAS, QUANDO ESTAMOS PERTO DELE, ENCONTRAMOS ALEGRIA, PAZ E MUITO AMOR. DEUS SEMPRE SABE COMO E ONDE ENCONTRAR SEUS FILHOS, PORQUE NÃO DESEJA QUE NENHUM DELES SE PERCA.

ORAÇÃO

Jesus, meu querido Pastor, sei que o Senhor me ama e está sempre comigo. Amém.

TEXTO BÍBLICO: EZEQUIEL 34.11-16

DEUS CUIDA DE TODOS OS FILHOS

ENZO — O PAPAI E A MAMÃE ME AMAM MUITO. ELES CUIDAM DE MIM, ME ENSINAM E SEMPRE ME DÃO COISAS BOAS. É ÓTIMO RECEBER TANTO AMOR E CUIDADO. MAS VOCÊ SABE DE UMA COISA? O AMOR DE DEUS PAI É AINDA MAIOR! É MAIOR DO QUE O MUNDO TODO! A BÍBLIA NOS CONTA QUE DEUS CUIDA DE NÓS COMO UM PASTOR CUIDA DAS SUAS OVELHAS. ELE AJUDA AS OVELHINHAS PERDIDAS, DÁ COMIDA BOA A ELAS E AS CURA QUANDO ESTÃO MACHUCADAS. NÃO HÁ NADA MELHOR DO QUE SENTIR O AMOR DE DEUS PAI!

JOÃO — É VERDADE! EU QUERO QUE TODAS AS PESSOAS ENCONTREM O AMOR DESSE DEUS MARAVILHOSO!

ORAÇÃO

Meu Pai querido, como é bom sentir o seu amor e cuidado! Abençoe a minha semana. Amém.

TEXTO BÍBLICO: SALMOS 9.9,10, EZEQUIEL 34.12,13

DEUS NOS PROTEGE

05
Novembro

GABRIEL — SE EU ESTIVESSE LONGE DO AMOR DE DEUS, FICARIA COM MUITO MEDO E TRISTE. DEUS É COMO UM GRANDE ABRAÇO QUE ME PROTEGE E ME FAZ SENTIR SEGURO. ELE ME DÁ CARINHO, ME DEIXA FELIZ E CUIDA DE MIM. MAS, QUANDO AS OVELHINHAS SE PERDEM, ELAS FICAM COM MUITO MEDO. SENTEM FRIO E CORREM PERIGO. EU QUERO SER UMA OVELHINHA OBEDIENTE E OUVIR SEMPRE O QUE DEUS ME DIZ, COMO UM PASTOR CUIDADOSO. QUERO ESTAR SEMPRE PERTO DELE, PARA NUNCA ME PERDER. É TÃO BOM ESTAR COM DEUS! ELE É COMO UMA CASA FORTE, ONDE NOS SENTIMOS SEGUROS. QUANDO ESTAMOS LONGE DELE, FICAMOS FRACOS E TRISTES.

AVÔ DE GABRIEL — É MUITO TRISTE QUANDO NÃO ESTAMOS PERTO DE DEUS. POR ISSO, DEVEMOS ORAR PARA QUE TODAS AS OVELHAS QUE SE PERDERAM POSSAM ENCONTRAR O SENHOR NOVAMENTE.

ORAÇÃO

Bom Pastor, agradeço pela proteção. Oro pelas pessoas que estão longe do seu amor. Amém.

TEXTO BÍBLICO: JEREMIAS 15.16, EZEQUIEL 34.27-31

DEUS NOS ALIMENTA COM SUA PALAVRA

JOÃO —A OVELHINHA QUE SE PERDE FICA COM MUITA FOME, PORQUE NÃO ENCONTRA COMIDA BOA QUE FAZ O CORPO FORTE. DEUS DIZ QUE VAI DAR COMIDA PARA AS OVELHAS DELE. O SENHOR SABE O QUE PRECISAMOS E NÃO GOSTA DE NOS VER SOFRER. DEUS TAMBÉM NOS DÁ ALGO MUITO ESPECIAL: COMIDA PARA O NOSSO CORAÇÃO. A PALAVRA DE DEUS É COMO UM ALIMENTO QUE NOSSO CORAÇÃO PRECISA. QUANDO ESTAMOS LONGE DE DEUS E DA PALAVRA, SENTIMOS FOME. SÓ O SENHOR PODE SATISFAZER A FOME DO NOSSO CORAÇÃO.

JUNIOR — ISSO MESMO, JOÃO. É POR ISSO QUE DEVEMOS LER A BÍBLIA TODOS OS DIAS E COMER O ALIMENTO QUE FAZ NOSSA ALMA FICAR FORTE.

ORAÇÃO

Bom Deus, agradeço pela sua Palavra, que é o alimento da minha alma. Amém.

TEXTO BÍBLICO: SALMOS 147.3, EZEQUIEL 34.15,16

07
Novembro

DEUS CURA AS NOSSAS DORES

ISABELLA — CERTA VEZ, UM AMIGUINHO NÃO QUIS BRINCAR COMIGO, E ISSO ME DEIXOU TRISTE. MEU CORAÇÃO DOEU E ME SENTI REJEITADA. ENTÃO, CONTEI PARA A MAMÃE. ELA ME DEU UM ABRAÇO APERTADO, DISSE QUE ME ENTENDIA E OROU PARA QUE EU SENTISSE O AMOR DE DEUS. DEPOIS DA ORAÇÃO, EU ME SENTI MUITO MELHOR, PORQUE SABIA QUE DEUS NUNCA VAI ME REJEITAR. ELE PODE ACALMAR AS TRISTEZAS DO NOSSO CORAÇÃO. A OVELHINHA QUE SE PERDE TAMBÉM SOFRE, MAS ENCONTRA CONFORTO QUANDO VOLTA PARA OS BRAÇOS DO SENHOR, O NOSSO PASTOR.

VALENTINA — O AMOR DE DEUS TEM UM PODER ESPECIAL. ELE PODE NOS CURAR E TIRAR TODAS AS DORES!

ORAÇÃO

Deus, quero ficar perto do Senhor e nunca me perder. Amém.

Pinte este desenho de como Deus cura o nosso coração!

TEXTO BÍBLICO: JEREMIAS 3.21,22, MATEUS 10.6,7

EU ORO POR AQUELES QUE ESTÃO PERDIDOS

ENZO — DEUS AMA SEUS FILHOS E QUER ENCONTRAR OS QUE ESTÃO PERDIDOS. TAMBÉM ME PREOCUPO COM AS OVELHINHAS PERDIDAS, QUE SÃO AS PESSOAS QUE NÃO CONHECEM DE VERDADE O AMOR DE DEUS. QUERO QUE TODAS ELAS ENCONTREM DEUS NOVAMENTE PARA FICAREM BEM, FELIZES E NUNCA MAIS SE PERDEREM. COMO FILHO DE DEUS, AMO MEUS IRMÃOS NA FÉ E DEVO ORAR POR ELES. TAMBÉM DEVO ORAR POR AQUELES QUE AINDA NÃO CONHECEM O AMOR DE DEUS. SE SOMOS COMO UMA DAS 99 OVELHINHAS QUE NÃO SE PERDERAM, DEVEMOS ORAR PELA OVELHINHA QUE SE PERDEU, PARA QUE ELA SEJA ENCONTRADA E TRAZIDA DE VOLTA. EU NUNCA QUERO ME AFASTAR DE DEUS.

GABRIEL — EU TAMBÉM NÃO QUERO ME PERDER NUNCA! E NÃO QUERO QUE OS MEUS IRMÃOS EM CRISTO SE PERCAM.

Jesus, ajude-me a ser uma criança melhor. Amém.

TEXTO BÍBLICO: LUCAS 15.5-7,10

A ALEGRIA DA OVELHA ENCONTRADA

VITÓRIA — DEUS FICA FELIZ QUANDO ENCONTRA UMA OVELHINHA PERDIDA E CUIDA DELA COM ALEGRIA. NÓS TAMBÉM DEVEMOS FICAR FELIZES QUANDO ALGUÉM SE SENTE TRISTE POR TER FEITO COISAS ERRADAS E ESCOLHE ESTAR PERTO DE DEUS. DEUS NOS AMA MUITO E NUNCA DEVEMOS NOS AFASTAR DELE. É TRISTE QUANDO UMA OVELHINHA SE PERDE, MAS, QUANDO ELA VOLTA PARA PERTO DE DEUS, TODOS FICAM ALEGRES. NÓS, QUE SOMOS FILHOS DE DEUS, DEVEMOS CUIDAR UNS DOS OUTROS, AJUDAR UNS AOS OUTROS E ESTAR SEMPRE JUNTOS.

ISABELLA — SIM, COM CERTEZA. ESTAR JUNTOS NOS FORTALECE. SOMOS UNIDOS PELO AMOR DO PAI.

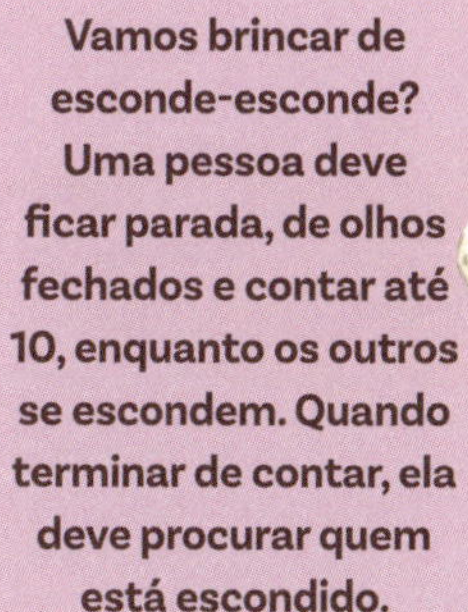

Deus, eu me alegro quando todos o seguem. Abençoe os seus filhos. Amém.

10
Novembro

TEXTO BÍBLICO: MATEUS 7.13,14, LUCAS 9.23

EU ESCOLHO ANDAR COM DEUS

JOÃO — ANDAR COM DEUS E FAZER O QUE ELE DIZ É UMA ESCOLHA QUE FAZEMOS! DEUS NÃO NOS FORÇA A SEGUI-LO, MAS OS CAMINHOS DELE SÃO OS MELHORES. QUANDO ESTAMOS COM DEUS, RECEBEMOS MUITAS COISAS BOAS, COMO PAZ DE VERDADE E UM AMOR ENORME. OBEDECER A DEUS É ALGO QUE GOSTAMOS DE FAZER PORQUE O AMAMOS. É TRISTE QUANDO ALGUMAS PESSOAS NÃO QUEREM ANDAR COM DEUS OU SE AFASTAM DO QUE ELE QUER PARA NÓS. JESUS VEIO PARA NOS DAR VIDA E NOS SALVAR, MAS TEM GENTE QUE PREFERE VIVER A VIDA DO SEU JEITO. EU ESCOLHO ESTAR COM DEUS HOJE E TODOS OS DIAS DA MINHA VIDA!

VALENTINA — ANDAR COM DEUS É MUITO MELHOR!

ORAÇÃO

Querido Deus, escolho estar ao seu lado. Agradeço por todo o seu amor. Amém.

TEXTO BÍBLICO: LUCAS 15.11-16

SEM DEUS, FICAMOS PERDIDOS

GABRIEL — UMA VEZ, JESUS CONTOU A HISTÓRIA DE UM HOMEM QUE TINHA DOIS FILHOS. UM DOS FILHOS DECIDIU SAIR DE CASA E GASTOU TODO O DINHEIRO QUE TINHA DE MANEIRA ERRADA. FICOU SEM DINHEIRO E PASSOU FOME. QUE HISTÓRIA TRISTE! O PAI ESTAVA EM CASA, CHEIO DE AMOR E COM COMIDA GOSTOSA, MAS O FILHO ESCOLHEU IR EMBORA. LONGE DE CASA, ELE ESTAVA PERDIDO E PRECISANDO DE AJUDA. SEM DEUS, NÓS TAMBÉM NOS SENTIMOS PERDIDOS.
POR ISSO, É IMPORTANTE FICAR PERTO DO SENHOR! ELE NOS DÁ COMIDA, CONFORTO, AMOR, CUIDADO E MUITAS BÊNÇÃOS. É MELHOR ESCOLHER ESTAR SEMPRE COM O PAI.

ORAÇÃO

Deus, agradeço pelo seu amor e cuidado. Ajude-me a ser obediente. Amém.

12
Novembro

TEXTO BÍBLICO: SALMOS 84.10, 91.1,2, LUCAS 15.17-19

A CASA DO PAI É O LUGAR MAIS SEGURO PARA NÓS

ENZO — NADA É MELHOR DO QUE ESTAR COM DEUS. NÃO TEM NENHUM BRINQUEDO QUE ME DEIXA TÃO FELIZ COMO JESUS FAZ. A CASA DO PAI É MUITO MELHOR DO QUE QUALQUER PARQUINHO. EU GOSTO MAIS DE PASSAR TODOS OS DIAS COM DEUS DO QUE FICAR UM MINUTINHO LONGE DELE. MEU DEUS É MUITO BOM, CARINHOSO, JUSTO, CUIDADOSO E MUITO MAIS! LEMBRA DAQUELE FILHO QUE ESCOLHEU IR EMBORA DA CASA DO PAI DELE E GASTOU TODO O DINHEIRO? ELE PASSOU POR MUITOS PROBLEMAS ATÉ PERCEBER QUE NUNCA DEVERIA TER SAÍDO DE CASA. E VOLTOU! POR ISSO, A MELHOR COISA QUE A GENTE PODE FAZER É FICAR SEMPRE NA CASA DE DEUS.

VITÓRIA — EU NUNCA QUERO FICAR LONGE DE DEUS E DO GRANDE AMOR DELE!

PAZ
MEDO
BRIGAS
ALEGRIA
AMOR

Eu amo estar na casa de Deus Pai! A presença dele é maravilhosa. Pinte as coisas que encontramos na presença do Senhor.

ORAÇÃO

Deus Pai, orienta-me nos seus caminhos todos os dias. Amém.

TEXTO BÍBLICO: SALMOS 51.17, LUCAS 15.20-22

DEUS RECEBE DE BRAÇOS ABERTOS QUEM SE ARREPENDE

VALENTINA — QUANDO O FILHO FOI EMBORA E FEZ COISAS ERRADAS, DEIXOU O CORAÇÃO DO PAI MUITO TRISTE. MAS, QUANDO O FILHO DECIDIU VOLTAR PARA CASA, O PAI O RECEBEU COM UM ABRAÇO APERTADO. ELE FICOU CHEIO DE ALEGRIA!

PAI DE VALENTINA — VOCÊ SABIA QUE, POR UM TEMPO, EU FIQUEI LONGE DE DEUS? FOI MUITO TRISTE E DIFÍCIL PARA MIM. QUANDO DECIDI VOLTAR PARA O SENHOR, EU ESTAVA ARREPENDIDO, ENVERGONHADO E TRISTE. MAS DEUS ME RECEBEU DE BRAÇOS ABERTOS, COM MUITO AMOR. O AMOR DE JESUS PERMITIU QUE EU VOLTASSE PARA OS BRAÇOS DE DEUS PAI. HOJE, EU TENHO CERTEZA DE QUE É MUITO MELHOR ESTAR COM O SENHOR. DEUS SEMPRE AMA QUEM ESTÁ ARREPENDIDO DE VERDADE.

ORAÇÃO

Espírito Santo, ajude-me a fazer o que é certo. Em nome de Jesus, amém.

14
Novembro

TEXTO BÍBLICO: LUCAS 15.22-27

O PAI TEM BÊNÇÃOS PARA NÓS

ISABELLA — DEUS FICA MUITO FELIZ QUANDO UM FILHO VOLTA PARA CASA E SE ARREPENDE. JESUS CONTOU A SEUS AJUDANTES, OU SEJA, OS DISCÍPULOS, QUE O PAI DA NOSSA HISTÓRIA FEZ UMA FESTA QUANDO O FILHO DECIDIU VOLTAR E MANDOU PREPARAR COMIDAS DELICIOSAS. TAMBÉM DEU AO FILHO ROUPAS ESPECIAIS E ATÉ UM ANEL DE PRESENTE. DEUS SEMPRE TEM COISAS BOAS PARA NOS DAR. ELE NOS DÁ PRESENTES MARAVILHOSOS, QUE NÃO PODEM SER COMPRADOS E QUE VÊM DO CÉU. NA CASA DE DEUS, HÁ MUITAS BÊNÇÃOS PARA TODOS OS FILHOS. DEVEMOS SEMPRE FESTEJAR QUANDO ALGUÉM CONHECE JESUS E DECIDE VIVER COM DEUS, PORQUE ISSO NOS TRAZ MUITA ALEGRIA.

GABRIEL — QUE BOM QUE TEMOS UMA GRANDE FAMÍLIA, A FAMÍLIA DE DEUS!

ORAÇÃO

Deus, agradeço pelo seu amor e cuidado. Ajude-me a ser obediente. Amém.

TEXTO BÍBLICO: SALMOS 27.4, LUCAS 15.28,32

15
Novembro

COM DEUS, TUDO É SEMPRE MELHOR

JOÃO — O FILHO MAIS VELHO FICOU MUITO TRISTE QUANDO VIU QUE O PAI TINHA FEITO UMA FESTA PARA O IRMÃO MAIS NOVO. ELE NÃO CONSEGUIU SE ALEGRAR COM A VOLTA DO IRMÃO. O MAIS VELHO FICOU CHATEADO PORQUE SEMPRE ERA OBEDIENTE. O PAI TENTOU EXPLICAR QUE ELES SEMPRE ESTAVAM JUNTOS E QUE TUDO ERA DELE TAMBÉM. ALÉM DISSO, ELE SEMPRE TINHA RECEBIDO O AMOR E O CUIDADO DO PAI. NÃO DEVEMOS SER COMO O FILHO MAIS VELHO E SENTIR TRISTEZA OU INVEJA. AQUELES QUE ESTÃO COM DEUS PODEM APROVEITAR TODAS AS COISAS MARAVILHOSAS DELE. DEUS É O NOSSO PRESENTE ESPECIAL E A NOSSA HERANÇA.

ISABELLA — DEUS NÃO TEM FILHOS PREFERIDOS; ELE NOS AMA E QUER ESTAR COM CADA UM DE NÓS.

ORAÇÃO

Pai amado, ajude-me a não desejar o que não me pertence. Amém.

16
Novembro

TEXTO BÍBLICO: ATOS 2.38-41, 16.30-33

PREPAREM-SE PARA A BOA NOTÍCIA DA SALVAÇÃO

ORAÇÃO

Pai, eu agradeço por me dar coragem. Ajude-me a espalhar as boas--novas. Amém.

Vamos fazer um megafone? Chame toda a família. Você pode pedir a um adulto que separe um rolo de papel alumínio ou que faça um megafone com uma folha de papel. Depois, todos podem combinar o que vão dizer no megafone. Vocês podem escolher um versículo, uma música.

VITÓRIA — EU QUERO QUE MAIS PESSOAS SE JUNTEM À FAMÍLIA DE DEUS. NÃO DEVEMOS NOS PREOCUPAR APENAS COM A GENTE, PRECISAMOS CONTAR AS BOAS NOTÍCIAS. QUERO ESPALHAR O AMOR DE DEUS QUE JESUS MOSTROU AO MORRER NA CRUZ E NOS DEU A OPORTUNIDADE DE SER SALVOS. DEVEMOS CONVIDAR AS PESSOAS PARA QUE CONHEÇAM A DEUS E MUDEM DE VIDA. MUITAS PESSOAS JÁ FALARAM SOBRE A SALVAÇÃO. ISSO NÃO ACONTECEU APENAS NOS TEMPOS DA BÍBLIA. O MUNDO PRECISA DE PESSOAS QUE FALEM DE DEUS, E EU QUERO SER UMA DELAS!

ENZO — EU TAMBÉM QUERO!

TEXTO BÍBLICO: JOEL 2.28-32, ROMANOS 3.9-13

O PRESENTE DE JESUS É PARA TODOS NÓS

ISABELLA — MUITAS PESSOAS AINDA NÃO CONHECEM O AMOR DE JESUS. ELAS NÃO SABEM QUE DEUS NOS CRIOU E QUE JESUS DEU A VIDA PARA NOS PERDOAR. ALGUMAS PESSOAS PENSAM QUE A SALVAÇÃO É SÓ PARA ALGUNS, MAS ISSO NÃO É VERDADE. JESUS MORREU POR TODOS E PARA SALVAR O MUNDO TODO. NÃO IMPORTA ONDE VOCÊ VIVE NEM COMO É, SE É MENINO OU MENINA, ALTO OU BAIXO... O AMOR DE JESUS É PARA TODOS E A SALVAÇÃO TAMBÉM! BASTA ACREDITAR EM JESUS, SE ARREPENDER E DIZER QUE ELE É O NOSSO SALVADOR.

ORAÇÃO

Jesus amado, eu me arrependo dos meus erros e escolho segui-lo. Amém.

18
Novembro

TEXTO BÍBLICO: PROVÉRBIOS 22.2, ATOS 10.34-36, ROMANOS 2.11

O AMOR DE DEUS NÃO DEIXA NINGUÉM DE FORA

ENZO — HOJE, NA MINHA ESCOLA, ALGUNS COLEGAS ESTAVAM BRINCANDO E NÃO DEIXARAM MAIS NINGUÉM BRINCAR COM ELES. AS OUTRAS CRIANÇAS FICARAM TRISTES PORQUE QUERIAM BRINCAR, MAS FORAM DEIXADAS DE LADO. ENTÃO, EU CONVIDEI TODAS ELAS PARA BRINCAR COMIGO, E FOI MUITO DIVERTIDO! É IMPORTANTE SER AMIGO DE TODO MUNDO, PORQUE DEUS NOS AMA MUITO. O AMOR DE DEUS É PARA TODOS. VAMOS APRENDER A AMAR AS PESSOAS COMO DEUS NOS AMA.

MÃE DE ENZO — VOCÊ FEZ A COISA CERTA. EU ESTOU MUITO ORGULHOSA! TENHO CERTEZA DE QUE A SUA ATITUDE ALEGROU AS OUTRAS CRIANÇAS.

ORAÇÃO

Espírito Santo, ajude-me a amar como Deus nos ama. Em nome de Jesus, amém.

MOSTRANDO O AMOR DE DEUS COM ATITUDES

VITÓRIA — HOJE, NA ESCOLA, ALGUMAS AMIGAS ESTAVAM FALANDO MAL DAS ROUPAS DE UMA COLEGA. ISSO ME DEIXOU TRISTE, ENTÃO EU DECIDI NÃO FALAR MAL DE NINGUÉM E FUI PARA OUTRO LUGAR. NÃO É CERTO FALAR COISAS RUINS DE UMA PESSOA, COMO O SEU ROSTO, CABELO OU CORPO, PORQUE TODOS NÓS SOMOS ESPECIAIS PARA DEUS. TAMBÉM NÃO É LEGAL TRATAR OS OUTROS MAL, PORQUE TODOS SOMOS IMPORTANTES PARA DEUS. EU QUERO MOSTRAR O AMOR DE DEUS. ASSIM, QUANDO AS PESSOAS OLHAREM PARA MIM OU FALAREM COMIGO, VÃO SENTIR O AMOR DE DEUS TAMBÉM!

MÃE DE VITÓRIA — VOCÊ FEZ A COISA CERTA AO NÃO FALAR DA APARÊNCIA DA SUA COLEGA E AO SAIR DE PERTO DAS SUAS AMIGAS NAQUELE MOMENTO. NÃO É BOM PARTICIPAR DE CONVERSAS QUE NÃO AGRADEM A DEUS.

ORAÇÃO

Querido Deus, me ajude a ser bom e amar as pessoas. Amém.

20
Novembro

TEXTO BÍBLICO: GÁLATAS 3.26-9, COLOSSENSES 3.11

DEUS NOS CRIOU DE UM JEITINHO ESPECIAL

GABRIEL — DEUS ME AMA MUITO E ME FEZ DE UM JEITO ESPECIAL. ELE CRIOU MINHA PELE, MEU CABELO, MEUS OLHOS, MEU NARIZ E MINHA BOCA. TUDO EM MIM É ESPECIAL. CADA PESSOA É DIFERENTE NA APARÊNCIA, NO JEITO DE SER E NO QUE GOSTA. O QUE REALMENTE IMPORTA É O QUE TEMOS NO CORAÇÃO, PORQUE SOMOS FILHOS DE DEUS. SER DIFERENTE É LEGAL, MOSTRA COMO DEUS É INCRÍVEL! ELE FEZ CABELOS DE TODAS AS CORES, PELES DE VÁRIOS TIPOS, OLHOS DE DIFERENTES FORMAS. É MARAVILHOSO FAZER PARTE DA CRIAÇÃO DE DEUS!

ORAÇÃO

Deus Pai, ajude-nos a ser bons e a amar uns aos outros. Amém.

NÃO PODEMOS TRATAR AS PESSOAS MAL

JOÃO — A BÍBLIA NOS ENSINA QUE TODAS AS PESSOAS SÃO IMPORTANTES, NÃO IMPORTA QUEM SEJAM. ISSO SIGNIFICA QUE NÃO DEVEMOS TRATAR ALGUMAS PESSOAS COMO SE FOSSEM MENOS IMPORTANTES, PORQUE TODOS SOMOS ESPECIAIS. DEUS AMA TODAS AS PESSOAS, E JESUS MORREU PARA SALVAR TODAS AS PESSOAS DO MUNDO. QUANDO AMAMOS JESUS, NOS TORNAMOS FILHOS DE DEUS. COMO FILHOS DE DEUS, DEVEMOS NOS AMAR, RESPEITAR E CUIDAR UNS DOS OUTROS. DEUS NOS AMA A TODOS. ENTÃO, DEVEMOS AMAR UNS AOS OUTROS TAMBÉM.

ISABELLA — OS FILHOS DE DEUS NÃO PRATICAM A INJUSTIÇA E NÃO FAZEM DISTINÇÃO DE PESSOAS. PELO CONTRÁRIO, VALORIZAMOS E RESPEITAMOS TODAS AS PESSOAS!

Circule as atitudes corretas para os filhos de Deus.

- Tratar as pessoas com amor
- Mentir
- Respeitar o próximo
- Praticar injustiça
- Praticar crueldade
- Valorizar as pessoas

ORAÇÃO

Deus, ajude-me a fazer o que é certo, conforme a sua vontade. Amém.

22
Novembro

TEXTO BÍBLICO: OSEIAS 14

O AMOR DE DEUS É O REMÉDIO PARA O MUNDO

VALENTINA – QUANDO MACHUCAMOS AS PESSOAS, FAZEMOS ALGO QUE SE CHAMA PECADO. MAS DEUS PODE NOS AJUDAR! ELE É COMO UM REMÉDIO QUE NOS CURA E NOS TORNA PESSOAS BOAS. ÀS VEZES, ALGUMAS PESSOAS BRIGAM, TRATAM MAL OS OUTROS E NÃO SEGUEM O QUE DEUS ENSINA. MAS PODEMOS AJUDÁ-LAS ORANDO PARA QUE ENCONTREM O AMOR DE DEUS E SE TORNEM MELHORES. COMO FILHOS DE DEUS, DEVEMOS SER UMA LUZ QUE TRAZ ALEGRIA PARA OS OUTROS. DEVEMOS AGIR DE MANEIRA ESPECIAL, MOSTRANDO O AMOR DE DEUS, O NOSSO PAI, EM TUDO QUE FAZEMOS E DIZEMOS.

VITÓRIA – EU PEÇO AO ESPÍRITO SANTO QUE TRANSFORME O MEU CORAÇÃO TODOS OS DIAS, PARA QUE EU POSSA FAZER O QUE DEUS QUER.

ORAÇÃO

Deus, eu agradeço por ser tão bom e fiel. Cuida do meu coração sempre. Amém.

TEXTO BÍBLICO: JEREMIAS 1.4-10

23
Novembro

NASCI PARA FALAR DO AMOR DE DEUS

ISABELLA — NÓS, QUE AMAMOS JESUS E SABEMOS QUE ELE É NOSSO AMIGO ESPECIAL, TEMOS UMA TAREFA MUITO IMPORTANTE: CONTAR ÀS OUTRAS PESSOAS SOBRE O AMOR DELE. DEUS DISSE A UM HOMEM CHAMADO JEREMIAS: "EU ESCOLHI VOCÊ ANTES MESMO DE VOCÊ SER UM BEBÊ! EU SEPAREI VOCÊ E O FIZ ESPECIAL PARA SER UM MENSAGEIRO PARA TODAS AS PESSOAS". ISSO SIGNIFICA QUE DEUS ESCOLHEU CADA UM DE NÓS DESDE ANTES DE NASCERMOS. ELE QUER QUE FALEMOS SOBRE O AMOR DELE E MOSTREMOS ISSO EM TUDO O QUE FAZEMOS.

GABRIEL — A NOSSA MISSÃO É MUITO IMPORTANTE. SOMOS MENSAGEIROS NESTE MUNDO. A NOSSA MENSAGEM É A MENSAGEM DE SALVAÇÃO POR MEIO DE JESUS.

Vamos fazer uma brincadeira? Chame um adulto para ajudá-lo a ler os textos bíblicos. Depois de ler, você deve encontrar o objeto mencionado no versículo. Atenção: só vale o objeto que está destacado. Para deixar a brincadeira ainda mais legal, convide o restante da sua família para procurar o objeto com você. Quem encontrar primeiro ganha!

"As roupas de João eram feitas de pelos de camelo, e ele usava um CINTO de couro na cintura. O seu alimento era gafanhotos e mel silvestre." (Mateus 3.4)

"Faça também túnicas, cinturões e GORROS para os filhos de Arão, para conferir-lhes honra e dignidade." (Êxodo 28.40)

"Mas o pai disse aos seus servos: 'Depressa! Tragam a melhor roupa e vistam nele. Coloquem um ANEL em seu dedo e calçados em seus pés.'" (Lucas 15.22)

Jesus, agradeço e busco ser cada dia mais parecido com você. Amém.

24 Novembro

TEXTO BÍBLICO: LUCAS 1.5-17

O MENSAGEIRO QUE PREPAROU O CAMINHO PARA JESUS

GABRIEL — ANTES DE JESUS NASCER, UM ANJO APARECEU A UM CASAL CHAMADO ZACARIAS E ISABEL. ELES ERAM MUITO BONS E AMAVAM A DEUS. O ANJO DISSE A ISABEL QUE ELA TERIA UM FILHO E QUE O NOME DELE SERIA JOÃO. TODO MUNDO FICOU MUITO FELIZ PORQUE JOÃO TINHA UMA TAREFA ESPECIAL DADA POR DEUS: PREPARAR O CAMINHO PARA JESUS. MESMO QUE ZACARIAS E ISABEL FOSSEM MAIS VELHOS, ISSO NÃO FOI UM PROBLEMA PARA DEUS, PORQUE ELE PODE FAZER COISAS INCRÍVEIS. JOÃO BATISTA FOI UMA PESSOA MUITO IMPORTANTE. ELE FALAVA PARA AS PESSOAS SE ARREPENDEREM, BATIZAVA COM ÁGUA E DIZIA QUE JESUS ESTAVA CHEGANDO.

ENZO — ELE FOI ESCOLHIDO POR DEUS DESDE ANTES DE NASCER. ISSO É MUITO ESPECIAL!

ORAÇÃO

Deus amado, obrigado por preparar a minha semana. Amém.

TEXTO BÍBLICO: LUCAS 1.57-66

25
Novembro

A MÃO DO SENHOR ESTÁ CONOSCO

VITÓRIA — A BÍBLIA CONTA UMA HISTÓRIA SOBRE UM BEBÊ CHAMADO JOÃO BATISTA. OS PAIS DELE, ISABEL E ZACARIAS, ERAM MUITO ESPECIAIS, E TODOS AO REDOR FICARAM MUITO FELIZES POR ELES. DEUS ESCOLHEU JOÃO DESDE QUANDO ELE AINDA ESTAVA NA BARRIGA DA MAMÃE. DEUS TAMBÉM ESTÁ COMIGO, ASSIM COMO ESTEVE COM JOÃO. O ESPÍRITO SANTO NOS AJUDA E NOS DÁ FORÇAS. DEUS TINHA UM PLANO ESPECIAL PARA A VIDA DE JOÃO, E ELE SEMPRE FEZ O QUE DEUS QUERIA. EU TAMBÉM QUERO FAZER O QUE DEUS QUER!

ORAÇÃO

Senhor amado, a sua mão está comigo. Confio na sua proteção e no seu poder. Amém.

26
Novembro

TEXTO BÍBLICO: LUCAS 1.67-75

ALEGRIA EM LOUVAR AO SENHOR O TEMPO TODO

ENZO — ZACARIAS, O PAPAI DE JOÃO, CANTOU FELIZ PARA DEUS. ELE ESTAVA CHEIO DO ESPÍRITO SANTO E DISSE COISAS BONITAS. QUANDO O ESPÍRITO SANTO ESTÁ NO NOSSO CORAÇÃO, QUEREMOS CANTAR E DANÇAR PARA DEUS. ÀS VEZES, EU TAMBÉM SINTO VONTADE DE PULAR, DANÇAR, CANTAR E SORRIR PERTO DE DEUS. ISSO ACONTECE PORQUE O ESPÍRITO SANTO ESTÁ DENTRO DE MIM. DEUS É BOM, PODEROSO, AMOROSO E SEMPRE CUMPRE O QUE PROMETE. POR ISSO, DEVEMOS SEMPRE CANTAR E LOUVAR A DEUS. ZACARIAS CANTOU PORQUE DEUS TROUXE SALVAÇÃO E AMOR PARA TODOS. ELE LOUVOU PORQUE DEUS NUNCA FALHA. EU QUERO LOUVAR A DEUS TODOS OS DIAS!

ORAÇÃO

Deus é maravilhoso! Eu o louvo de todo o meu coração. Amém.

O MENSAGEIRO ESCOLHIDO POR DEUS

JOÃO — JOÃO BATISTA FOI MUITO IMPORTANTE. ELE VEIO ANTES DE JESUS COM UMA MISSÃO ESPECIAL: AJUDAR AS PESSOAS A SE PREPARAREM PARA A VINDA DE JESUS E FALAR SOBRE COMO DEUS NOS SALVA. JOÃO CONVIDAVA AS PESSOAS A SE ARREPENDEREM, OU SEJA, DEVERIAM PEDIR PERDÃO A DEUS QUANDO FAZIAM COISAS ERRADAS. JOÃO SEMPRE OBEDECEU A DEUS E ESCOLHEU FAZER O QUE O SENHOR QUERIA. DEUS TEM PLANOS ESPECIAIS PARA CADA UM DE NÓS E SABE O QUE É MELHOR PARA CADA PESSOA, MAS TAMBÉM NOS DEIXA FAZER AS NOSSAS PRÓPRIAS ESCOLHAS. EU ESCOLHO VIVER PARA DEUS, ASSIM COMO JOÃO BATISTA, O APÓSTOLO PAULO E OUTRAS PESSOAS QUE AMAVAM AO SENHOR.

MICHELLE — NÓS TAMBÉM TEMOS UMA MISSÃO ESPECIAL: AJUDAR A PREPARAR O CAMINHO PARA JESUS VOLTAR. ISSO SIGNIFICA QUE DEVEMOS CONTAR PARA AS PESSOAS SOBRE O AMOR DE DEUS E AS COISAS INCRÍVEIS QUE ELE FAZ. ASSIM, AS PESSOAS PODEM CONHECER O CARINHO DE DEUS E SE TORNAR PARTE DA FAMÍLIA DO SENHOR.

ORAÇÃO

Deus, eu agradeço por me ensinar a Bíblia. Quero segui-lo até o fim da minha vida. Amém.

28
Novembro

TEXTO BÍBLICO: LUCAS 1.80, EFÉSIOS 3.14-19

EU CRESÇO E ME FORTALEÇO EM ESPÍRITO

ALIMENTANDO O MEU CORPO E A MINHA ALMA

VALENTINA — EU COMO COMIDAS SAUDÁVEIS, VEGETAIS E FRUTAS, PARA DEIXAR O MEU CORPO MAIS FORTE E SAUDÁVEL. MAS SABEM O QUE DEIXA O MEU CORAÇÃO MAIS FORTE? É QUANDO EU FALO COM DEUS E CONVERSO COM ELE. EU TAMBÉM LEIO A BÍBLIA, QUE ME ENSINA COISAS BOAS E ESCUTO MÚSICAS BONITAS PARA LOUVAR A DEUS. A BÍBLIA CONTA UMA HISTÓRIA SOBRE UM HOMEM CHAMADO JOÃO BATISTA QUE FICAVA MAIS FORTE NO CORAÇÃO QUANDO ELE CONVERSAVA COM DEUS. PARA VIVER OS PLANOS DE DEUS PARA NÓS, PRECISAMOS FICAR MAIS FORTES TAMBÉM. EU AMO APRENDER MAIS SOBRE DEUS E TENHO CERTEZA DE QUE ISSO ME DEIXA MAIS FORTE.

MÃE DE VALENTINA — E VOCÊ TEM CRESCIDO DA MELHOR MANEIRA: NOS CAMINHOS DO SENHOR.

ORAÇÃO

Deus, obrigado pelo seu amor e cuidado. Peço que me fortaleça sempre. Amém.

JOÃO BATISTA GLORIFICAVA JESUS

RECONHECENDO A GRANDEZA DE JESUS

ISABELLA — JOÃO BATISTA COMEÇOU A FALAR SOBRE DEUS E BATIZAVA AS PESSOAS. MUITA GENTE O SEGUIA E PENSAVA QUE ELE ERA JESUS, O SALVADOR. MAS JOÃO DIZIA QUE ALGUÉM AINDA MAIS PODEROSO VIRIA DEPOIS DELE. ELE SABIA QUE JESUS ERA MUITO ESPECIAL E MERECIA TODO O RESPEITO E HONRA. JOÃO NÃO QUERIA QUE AS PESSOAS O ELOGIASSEM; ELE ERA HUMILDE E SABIA QUE SÓ JESUS MERECIA SER ELOGIADO. NÓS TAMBÉM DEVEMOS SER ASSIM: NÃO DEVEMOS QUERER QUE AS PESSOAS NOS ELOGIEM OU NOS FAÇAM SENTIR IMPORTANTES. SÓ DEUS DEVE SER ADORADO E LOUVADO. QUANDO FAZEMOS COISAS BOAS, DEVEMOS FAZER PARA GLORIFICAR A DEUS, NÃO PARA RECEBER ELOGIOS OU ATENÇÃO DAS PESSOAS.

ORAÇÃO

Jesus, glorificarei o Senhor em tudo o que eu fizer. Amém.

30
Novembro

TEXTO BÍBLICO: LUCAS 7.18-28

A MINHA VIDA É DEDICADA AO SENHOR

GABRIEL — JOÃO BATISTA AMAVA MUITO A DEUS! ELE FALAVA SOBRE DEUS PARA MUITAS PESSOAS, BATIZAVA COM ÁGUA E DIZIA QUE JESUS ESTAVA CHEGANDO. DEUS TINHA UM PLANO ESPECIAL PARA JOÃO MESMO ANTES DE ELE NASCER, E JOÃO SEGUIU O QUE DEUS QUERIA. ISSO É INCRÍVEL!

JOÃO — É TÃO LEGAL SABER QUE DEUS TEM PLANOS ESPECIAIS PARA CADA UM DE NÓS! EU QUERO VIVER DO JEITO QUE DEUS QUER E CONTAR PARA TODO MUNDO AS COISAS BOAS QUE ELE FAZ, PARA QUE AS OUTRAS PESSOAS TAMBÉM CONHEÇAM O AMOR DE DEUS.

ORAÇÃO

Querido Deus, minha vida é sua. Quero viver do jeito que o Senhor deseja.

Vamos brincar de caça ao tesouro? Peça a um adulto que esconda um objeto. Depois, ele deve dizer qual é o objeto que os participantes devem procurar. Quem achar primeiro é o vencedor da caça ao tesouro! Preparados para a aventura?

DIVERSÃO EM FAMÍLIA

É muito importante fortalecer o nosso corpo e o nosso espírito! Você consegue pensar nas coisas que fortalecem o seu corpo e o seu espírito?

ESTAS COISAS FORTALECEM O MEU CORPO

ESTAS COISAS FORTALECEM O MEU ESPÍRITO

café
com
Deus
pai
KIDS

DEZEMBRO
ESTÁ CHEGANDO O NATAL

DIVERSÃO EM FAMÍLIA

Encontre as palavras para completar as frases!

1) O Senhor fez uma ___ ___ ___ ___ ___ ___ ___ ___ a Abraão.

2) Deus prometeu que a família de Abraão seria ___ ___ ___ ___ ___ ___ ___ ___ ___.

3) ___ ___ ___ ___ ___ era descendente de Abraão.

4) Jesus também fazia parte da família do ___ ___ ___ Davi.

5) Deus é ___ ___ ___ ___.

F	U	Z	B	A	F	P
D	L	R	U	V	T	R
F	I	E	L	M	Q	O
B	X	I	A	G	H	M
N	E	Q	B	Z	C	E
A	Q	J	E	S	U	S
P	M	N	N	T	J	S
Y	U	G	Ç	B	F	A
H	S	B	O	J	S	R
C	O	Y	A	F	P	I
F	W	P	D	T	I	R
O	A	L	A	X	O	U

TEXTO BÍBLICO: ISAÍAS 9.1, MIQUEIAS 5.2,4,5

OS PROFETAS NOS FALARAM COISAS BOAS

VITÓRIA — O MÊS DE DEZEMBRO É MUITO ESPECIAL PORQUE CELEBRAMOS O ANIVERSÁRIO DE JESUS CRISTO, QUE É O NOSSO SALVADOR! SABE, ANTES MESMO DE JESUS NASCER, OS PROFETAS JÁ TINHAM FALADO SOBRE ELE MUITOS ANOS ANTES. DEUS FALAVA COM ELES E MOSTRAVA QUE TRARIA ESPERANÇA E PAZ PARA TODOS. DEUS É MUITO BOM E MARAVILHOSO, PORQUE TROUXE ESPERANÇA MESMO EM TEMPOS DIFÍCEIS. E A MELHOR PARTE É QUE PODEMOS TER ESPERANÇA SABENDO QUE JESUS VAI VOLTAR UM DIA!

ISABELLA — O NATAL É UM FERIADO LINDO, MAS O MELHOR DE TUDO É QUE PODEMOS CELEBRAR O NASCIMENTO DO NOSSO AMADO JESUS!

ORAÇÃO

Deus, eu agradeço pelo seu amado Filho. Quero amá-lo para sempre. Amém.

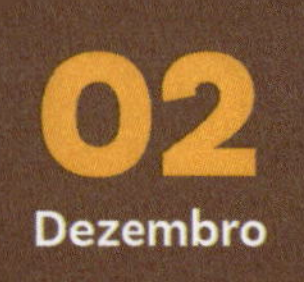

TEXTO BÍBLICO: ISAÍAS 9.2-5, JOÃO 8.12

JESUS, A LUZ DO MUNDO

ENZO – UM PROFETA CHAMADO ISAÍAS DISSE QUE AS PESSOAS QUE ESTAVAM EM UM LUGAR MUITO ESCURO VIRAM UMA LUZ BRILHANTE. ESSA LUZ É JESUS. ELE É A LUZ DO MUNDO. JESUS TROUXE ESPERANÇA PARA TODAS AS PESSOAS. ANTES DE JESUS NASCER, O MUNDO ESTAVA MUITO ESCURO. MAS DEUS ENVIOU SEU FILHO PARA SER A NOSSA LUZ. ELE ACABOU COM A ESCURIDÃO E TROUXE PAZ. QUANDO CONHECEMOS JESUS, PODEMOS TER UMA PAZ VERDADEIRA, PORQUE ELE NOS TORNA FELIZES E NOS LIBERTA DAS COISAS MÁS.

GABRIEL – JESUS DISSE QUE AS PESSOAS QUE O SEGUEM NUNCA VÃO ANDAR EM LUGARES ESCUROS, MAS TERÃO A LUZ DA VIDA. ISSO É INCRÍVEL!

ORAÇÃO

Jesus, eu agradeço por nos tirar do escuro e nos mostrar a sua luz. Amém.

TEXTO BÍBLICO: JEREMIAS 23.5,6, JOÃO 12.13

JESUS, REI DOS REIS

ISABELLA — DEUS SEMPRE CUMPRE AS SUAS PROMESSAS. ELE DISSE AOS PROFETAS QUE ALGO MUITO BOM ESTAVA POR VIR. JESUS É O NOSSO REI E SEMPRE FAZ O QUE É CERTO. ELE É MAIS PODEROSO E IMPORTANTE DO QUE QUALQUER OUTRO REI OU GOVERNANTE DO MUNDO. OS REINOS E GOVERNOS PODEM MUDAR, MAS O REINADO DE JESUS NUNCA ACABARÁ. ELE ESTÁ SENTADO EM UM TRONO MUITO ESPECIAL E DEVEMOS AMÁ-LO E ADORÁ-LO COM TODO O NOSSO CORAÇÃO. QUANDO JESUS CHEGOU A JERUSALÉM, AS PESSOAS GRITARAM: "O REI DE ISRAEL É ABENÇOADO!". MAS JESUS NÃO É APENAS O REI DE ISRAEL, ELE É O REI DE TODO O CÉU E DA TERRA!

Ligue os pontos para descobrir a figura formada.

ORAÇÃO

Rei dos reis, eu o amo muito. Espírito Santo, ajude-me a adorá-lo sempre. Amém.

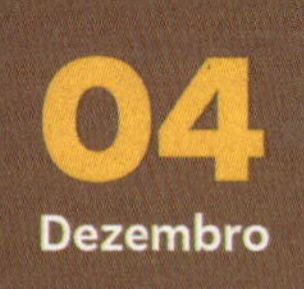

04
Dezembro

TEXTO BÍBLICO: SALMOS 132.11, ISAÍAS 9.7, LUCAS 1.32,33

JESUS, HERDEIRO DO TRONO DE DAVI

GABRIEL — DAVI FOI UM REI MUITO CORAJOSO E VENCEDOR. OUVIMOS HISTÓRIAS SOBRE SUAS BATALHAS E VITÓRIAS. MAS DEUS ESCOLHEU UM REI AINDA MAIS ESPECIAL E PODEROSO: JESUS. JESUS É COMO UM MEMBRO DA FAMÍLIA DE DAVI E SERÁ REI PARA SEMPRE. O REINO DE JESUS É DIFERENTE DO REINO DE DAVI, PORQUE NUNCA VAI ACABAR. TODO O MUNDO ADORARÁ O REI JESUS, NOSSO SENHOR E SALVADOR! É MARAVILHOSO FESTEJAR O NASCIMENTO DE JESUS E LEMBRAR QUE ELE NOS TRAZ ALEGRIA E ESPERANÇA.

ORAÇÃO

Pai amado, ajude-me a viver do jeito que o Senhor quer. Amém.

TEXTO BÍBLICO: GÊNESIS 12.1-3, MATEUS 1.1

JESUS FOI FILHO DE ABRAÃO

VALENTINA — DEUS SEMPRE CUMPRE O QUE DIZ, PORQUE ELE É FIEL. ELE DISSE ALGO MUITO ESPECIAL A ABRAÃO: QUE ELE SERIA MUITO ABENÇOADO. E DEUS TAMBÉM DISSE QUE TODAS AS PESSOAS DO MUNDO SERIAM ABENÇOADAS POR CAUSA DE ABRAÃO. E SABE O QUE É INCRÍVEL? JESUS NASCEU MUITOS ANOS DEPOIS, E ELE VEIO DA FAMÍLIA DE ABRAÃO. DEUS MANTEVE SUAS PALAVRAS MESMO DEPOIS DE TANTO TEMPO, PORQUE ELE NUNCA ESQUECE. NOSSO DEUS É FIEL E EU CONFIO NELE DE TODO O MEU CORAÇÃO.

ISABELLA — JESUS É O MELHOR EXEMPLO DE COMO DEUS É FIEL, PORQUE NOS DEU SEU FILHO AMADO PARA TRAZER SALVAÇÃO E PAZ A TODOS. JESUS NOS AJUDA E NOS FAZ SENTIR MELHOR QUANDO ESTAMOS TRISTES.

ORAÇÃO

Querido Deus, eu agradeço por ser verdadeiro. Ajude-me a confiar no Senhor. Amém.

06
Dezembro

TEXTO BÍBLICO: ISAÍAS 7.14, MATEUS 28.18-20

EMANUEL, DEUS CONOSCO

JOÃO — EU GOSTO MUITO DE DESCOBRIR O QUE OS NOMES SIGNIFICAM. O MEU NOME SIGNIFICA "DEUS É BONDOSO". JESUS TAMBÉM TEM UM NOME ESPECIAL, EMANUEL, QUE QUER DIZER "DEUS ESTÁ CONOSCO". ISSO É MUITO LEGAL! É INCRÍVEL SABER QUE DEUS ESTÁ SEMPRE PERTO DE NÓS. ELE GOSTA DE FICAR AO NOSSO LADO. DEUS É TÃO CARINHOSO E GENTIL, QUE ESTÁ COM A GENTE O TEMPO TODO, ATÉ QUANDO ESTAMOS DORMINDO.

ISABELLA — EU PRECISO DESCOBRIR O SIGNIFICADO DO NOME JESUS, TENHO CERTEZA DE QUE TAMBÉM É LINDO!

ORAÇÃO

Querido Deus, agradeço por sempre estar comigo e por me amar tanto. Amém.

TEXTO BÍBLICO: MATEUS 1.21, HEBREUS 2.10, 1TESSALONICENSES 5.9,10

07
Dezembro

O NOME DE JESUS

ISABELLA — PAPAI, QUAL É O SIGNIFICADO DO NOME JESUS?

JUNIOR — HOJE EM DIA, MUITOS PAIS ESCOLHEM O NOME DOS FILHOS PORQUE ACHAM BONITO. MAS ANTIGAMENTE AS PESSOAS ESCOLHIAM NOMES COM SIGNIFICADOS ESPECIAIS. POR EXEMPLO, O NOME DE JESUS SIGNIFICA "DEUS SALVA". É INCRÍVEL PENSAR QUE UM NOME PODE TER TANTO PODER! O NOME DE JESUS MOSTRA O AMOR DE DEUS POR NÓS. ELE ESTÁ SEMPRE AO NOSSO LADO, PORQUE JESUS TAMBÉM É CHAMADO DE EMANUEL. E SABEMOS QUE DEUS SALVA, PORQUE O NOME DE JESUS NOS DIZ QUE ELE VEIO PARA NOS AJUDAR E NOS TRAZER SALVAÇÃO.

ORAÇÃO

Deus que salva, abençoe e cuide de mim todos os dias. Amém.

Converse com a sua família e pesquisem juntos os significados do nome de cada um de vocês. Depois, desenhe uma árvore com frutos e, dentro de cada um, escreva o nome de alguém da sua família.

08
Dezembro

TEXTO BÍBLICO: HEBREUS 4.12, 2PEDRO 1.19-21

DIA DA BÍBLIA

ENZO — SABE, É MUITO LEGAL DESCOBRIR QUE OS PROFETAS ESCREVERAM SOBRE JESUS MUITO TEMPO ANTES DE ELE NASCER. ELES OUVIRAM A VOZ DE DEUS E CONTARAM COISAS INCRÍVEIS SOBRE JESUS CRISTO. NO NOVO TESTAMENTO, QUE É UMA PARTE DA BÍBLIA, ENCONTRAMOS HISTÓRIAS SOBRE O NASCIMENTO DE JESUS, OS MILAGRES QUE ELE FEZ E TAMBÉM SOBRE QUANDO ELE MORREU E RESSUSCITOU. A BÍBLIA TODA FALA SOBRE O AMOR DE DEUS E DE JESUS POR NÓS. A PALAVRA DE DEUS É COMO UMA REFEIÇÃO PARA A NOSSA ALMA! EU GOSTO MUITO DE APRENDER MAIS SOBRE DEUS.

ISABELLA — VOCÊ SABIA QUE HOJE NÓS COMEMORAMOS O DIA DA BÍBLIA? DEUS FOI MUITO BOM CONOSCO AO REVELAR SUA PALAVRA POR MEIO DESSE LIVRO TÃO PRECIOSO!

ORAÇÃO

Senhor amado, agradeço por nos mostrar sua Palavra. Quero aprender mais do Senhor. Amém.

TEXTO BÍBLICO: SALMOS 32.8, ISAÍAS 9.6, APOCALIPSE 15.3

09
Dezembro

JESUS, MARAVILHOSO CONSELHEIRO

VITÓRIA — NA BÍBLIA, EM ISAÍAS 9.6, ENCONTRAMOS UMA PASSAGEM MUITO ESPECIAL SOBRE O NASCIMENTO DE UM MENINO. ELE É CHAMADO DE MARAVILHOSO CONSELHEIRO, DEUS PODEROSO, PAI ETERNO E PRÍNCIPE DA PAZ. ESSE MENINO É JESUS! ELE É COMO UM AMIGO INCRÍVEL QUE NOS MOSTRA O CAMINHO CERTO. JESUS É SÁBIO, BONDOSO E SEMPRE FIEL. DEVEMOS SEGUI-LO, POIS ELE NOS GUIA PARA A VIDA ETERNA.

ORAÇÃO

Maravilhoso Conselheiro, eu peço que o Senhor me guie em direção ao coração de Deus. Amém.

10
Dezembro

TEXTO BÍBLICO: GÊNESIS 17.1, SALMOS 89.8, COLOSSENSES 1.15

JESUS, O SUPER-HERÓI PODEROSO

JOÃO – JESUS É O MEU SUPER-HERÓI! ELE É FILHO DE DEUS E TEM MUITO PODER, ASSIM COMO O PAI DO CÉU. DEUS É MUITO PODEROSO E NUNCA PERDE. NA BÍBLIA, HÁ HISTÓRIAS INCRÍVEIS SOBRE O QUE JESUS FEZ NA TERRA. ELE FEZ COISAS ESPECIAIS CHAMADAS MILAGRES QUE DEIXAVAM AS PESSOAS SURPRESAS! ELE ATÉ VENCEU A MORTE E VOLTOU A VIVER! NADA PODE PARAR O PODER DE JESUS, PORQUE ELE É MUITO FORTE! TODO DIA, PODEMOS VER O PODER DE JESUS AO NOSSO REDOR. ÀS VEZES, OUVIMOS HISTÓRIAS DE PESSOAS QUE FORAM CURADAS E AJUDADAS PELO AMOR DE JESUS. ELE É REALMENTE PODEROSO!

VALENTINA – CADA DIA, SINTO O PODER DE JESUS NA MINHA VIDA!

ORAÇÃO

Deus Poderoso, agradeço pelo seu amor e poder. Abençoe-me sempre. Amém.

Peça a um adulto que leia o texto de Isaías 9.6 com você e complete os nomes de Jesus com as vogais que estão faltando!

M__R__V__LH__S__

C__NS__LH____R__

D__ __S P__D__R__S__,

P__ __ __T__RN__,

PR__NC__P__

D__ P__Z.

TEXTO BÍBLICO: JOÃO 1.1, COLOSSENSES 1.16-18, APOCALIPSE 22.13

JESUS, O PAI ETERNO

11
Dezembro

GABRIEL — O MEU AVÔ ME CONTOU ALGO MUITO ESPECIAL SOBRE JESUS. ANTES MESMO DE JESUS NASCER COMO UM BEBEZINHO, ELE JÁ EXISTIA. É POR ISSO QUE ELE É CHAMADO DE PAI ETERNO. COISAS ETERNAS SÃO AQUELAS QUE NUNCA ACABAM, E JESUS É ASSIM; ISSO SIGNIFICA QUE ELE NUNCA TERÁ FIM. A MORTE NÃO GANHOU DELE, PORQUE ELE VOLTOU À VIDA. DEPOIS DE VOLTAR À VIDA, JESUS FOI PARA O CÉU, MAS AINDA ESTÁ VIVO. JESUS EXISTIU NO PASSADO, EXISTE AGORA E VAI CONTINUAR EXISTINDO NO FUTURO. ELE É MUITO PODEROSO MESMO!

ENZO — É TÃO BOM CELEBRAR A VIDA DE JESUS! FICO MUITO FELIZ EM SABER QUE ELE ESTÁ VIVO E VIVE NO MEU CORAÇÃO.

ORAÇÃO

Pai Eterno, esteja sempre comigo e me dê a certeza da sua presença. Amém.

12
Dezembro

TEXTO BÍBLICO: JOÃO 14.27, COLOSSENSES 1.19-23

JESUS, PRÍNCIPE DA PAZ

ISABELLA — JESUS É COMO UM PRÍNCIPE DA PAZ, QUE TRAZ PAZ ESPECIAL A TODOS NÓS. SABE O QUE É PAZ? É QUANDO ESTAMOS CALMOS E FELIZES POR DENTRO. JESUS VEIO PARA NOS DAR UMA VIDA COMPLETA, SEM FALTAR NADA. SEM JESUS, NOSSO CORAÇÃO FICA VAZIO E TRISTE. ELE NOS SALVOU DO PECADO E DAS COISAS RUINS, PARA QUE POSSAMOS VIVER EM PAZ E NA LUZ. O PECADO NOS AFASTA DE DEUS E CAUSA BRIGAS ENTRE AS PESSOAS. MAS JESUS VEIO AO MUNDO PARA NOS APROXIMAR DE DEUS NOVAMENTE. AGORA PODEMOS FICAR PERTINHO DE DEUS, PORQUE O PRÍNCIPE DA PAZ TROUXE A PAZ DE VOLTA!

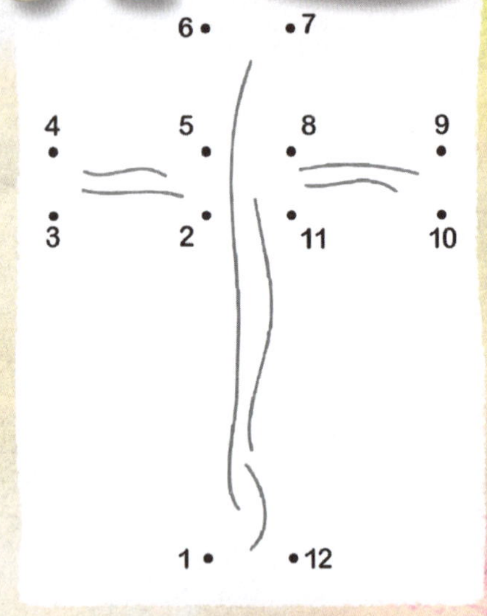

Príncipe da Paz, agradeço por estar em paz com Deus e por estar sempre comigo. Amém.

TEXTO BÍBLICO: LUCAS 1.26-38

UMA VISITA ESPECIAL

13
Dezembro

VALENTINA — UMA VEZ, UM ANJO VISITOU ISABEL E ZACARIAS E DEPOIS APARECEU TAMBÉM A MARIA. O ANJO CONTOU A MARIA QUE ELA TERIA UM BEBÊ MUITO ESPECIAL, O FILHO DE DEUS CHAMADO JESUS! O ANJO EXPLICOU QUE O ESPÍRITO SANTO AJUDARIA MARIA E QUE DEUS ESTARIA SEMPRE COM ELA. MARIA FICOU MUITO FELIZ AO SABER QUE SERIA MÃE DO FILHO DE DEUS. ESSE BEBÊ É NOSSO SENHOR E SALVADOR. ELE É CHAMADO DE MARAVILHOSO CONSELHEIRO, DEUS PODEROSO, PAI ETERNO E PRÍNCIPE DA PAZ. JESUS NOS MOSTRA QUE DEUS ESTÁ SEMPRE CONOSCO E NOS SALVA.

ISABELLA — MARIA RECEBEU UM PRESENTE MUITO ESPECIAL: ELA SE TORNOU A MÃE DO SALVADOR DO MUNDO!

ORAÇÃO

Eu agradeço, Senhor, por enviar seu Filho ao mundo e por nos permitir chegar perto dele. Amém.

14
Dezembro

TEXTO BÍBLICO: LUCAS 1.28-30

MARIA GANHA UM PRESENTE ESPECIAL

JOÃO — MARIA GANHOU UM PRESENTE MUITO ESPECIAL DE DEUS: ELA TEVE A ALEGRIA DE SER A MÃE DO SALVADOR DO MUNDO. A MISSÃO DELA FOI MUITO IMPORTANTE, PORQUE NÃO APENAS CUIDOU DE JESUS, COMO TAMBÉM O AJUDOU A CRESCER, AO LADO DE JOSÉ. UM ANJO DE DEUS DISSE QUE ELA FOI ABENÇOADA, ISSO SIGNIFICA QUE MARIA RECEBEU UM PRESENTE MARAVILHOSO E FOI MUITO FELIZ. NÓS TAMBÉM FOMOS ABENÇOADOS COM O PRESENTE QUE DEUS DEU A MARIA. ATRAVÉS DELA, DEUS ENVIOU JESUS AO MUNDO PARA NOS SALVAR. DEUS É MUITO BOM!

VITÓRIA — MARIA GANHOU O MELHOR PRESENTE DO MUNDO! JESUS É O NOSSO MAIOR PRESENTE!

O EXEMPLO DE MARIA

ISABELLA — NA BÍBLIA, APRENDEMOS SOBRE MUITAS PESSOAS QUE TIVERAM FÉ E FIZERAM O QUE DEUS PEDIU. UMA DESSAS PESSOAS É MARIA, A MÃE DE JESUS. QUANDO MARIA ERA BEM JOVEM, UM ANJO LHE APARECEU DISSE QUE ELA TERIA UM BEBÊ. MARIA CONFIOU EM DEUS E DISSE AO ANJO QUE ESTAVA DISPOSTA A FAZER O QUE ELE QUERIA. A MÃE DE JESUS ACREDITOU NAS PALAVRAS DO ANJO E FEZ O QUE DEUS MANDOU. NÓS TAMBÉM PODEMOS APRENDER COM O EXEMPLO DE MARIA E CONFIAR EM DEUS, FAZENDO O QUE ELE NOS PEDE.

VITÓRIA — É VERDADE! MARIA FOI UM EXEMPLO MUITO IMPORTANTE PARA TODOS NÓS. DEVEMOS PRESTAR ATENÇÃO NA FÉ E NA OBEDIÊNCIA QUE ELA MOSTROU. PODEMOS APRENDER MUITO COM ELA!

ORAÇÃO

Pai querido, agradeço por me amar tanto. Quero aprender mais da sua Palavra. Amém.

16
Dezembro

TEXTO BÍBLICO: LUCAS 1.39-45

MARIA E ISABEL

VALENTINA — MAMÃE, TENHO APRENDIDO QUE É BOM TER AMIGOS QUE NOS APROXIMAM DE DEUS. ELES SÃO PRESENTES ESPECIAIS QUE DEUS NOS DÁ. MEUS AMIGOS ME AJUDAM A ENTENDER A BÍBLIA, BRINCAM COMIGO, ME ANIMAM E ATÉ ORAM POR MIM. MARIA TAMBÉM TINHA UMA AMIGA IMPORTANTE, CHAMADA ISABEL, QUE ERA SUA PRIMA. MARIA FOI VISITAR ISABEL E ZACARIAS, O MARIDO. NESSA OCASIÃO, ISABEL DISSE COISAS BONITAS PARA ANIMAR MARIA. ASSIM SÃO OS AMIGOS, NOS AJUDAM E NOS FAZEM FELIZES!

MÃE DE VALENTINA — SIM! OS AMIGOS ESTÃO SEMPRE JUNTOS, NA ALEGRIA E NA TRISTEZA. ELES SE APOIAM, SE AJUDAM E FAZEM COMPANHIA, TRAZENDO FELICIDADE E CONFORTO QUANDO PRECISAMOS.

ORAÇÃO

Pai amado, eu agradeço muito pelas coisas boas que me dás. Amém.

MARIA, ABENÇOADA ENTRE AS MULHERES

VITÓRIA — QUANDO ISABEL ENCONTROU MARIA, ALGO MUITO ESPECIAL ACONTECEU. O ESPÍRITO SANTO ENCHEU O CORAÇÃO DE ISABEL, DEIXANDO-A MUITO FELIZ. ELA DISSE QUE MARIA ERA "BENDITA" ENTRE AS MULHERES. PAPAI, O QUE SIGNIFICA BENDITA?

PAI DE VITÓRIA — BENDITO SIGNIFICA ABENÇOADO. MARIA FOI ABENÇOADA POR DEUS, POIS ELE A ESCOLHEU PARA TER JESUS CRISTO, O NOSSO SENHOR E SALVADOR. ISABEL RECONHECEU QUE MARIA É A MÃE DO SENHOR JESUS. MARIA É MUITO ESPECIAL PORQUE DEUS DEU A ELA O PRESENTE DE TER JESUS E CUIDAR DELE, E JESUS TAMBÉM É CONHECIDO COMO EMANUEL.

ORAÇÃO

Meu Deus amado, peço que o Senhor bendiga a minha família. Amém.

18
Dezembro

TEXTO BÍBLICO: DEUTERONÔMIO 10.21, LUCAS 1.41, HEBREUS 13.15

JESUS É ESPECIAL E MERECE A NOSSA ADORAÇÃO

JOÃO — JESUS É MUITO ESPECIAL E MERECE SER ELOGIADO E ADORADO. MESMO ANTES DE NASCER, JESUS JÁ ERA AMADO. A MÃE DE JESUS, MARIA, ESTAVA ESPERANDO POR ELE, E O BEBÊ JOÃO TAMBÉM ESTAVA NA BARRIGA DA MAMÃE DELE. QUANDO MARIA ENCONTROU A MAMÃE DE JOÃO, O BEBÊ JOÃO FICOU MUITO ALEGRE E SE MEXEU NA BARRIGA DE ISABEL. A MÃE DE JOÃO, CHAMADA ISABEL, FICOU MUITO FELIZ E CHEIA DO ESPÍRITO SANTO. QUANDO NÓS TAMBÉM TEMOS O ESPÍRITO DE DEUS NO CORAÇÃO, PODEMOS ADORAR JESUS. EU TAMBÉM QUERO TER O ESPÍRITO DE DEUS COMIGO!

ISABELLA — EU QUERO ELOGIAR E AGRADECER COM MUITA ALEGRIA!

ORAÇÃO

Jesus, eu o adoro todos os dias. Obrigado pelo seu amor e poder. Amém.

TEXTO BÍBLICO: LUCAS 1.45, JOÃO 6.35-40

19
Dezembro

FELIZES SÃO OS QUE ACREDITAM

GABRIEL — O NATAL ESTÁ QUASE CHEGANDO! EU AMO ESSA ÉPOCA ESPECIAL. VOU VER MINHA MÃE E TODA A FAMÍLIA VAI ESTAR JUNTA. MAS O MAIS IMPORTANTE DE TUDO, MAIS DO QUE A FESTA, A COMIDA E OS PRESENTES, É LEMBRAR POR QUE CELEBRAMOS O NATAL: O NASCIMENTO DE JESUS. É TÃO INCRÍVEL SABER QUE JESUS VEIO AO MUNDO PARA NOS ENSINAR COISAS BOAS, AJUDAR AS PESSOAS DOENTES, FAZER COISAS MARAVILHOSAS E, ACIMA DE TUDO, NOS SALVAR. ISABEL DISSE A MARIA: "FELIZ É QUEM ACREDITA NO QUE O SENHOR DIZ!". QUANDO ACREDITAMOS NO QUE DEUS NOS DIZ, TAMBÉM FICAMOS FELIZES.

J R E F A B H S O Q S U

ORAÇÃO

Deus Pai, agradeço pelo seu amor. Ajude-me a seguir seus caminhos. Amém.

Ligue todas as bolinhas vermelhas e forme a palavra para descobrir qual é o verdadeiro sentido do Natal!

20
Dezembro

TEXTO BÍBLICO: LUCAS 1.46-55

A CANÇÃO DE MARIA

VALENTINA — MARIA ESTAVA MUITO FELIZ PORQUE DEUS A ABENÇOOU COM UM BEBÊ ESPECIAL. ELA CANTOU UMA MÚSICA ALEGRE PARA DEUS, PORQUE SABIA QUE O BEBÊ QUE ESTAVA CRESCENDO EM SUA BARRIGA ERA O FILHO DE DEUS. MARIA ERA HUMILDE E SABIA QUE SÓ DEUS MERECE SER ADORADO. A MÚSICA DE MARIA MOSTRA ATÉ HOJE COMO ELA ESTAVA AGRADECIDA, TINHA FÉ E ERA FELIZ POR SERVIR A DEUS. DEUS ABENÇOOU ESSA MULHER COMO NENHUMA OUTRA!

ENZO — EU TAMBÉM ADORO CANTAR QUANDO ESTOU FELIZ! GOSTO DE CANTAR MÚSICAS ESPECIAIS NO MEU QUARTO PARA MOSTRAR QUANTO AMO E ADORO A DEUS. EU CONVERSO COM ELE E AGRADEÇO POR TUDO O QUE ELE É. DEUS É INCRÍVEL E MARAVILHOSO!

ORAÇÃO

Querido Deus, eu quero louvar o Senhor de todo o meu coração. Amém.

TEXTO BÍBLICO: MATEUS 1.18-25

UMA MENSAGEM DE DEUS

ENZO — O ANJO DO SENHOR APARECEU EM UM SONHO PARA O PAI TERRENO DE JESUS, JOSÉ. É LEGAL SABER QUE DEUS FALA CONOSCO ATÉ EM SONHOS, NÉ? O ANJO DISSE A JOSÉ QUE MARIA ESTAVA ESPERANDO UM BEBÊ ESPECIAL, QUE TINHA SIDO FEITO PELO ESPÍRITO SANTO. O ANJO TAMBÉM CONTOU QUE ESSE BEBÊ, CHAMADO JESUS, IRIA NOS SALVAR DOS NOSSOS PECADOS. QUE PROMESSA MARAVILHOSA! ASSIM COMO DEUS FEZ PROMESSAS A PESSOAS COMO ABRAÃO, ISAQUE, JACÓ, DAVI E OUTROS SERVOS FIÉIS, ELE TAMBÉM FEZ UMA PROMESSA A JOSÉ. E VOCÊ SABE O QUE É MAIS LEGAL? DEUS SEMPRE CUMPRE SUAS PROMESSAS. JESUS VEIO E NOS SALVOU!

JOÃO — JOSÉ E MARIA CONFIARAM MUITO EM DEUS E SÃO ÓTIMOS EXEMPLOS DE FÉ!

ORAÇÃO

Deus, ajude-me a conhecê-lo mais e a fortalecer minha fé. Amém.

Vamos fazer um amigo secreto especial! Cada um vai sortear um nome e fazer um presente feito à mão, um desenho, uma cartinha ou pintura para mostrar o amor de Deus. É uma brincadeira divertida em família!

22
Dezembro

TEXTO BÍBLICO: MIQUEIAS 5.2, LUCAS 2.1-5

A LONGA VIAGEM DE JOSÉ E MARIA

GABRIEL — QUANDO JESUS ESTAVA QUASE NASCENDO, MARIA E JOSÉ TIVERAM QUE IR PARA A CIDADE DE BELÉM. ELES SAÍRAM DE NAZARÉ E FIZERAM UMA LONGA VIAGEM. NAQUELA ÉPOCA, NÃO EXISTIAM AVIÕES, TRENS, ÔNIBUS OU CARROS PARA VIAJAR, MAS TINHAM QUE ANDAR OU USAR ANIMAIS, O QUE DEMORAVA BASTANTE. DEVE TER SIDO BEM CANSATIVO! MAS TUDO ISSO ACONTECEU PORQUE DEUS HAVIA FALADO COM O PROFETA MIQUEIAS. JESUS NASCEU EM BELÉM, A CIDADE ONDE DAVI MORAVA, CUMPRINDO A PROMESSA DE DEUS.

ENZO — VIAJAR POR MUITAS HORAS PODE DEIXAR A GENTE BEM CANSADO! EU TAMBÉM FICO CANSADO QUANDO FAÇO VIAGENS LONGAS DE CARRO. AGORA, IMAGINA COMO FOI PARA MARIA E JOSÉ VIAJAREM ATÉ BELÉM. ELES NÃO TINHAM CARRO COMO A GENTE, ENTÃO PRECISARAM CAMINHAR OU USAR ANIMAIS POR VÁRIOS DIAS. DEVE TER SIDO BEM DIFÍCIL E CANSATIVO PARA ELES.

ORAÇÃO

Deus Pai, somos gratos por nos dar um presente tão precioso. Amém.

TEXTO BÍBLICO: LUCAS 2.6,7

UM BERÇO PARA JESUS

ISABELLA — JESUS NÃO NASCEU EM UM LUGAR LUXUOSO NEM TEVE UM BERÇO ESPECIAL. MARIA E JOSÉ FORAM A BELÉM, MAS NÃO ENCONTRARAM UM LUGAR PARA FICAR. ELES ACABARAM INDO PARA UM LUGAR ONDE OS ANIMAIS FICAVAM. FOI ALI QUE JESUS NASCEU E O COLOCARAM EM UMA MANJEDOURA, ONDE OS ANIMAIS COMIAM. MESMO SENDO O REI DOS REIS, JESUS VEIO AO MUNDO DE MANEIRA SIMPLES, SEM UM BERÇO BONITO COMO ESTAMOS ACOSTUMADOS A VER.

ORAÇÃO

Deus amado, ajude-me a entender o verdadeiro sentido do Natal. Amém.

24
Dezembro

TEXTO BÍBLICO: LUCAS 2.7-12

A ALEGRIA DO NATAL

VALENTINA — EU ESTOU MUITO FELIZ POR COMEMORAR O NASCIMENTO DE JESUS COM A MINHA FAMÍLIA QUERIDA. JESUS NOS AMA MUITO, E EU NUNCA QUERO ESQUECER DISSO. QUANDO ELE NASCEU, UM ANJO APARECEU PARA ALGUNS PASTORES QUE ESTAVAM CUIDANDO DE OVELHAS. OS PASTORES FICARAM ASSUSTADOS NO COMEÇO, MAS O ANJO LHES DEU UMA BOA NOTÍCIA: O SALVADOR NASCEU NA CIDADE DE DAVI. ESSA É A RAZÃO DA NOSSA ALEGRIA. JESUS VEIO AO MUNDO, VIVEU AQUI NA TERRA, MORREU NA CRUZ PARA NOS SALVAR E RESSUSCITOU! ELE ESTÁ VIVO E UM DIA VAI VOLTAR PARA NOS LEVAR COM ELE!

MÃE DE VALENTINA — QUE ALEGRIA COMEMORAR A VIDA DE JESUS, NOSSO AMADO SENHOR E SALVADOR!

Em Lucas 2.10-12, diz que Jesus, o Salvador e nosso Senhor, nasceu em Belém e que podia ser encontrado em um berço especial onde os animais comiam, chamado manjedoura. É uma notícia muito feliz! Desenhe esse momento especial.

ORAÇÃO

Deus de glória, muito obrigado por enviar o nosso Jesus a este mundo. Quero celebrar a vida dele todos os dias. Amém.

TEXTO BÍBLICO: JOÃO 13.1

O NATAL DE VERDADE

25
Dezembro

JOÃO — NO NATAL, O VERDADEIRO SIGNIFICADO NÃO ESTÁ EM RECEBER PRESENTES, COMER COMIDAS GOSTOSAS OU VESTIR ROUPAS BONITAS. O NATAL É SOBRE JESUS, O MOTIVO DA NOSSA FESTA. DEVEMOS AGRADECER E FICAR FELIZES PELO NASCIMENTO DE JESUS TODOS OS DIAS. ELE É UM PRESENTE ESPECIAL PORQUE NOS DEU SALVAÇÃO E VIDA. O AMOR DE JESUS É MAIS VALIOSO DO QUE QUALQUER COISA. AGRADEÇO A DEUS POR ENVIAR JESUS, POR NOS AMAR ANTES MESMO DE NASCERMOS. HOJE, TODA A MINHA FAMÍLIA ESTÁ JUNTA, CELEBRANDO O AMOR DE DEUS PAI POR NÓS.

JUNIOR — QUE PRESENTE VALIOSO O SENHOR NOS DEU!

ORAÇÃO

Pai, agradeço por nos amar e por nos dar o valioso presente de Jesus. Amém.

26
Dezembro

TEXTO BÍBLICO: LUCAS 2.13,14

VAMOS CANTAR DE ALEGRIA PELO NASCIMENTO DE JESUS!

ENZO — QUANDO JESUS NASCEU, OS ANJOS FICARAM FELIZES E CANTARAM PARA DEUS. ELES DIZIAM: "DEUS É MARAVILHOSO E NOS TRAZ PAZ NA TERRA". OS ANJOS ESTAVAM FELIZES PELO NASCIMENTO DE JESUS, QUE VEIO NOS TRAZER PAZ DE VERDADE E NOS SALVAR. NÓS TAMBÉM DEVEMOS CANTAR PARA DEUS E DIZER QUE ELE É MUITO ESPECIAL. DEUS É O NOSSO REI. O AMOR DE DEUS NOS DEIXA MUITO FELIZES. SABER QUE DEUS NOS AMA FAZ A GENTE QUERER PULAR, CANTAR, DANÇAR E COMEMORAR NA PRESENÇA DELE. DEUS É MARAVILHOSO!

ORAÇÃO

Deus Pai, eu agradeço por cuidar de mim. Abençoe-me sempre. Amém.

TEXTO BÍBLICO: SALMOS 103.1-5, HEBREUS 12.28

27
Dezembro

SOU FELIZ PELO QUE TENHO

VITÓRIA — ESTAS FÉRIAS ESTÃO SENDO MUITO LEGAIS! EU BRINCO COM AS MINHAS AMIGAS, LEIO HISTÓRIAS DA BÍBLIA E PASSO TEMPO FELIZ COM OS MEUS PAIS... MAS O ANO TODO TEM SIDO MUITO ESPECIAL, NÃO SÓ AS FÉRIAS. EU APRENDI MUITAS COISAS SOBRE DEUS NA BÍBLIA. QUERO CONHECER AINDA MAIS O MEU DEUS QUERIDO. SOU MUITO GRATA POR TUDO QUE ELE ME DÁ: VIDA, SAÚDE, PAZ, AMOR, ALEGRIA, UMA FAMÍLIA QUE ME AMA E AMIGOS MUITO LEGAIS. O AMOR DE JESUS MUDA MEU CORAÇÃO E ME FAZ SER UMA PESSOA MELHOR.

ISABELLA —EU TAMBÉM SOU MUITO FELIZ POR TUDO O QUE TENHO. DEUS É SEMPRE BOM E NOS AMA O TEMPO TODO.

ORAÇÃO

Querido Deus, eu agradeço por tudo o que o Senhor faz por mim. Amém.

28
Dezembro

TEXTO BÍBLICO: SALMOS 119.9-11, ISAÍAS 43.18,19

OS TESOUROS ESCONDIDOS NAS HISTÓRIAS DA BÍBLIA

GABRIEL — ESTE ANO FOI TÃO LEGAL, NÃO É, ZILU? MESMO QUANDO AS COISAS FICARAM DIFÍCEIS, DEUS SEMPRE CUIDOU DA GENTE. ELE NOS AJUDOU NOS MOMENTOS CHATOS. E TIVEMOS TANTAS COISAS LEGAIS QUE NEM DÁ PRA CONTAR. EU TENHO UMA FAMÍLIA E AMIGOS QUE ME AMAM MUITO, UMA ESCOLA LEGAL, UM LUGAR GOSTOSO PRA MORAR E, ACIMA DE TUDO, O AMOR DE DEUS. APRENDER SOBRE A BÍBLIA É INCRÍVEL. OUVI HISTÓRIAS QUE ME ENSINARAM MUITO. E SABE O QUE É DEMAIS? SEMPRE TEM MAIS COISAS PARA APRENDER NA BÍBLIA, PORQUE ELA É UM TESOURO ESPECIAL!

O ano está quase acabando, mas a alegria de ter o Senhor ao nosso lado continua. Vamos recordar tudo o que vivemos, aprendemos e agradecer por cada momento. E que o próximo ano seja ainda mais especial!

ORAÇÃO

Pai, a sua Palavra é um tesouro. Quero aprender sempre mais. Amém.

TEXTO BÍBLICO: FILIPENSES 3.7-21

29
Dezembro

EM BUSCA DOS TESOUROS DA BÍBLIA

ISABELLA — NO COMECINHO DESTE ANO, DECIDI QUE QUERIA CONHECER MAIS A BÍBLIA. E SABE DE UMA COISA? CONSEGUI! OUVI MUITAS HISTÓRIAS E LI A BÍBLIA TODOS OS DIAS COM DEUS. E ESTE É O MEU DESEJO PARA TODOS OS ANOS QUE VIRÃO. QUERO ESTAR PERTO DE DEUS TODOS OS DIAS, APRENDER SOBRE ELE E FAZER O QUE ELE ENSINA. TAMBÉM FALEI QUE QUERIA BRINCAR COM MEUS AMIGOS, E ADIVINHA? NÓS NOS DIVERTIMOS MUITO! QUE ALEGRIA TER AMIGOS QUE AMAM A DEUS COMO EU!

ORAÇÃO

Espírito Santo, ajude-me a entender melhor a Bíblia e a fazer o que Deus quer. Amém.

TEXTO BÍBLICO: SALMOS 63.1-8

EU QUERO ESTAR COM DEUS EM TODO O TEMPO

VALENTINA — ESTAR COM DEUS É A COISA MAIS LEGAL DE TODAS! EU QUERO FICAR COM ELE TODOS OS DIAS. ELE ME DEIXA FELIZ E SEGURA. QUANDO ESTOU COM DEUS, ME SINTO AMADA E PROTEGIDA. TIVE MOMENTOS DIFÍCEIS ESTE ANO, FUI AO HOSPITAL, FIQUEI DOENTE, CHOREI... MAS DEUS SEMPRE ESTEVE COMIGO. ELE ESTÁ AO MEU LADO QUANDO ESTOU TRISTE E TAMBÉM NOS MOMENTOS FELIZES. O AMOR DE DEUS ME DÁ PAZ E SEGURANÇA. QUERO FICAR COM ELE PARA SEMPRE.

ENZO — ESTAR COM DEUS É INCRÍVEL!

ORAÇÃO

Deus Pai, quero estar sempre perto do Senhor em todos os dias da minha vida. Amém.

TEXTO BÍBLICO: ROMANOS 5.1-8, 1JOÃO 3.1-3

VIVENDO O AMOR DE DEUS NO NOVO ANO

31
Dezembro

JOÃO — EU GOSTO MUITO DE COMEMORAR O FINAL DO ANO, AGRADECER PELO ANO QUE PASSOU E FALAR COM DEUS SOBRE O PRÓXIMO ANO. NESTE ANO, APRENDI MUITAS COISAS LEGAIS, CRESCI E ME DIVERTI COM A MINHA FAMÍLIA E MEUS AMIGOS. FALEI COM DEUS E SENTI QUE ELE ME AMA MUITO. NO PRÓXIMO ANO, QUERO FICAR AINDA MAIS PERTINHO DE DEUS E VIVER COMO UM FILHO QUERIDO DELE. TAMBÉM QUERO PASSAR MAIS TEMPO COM AS PESSOAS QUE EU AMO. ESTOU MUITO FELIZ E ANIMADO PARA O NOVO ANO QUE VAI COMEÇAR!

GABRIEL — DEUS TEM SIDO MUITO LEGAL COM A GENTE!

ORAÇÃO

Deus Pai, agradeço por este ano. Abençoe o próximo e esteja sempre comigo. Amém.

O ano acabou! É momento de comemorar e agradecer a Deus. Vamos orar pelo próximo ano. Pinte as fitas com o que você deseja para este ano que começará!

PAZ
INVEJA
ALEGRIA
BRIGAS
AMOR
SAÚDE
PREGUIÇA
FÉ
SABEDORIA

OI, AMIGUINHO!
FICO SUPERFELIZ POR ME ACOMPANHAR NESTA AVENTURA INCRÍVEL COM DEUS DURANTE TODO ESTE ANO!
DEUS PAI TEM MUITO AMOR POR TODOS OS SEUS FILHOS. O DESEJO DO CORAÇÃO DELE É QUE ESTEJAMOS CADA DIA MAIS PERTO DO SENHOR. APRENDER MAIS SOBRE A PALAVRA DE DEUS É MUITO PRECIOSO. JAMAIS SE ESQUEÇA DO AMOR DE DEUS E DO SACRIFÍCIO DE JESUS NA CRUZ PARA QUE FÔSSEMOS SALVOS. QUE O ESPÍRITO SANTO INSPIRE VOCÊ A SER CADA DIA MAIS OBEDIENTE À PALAVRA DO SENHOR.

SOBRE O AUTOR

JUNIOR ROSTIROLA ERA MUITO TÍMIDO NA INFÂNCIA E NÃO TINHA AMIGOS. APESAR DE SEU PAI MORAR NA MESMA CASA QUE ELE, JUNIOR SOFRIA MUITO POR SE SENTIR ÓRFÃO. QUANDO ELE CONHECEU O AMOR DE DEUS PAI, A VIDA DELE COMEÇOU A SE TRANSFORMAR. ELE PASSOU A TER UMA GRANDE FAMÍLIA DE FÉ E FEZ MUITOS AMIGOS. HOJE, ELE CUIDA DE UMA GRANDE COMUNIDADE CRISTÃ E TEM DIVERSOS PROJETOS PARA AJUDAR SUA CIDADE, ITAJAÍ, SC.

ELE É CASADO COM MICHELLE. ELES SÃO PAIS DE JOÃO E ISABELLA.

DIVERSÃO EM FAMÍLIA

Complete o versículo com as vogais que estão faltando:

“__L__GR__M-S__

S__MPR__ N__

S__NH__R. N__V__-

M__NT__ D__R__ __:

__L__GR__M-S__!”

(Filipenses 4.4, NVI).

DIVERSÃO EM FAMÍLIA

Descubra o poder da Bíblia! Ela nos ensina e guia no caminho de Deus. Como diz em 2Timóteo 3.16: “Pois toda a Escritura Sagrada é inspirada por Deus e é útil para ensinar a verdade, condenar o erro, corrigir as faltas e ensinar a maneira certa de viver” (NTLH). Faça um desenho ou escreva como a Bíblia ensina você a fazer o que é certo. Vamos explorar juntos os tesouros da Bíblia!

DIVERSÃO EM FAMÍLIA

Um dos exemplos da humildade de Jesus foi quando ele escolheu lavar os pés de seus discípulos. Peça a um adulto que leia novamente o texto de João 13.1-17 e, depois, pinte este desenho.

Você lembra das nove características do fruto do Espírito? Anote uma em cada parte do fruto. Depois, pergunte à sua família se eles sabem quais são. Vamos ver quem se lembra delas mais rápido!

Complete os espaços vazios com as consoantes certas para descobrir a mensagem. Se precisar, peça ajuda a um adulto.

O__i__ú__io __u__ou

__ua__e____a __ia__ e

__ua__e____a __oi__e__.

__eu__ ____o__e__eu

__oé e __ua

__a__í__ia.

D S T P L G
F T N R T S N
R Q D R D
T S N V Q S
L R D N M

O dilúvio durou quarenta dias e quarenta noites. Deus protegeu Noé e sua família.

Vamos fazer uma corrida de barcos? Peça a um adulto para ajudá-lo a montar os barquinhos de papel. Cada participante da corrida deve ter o seu. Depois, peça a um adulto que ponha um pouco de água em uma forma de bolo. Soprem bem forte para ver quem chega primeiro. Quem será o vencedor? Vamos descobrir juntos!

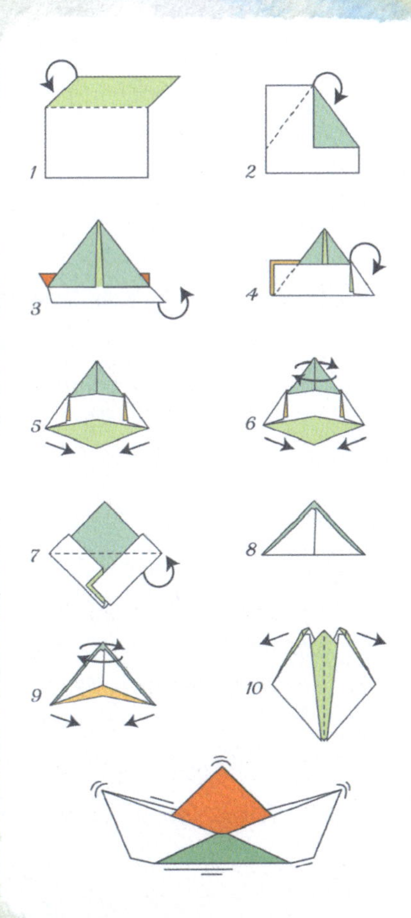

DIVERSÃO EM FAMÍLIA

Vamos nos divertir com um jogo especial em família! Quem aqui conhece melhor o outro? Respondam às perguntas a seguir e acumulem pontos. No final, vamos descobrir quem é o vencedor!

1. Quantos anos eu tenho?

____

2. Qual é a minha cor favorita?

____

3. Qual é o meu animal favorito?

____

4. Qual é o meu desenho favorito?

____

5. Qual é a minha personagem bíblica favorita?

____

Peça a um adulto que leia Atos 9 com você. Depois, coloque estes acontecimentos da vida de Paulo na ordem certa.

1. Paulo tem um encontro com Jesus.

2. Ananias ora por Paulo.

3. Paulo começa a pregar o evangelho.

Encontre a inicial de cada desenho para descobrir de onde vinha a força de Sansão.

Leia novamente Lucas 15.22-27 e pinte os presentes que o pai deu ao filho quando ele voltou para casa.

DIVERSÃO EM FAMÍLIA

O que as pessoas veem quando olham para você? Sabia que nós precisamos refletir o amor de Deus? Isso significa que temos que ser bondosos, amáveis, alegres. Precisamos promover a paz, tratar as pessoas com justiça, sinceridade e gentileza. Então, quando as pessoas olharem para você, verão o amor do Senhor. Fique em frente a um espelho e faça um desenho de si mesmo!

"Amados, amemos uns aos outros, pois o amor procede de Deus. Aquele que ama é nascido de Deus e conhece a Deus" (1João 4.7).